Los héroes felices

Vea Kaiser

LOS HÉROES FELICES

Traducido del alemán por Isabel García Adánez

AdN Alianza de Novelas

Título original: *Makarionissi oder Die Insel der Seligen*
Originalmente publicado en alemán por
Verlag Kiepenheuer & Witsch GmbH & Co. KG, Köln / Alemania

Diseño de colección: Estudio Pep Carrió

© Vea Kaiser, 2015
© de la traducción: Isabel García Adánez, 2016
© AdN Alianza de Novelas (Alianza Editorial, S. A.)
Madrid, 2016
Calle Juan Ignacio Luca de Tena, 15
28027 Madrid
www.AdNovelas.com

ISBN: 978-84-9104-468-0
Depósito legal: M. 28.454-2016
Printed in Spain

Para mis héroes y para quien me rompió el corazón

Y ya luego, desde que la tierra sepultó también esta estirpe, en su lugar todavía creó Zeus Crónida sobre el suelo fecundo otra cuarta más justa y virtuosa, la estirpe divina de los héroes que se llaman semidioses, raza que nos precedió sobre la tierra sin límites.

A unos la guerra funesta y el temible combate los aniquiló bien al pie de Tebas la de siete puertas, en el país cadmeo, peleando por los rebaños de Edipo, o bien después de conducirles a Troya en sus naves, sobre el inmenso abismo del mar, a causa de Helena de hermosos cabellos. Allí, por tanto, la muerte se apoderó de unos.

A los otros el padre Zeus Crónida determinó concederles vida y residencia lejos de los hombres, hacia los confines de la tierra. Éstos viven con un corazón exento de dolores en las Islas de los Afortunados, junto al Océano de profundas corrientes, héroes felices a los que el campo fértil les produce frutos que germinan tres veces al año, dulces como la miel.

HESÍODO, *Trabajos y días*[1]

[1] Citado según la traducción española de Aurelio Pérez Jiménez y Alfonso Martínez Díez; Madrid, Gredos, 1978, p. 132. *(N. de la T.)*

Whether I shall turn out to be the hero of my own life, or whether that station will be held by anybody else, these pages must show.

CHARLES DICKENS, *David Copperfield*[1]

Esto es una novela y, por consiguiente, una obra de ficción. Cualquier posible parecido con personas que existan en la realidad es pura coincidencia no intencionada.

Lo mismo puede aplicarse a ciertas divergencias entre los acontecimientos históricos y la historia narrada en este libro, que se debe únicamente a la ficción. No a la realidad. Concede, pues, querido lector, una oportunidad a la fabulación. Pues como ya afirmaba Heródoto: a menudo un narrador de historias cuenta la Historia mejor de lo que podrían hacer los acontecimientos en su transcurso real.

Héroes de la historia

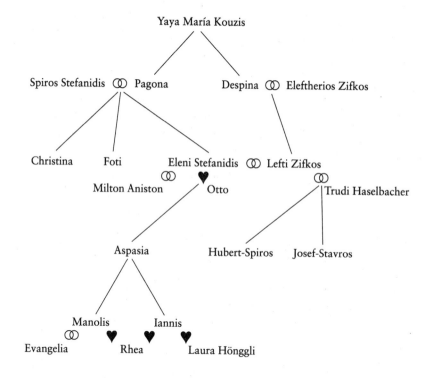

Yaya María Kouzis

Spiros Stefanidis ⚭ Pagona   Despina ⚭ Eleftherios Zifkos

Christina   Foti   Eleni Stefanidis ⚭ Lefti Zifkos
                              ⚭ ♥
                    Milton Aniston   Otto   ⚭
                                                    | Trudi Haselbacher

                    Aspasia   Hubert-Spiros   Josef-Stavros

              Manolis   Iannis
              ⚭   ♥   ♥   ♥
        Evangelia   Rhea   Laura Hönggli

Canto I

Que trata de un pueblecito
de la frontera greco-albanesa donde
dos personas que en el fondo se quieren
acaban separadas porque la familia
tiene grandes planes
para ellos.

Prólogo

En Varitsi, un pueblecito de las montañas cercano a la frontera greco-albanesa, existía un refrán que decía que la hora más oscura siempre es la que precede al alba. Sin embargo, cuando María Kouzis, en la primavera de mil novecientos cincuenta y seis, se sobresaltó en la cama y tuvo que apoyarse en la pared de su alcoba para que aquellos milenarios muros tranquilizasen un poco su corazón desbocado, tuvo la certeza de que jamás había vivido una noche tan oscura como aquella, y eso que apenas eran más de las doce. María Kouzis se preguntó si acaso se había perdido entre sus pensamientos, si se le había ido la cabeza soñando despierta o si tan solo había quedado un momento traspuesta. La anciana no se fiaba mucho del sueño, pues quien duerme demasiado profundamente pasa por alto lo que sucede a su alrededor. Sea como fuere, estaba convencida de haber recibido una señal. Y a lo largo de su vida María Kouzis había aprendido a hacer caso de las señales en cualquier forma que se presentaran.

Siendo ella aún joven, los animales de su ciudad natal en Asia Menor empezaron a parir quimeras. Un ternero con dos cabezas, una cabrita cuya brillante piel blanca se asemejaba a la de un bebé humano... Hasta los perros salvajes se mantenían a distancia de aquellas criaturas, y después de que un pajarillo sin alas cayera de su nido, María Kouzis y su madre —en mil novecientos dieciocho— decidieron abandonar Asia Menor. Al padre, un comerciante culto que había estudiado en París, aquello de las señales le parecía una ridiculez y se quedó. Los turcos, que, pocas semanas más tarde, tomaron la ciudad en su devastador afán de limpiar toda la costa de griegos, lo mataron de una cuchillada, saquearon la casa y le prendieron fuego.

Un día, por las calles del Pireo, que se habían llenado de refugiados y adonde habían ido a parar María Kouzis y su madre, una vendedora ambulante le ofreció una taza de café, lujo que echaba en falta con gran pesar. Pero la joven no se apresuró a apurar aquel oro negro, sino que únicamente se interesó por los posos: se habían depositado poco a poco en el fondo de la taza dejando un anillo en el borde superior. Y tal y como prometía aquel símbolo del anillo, pocos días más tarde conoció al hombre de su vida: un rico comerciante de sal de las montañas del noroeste. Él quedó impresionado por la inteligencia, la exquisita educación y la gracia natural de María... y se casó con ella, aunque no supiera cocinar ni pudiera aportar una dote. Y gracias a aquella taza de café llegó María a la cama en la que aún dormía ahora, muchos años después de la muerte de su marido, en una casa señorial de sólidos muros de piedra, la casa más grande de todo Varitsi, el pueblecito de montaña cercano a la frontera de Albania por el que, desde hacía siglos, pasaba la principal ruta de comercio de sal.

María Kouzis creía firmemente que los antepasados enviaban señales desde el cielo para indicar el camino a sus descendientes. Aquellas señales podían darse en cualquier momento y en cualquier lugar; eso sí, lo único en lo que no creía era en las bolas de cristal, que le parecían una tontuna de las gitanas.

Cuando se sobresaltó en la cama, en aquella noche del año mil novecientos cincuenta y seis, la señal fue una imagen en un sueño. Así pues, en cuanto hubo constatado que estaba despierta otra vez, María Kouzis —a quien en el pueblo simplemente llamaban Yaya María: abuela María— salió corriendo al patio con una sonrisa en su arrugado rostro y se arrodilló ante el icono que tenía su pequeño altar en una hornacina en el muro de la casa. En aquella postura, el cabello blanco le cubría toda la espalda hasta las plantas de los pies y brillaba bajo la luz de la luna mientras ella pronunciaba un responso tras otro, besando el cristal de la hornacina hasta que el vaho lo empañó por completo.

Aquella noche, a Yaya María se le había aparecido santa Paraskevi, espléndidamente ataviada, para asegurarle que los planes de boda que tenía urdidos para sus nietos eran acertados.

La anciana había arreglado ya muchos matrimonios. Incluso a muchachos y muchachas que no se podían ni ver había conseguido emparejarlos si los augurios apuntaban a un feliz desenlace, asegurando así la continuidad de muchas familias. A ella misma la habían compadecido siempre por haber tenido dos hijas gemelas pero ningún varón, aunque Yaya María había sabido salvar esta carencia casando bien a ambas. A Despina, veintiún minutos mayor que su hermana, sensible, cariñosa y reflexiva, la había colocado como esposa de un brillante maestro del pueblo de arriba; a Pagona, que poseía brazos fuertes y mucha voluntad para cualquier tarea, la había casado con un artesano muy trabajador... Dos buenos partidos, y eso que las dos muchachas habían heredado los dientes del marido de Yaya María y su fatal tendencia a pudrirse, además de ser, como su madre, mucho más bajitas que la media y no demasiado agraciadas.

Pero después las gallinas empezaron a cantar como gallos, las tijeras se caían siempre de punta, la hierba se marchitó ya en primavera, y llegó la guerra. En mil novecientos cuarenta, los italianos; en mil novecientos cuarenta y tres, los alemanes, y, después de sobrevivir a los enemigos extranjeros, en el país estalló la guerra civil por quién habría de gobernarlo en el futuro. El marido de Despina engendró un hijo, se marchó con los comunistas y no se volvió a saber nada de él. El marido de Pagona luchó a favor de las tropas leales a la corona y se quedó en el pueblo, y ella le dio seis hijas, de las cuales, por otra parte, tan solo sobrevivieron las que hacían los números uno y tres; la segunda falleció en la hambruna de la guerra, la cuarta y la quinta eran siamesas y murieron a los tres días de nacer, y la última vino al mundo muerta.

En los años de la guerra hizo tal mella en el pueblo el hambre que hasta las acederas que crecían silvestres entre los adoquines se aprovechaban para hacer sopa y a las palomas mensajeras les costaba la vida abrir el pico..., y casi nadie quería tener más hijos. Yaya María había leído las señales. Con todo, su principal preocupación no era el hambre, sino que su único nieto no iba a encontrar mujer con quien casarse cuando, como anunciaban las señales, llegara la paz. Las contadas muchachas del lugar ya estaban prometidas desde su nacimiento. Nadie conocía las leyes no escritas de los arreglos matrimoniales de Varitsi mejor que Yaya María. Y nadie sabía mejor que ella que su queridísimo nieto, Lefti, tenía todas las papeletas para quedarse sin mujer.

Estando su hija Despina sentada a la rueca y dando de mamar al niño, Yaya María empezó a lamentarse en voz bien alta de lo terrible que sería que Lefti tuviera que abandonar el pueblo a la hora de encontrar esposa. Y estando Pagona pelando manzanas, Yaya María empezó a decir que era una pena que la familia de Pagona jamás tuviera ningún derecho a la herencia familiar... porque sus hijas ya eran demasiado mayores para Lefti y no era de recibo que se casara con alguna de ellas. Yaya María engatusó a sus hijas, sembró en ellas la peligrosa semilla de la preocupación y del miedo, y las gemelas pronto estaban cuchicheando entre ellas sobre lo bonito que sería que los hijos de ambas pudieran casarse —primero susurraron y luego ya hablaron en voz alta—, hasta que Pagona, siguiendo el consejo de su madre, en la primavera de mil novecientos cuarenta y ocho, se embutió como pudo en la vieja ropa interior de su boda y emborrachó a su marido, Spiros. Y repitió la operación dos veces hasta que le creció la barriga y dio a luz a una niña a quien llamaron Eleni. Spiros enfureció: Pagona le había prometido no traer más niños al mundo en aquellos tiempos difíciles, pero ella le susurró al oído que aquel bebé era una nueva prueba de su virilidad. Y al final aquella niña recibió todas las atenciones imaginables: Despina la cuidaba porque no solo era su sobrina sino también su futura nuera; Pagona la tenía entre algodones porque la pequeña garantizaría la herencia de aquella rama de la familia, y, para Yaya María, Eleni se convirtió en la niña de sus ojos. Esto sucedía para fastidio infinito de las dos nietas mayores, Foti y Christina, a quienes les parecía una injusticia tremenda que la abuela no les hubiera contado cuentos jamás en tanto que a Eleni la obsequiaba con historias incluso cuando esta aún era demasiado pequeña para entender nada.

Eleni y Lefti se criaban espléndidamente, estaban sanos y fuertes. Yaya María tenía mucho cuidado de que nunca les diera la corriente... y nada obstaculizaba el futuro matrimonio de ambos. Nada excepto la mala conciencia de la abuela. Cada vez que miraba a la pequeña a los ojos se preguntaba si estaba bien que Eleni tan solo hubiera venido al mundo para que un muchacho encontrase un buen partido. Y cuando los veía jugar juntos como si fueran hermanos, la abuela recordaba que eran primos... ¿Y si sus bisnietos nacían luego con rabito de cerdo?

Sin embargo, en aquella fatídica noche de la primavera de mil novecientos cincuenta y seis, tras siete años esperando una señal, a la anciana se le apareció en sueños santa Paraskevi y en la visión tomaba la mano de Eleni, que por entonces tenía siete años, y la unía a la de Lefti, de once, mientras a su alrededor crecían los girasoles y se multiplicaban hasta el infinito y giraban la cabeza hacia la santa como si lo hicieran para mirar al sol. Y mientras tanto María Kouzis, en mitad de la noche, cogía flores del jardín como loca para adornar el icono, le corrían las lágrimas por la cara, surcada de arrugas, ahora que veía asegurado el futuro de la familia y la continuidad de su legado. Sus nietos se casarían y con ellos volverían las fuerzas a la familia de Varitsi. Ahora sí que podía empezar la época de paz con la que había soñado desde que, de joven, viera desde el mar cómo se alzaban en su tierra natal las columnas de humo.

Un único detalle pasó por alto en su profundo alivio: que los girasoles son las flores del amor desgraciado y sin esperanza. Pero eso no se le habría de ocurrir hasta una década después, cuando ya era claramente demasiado tarde.

Siempre que alguien vuelve

En mil novecientos cincuenta y seis, en las montañas de la frontera entre Grecia y Albania había muchos lugares secretos. Había
cuevas donde los partisanos de la guerra civil escondían sus armas
tan bien escondidas que luego no las encontraban. Había puentes
sin pretil sobre los arroyos de la montaña que, construidos en su
día por los hombres, ahora estaban tan inmersos en el paisaje que
solo los utilizaban los animales del bosque. Y había bosques tan
espesos que solo los narradores de cuentos podían imaginar quién
o qué se ocultaba en ellos.

En Varitsi, sin embargo, un pueblecito en medio de esas montañas, no había secretos. Varitsi era un lugar de paso obligado en la
antigua ruta principal del comercio a través de la alta montaña.
Durante décadas fue el lugar donde se recaudaban los impuestos
de aduana de las caravanas de mulas que transportaban sal hacia
el sur a través de las montañas. Las casas, construidas sobre la falda de la montaña, bordeaban la carretera principal casi hasta lo
alto del desfiladero. A esta carretera principal daba siempre el
muro más grueso de cada casa. Grandes piedras que se antojaban
inexpugnables para cuantos pasaban a su lado. Pero aquellos gruesos muros tenían ojos y oídos. Grietas que permitían la escucha,
torrecillas y ventanucos disimulados que hacían imposible atrave-
sar el pueblo, aun con el mayor sigilo, y pasar desapercibido. Todo
el mundo sabía incluso dónde escondían sus presas los perros.

Así pues, tampoco cierto jueves de la primavera de mil novecientos cincuenta y seis hubo de pasar mucho tiempo antes de que

el pueblo se diera cuenta de que había regresado un hombre al que nadie había vuelto a ver desde que se fuera a la guerra en mil novecientos cuarenta y seis. Y es que en los últimos años, empezaba a ser más habitual que los hombres se marcharan de allí, no que regresaran. Salvo por algunos vendedores ambulantes, aquella ruta a través de las montañas ya no se transitaba para transportar mercancías. Había nuevas carreteras y rutas por mar, y para mantener a sus familias los hombres tenían que irse al valle y buscar empleo en las fábricas de tabaco o algún trabajo temporal en la construcción de carreteras. Algunos lo daban por imposible y preferían probar suerte en el extranjero. A Varitsi llegaban más postales que personas, con lo cual el hecho insólito de que alguien volviera, más aún teniendo en cuenta que era alguien a quien habían dado por muerto, provocó gran excitación en el pueblo.

A Yaya María, la excitación no le gustaba en absoluto, la consideraba una enfermedad muy perjudicial para el corazón. Estaba convencida de que había sido la constante excitación lo que se llevó a su marido a la tumba tan pronto, así que, apenas asomó la cabeza a la calle aquella mañana y se enteró de que, durante la noche, había llegado al pueblo un hombre causante de gran excitación, sacó de la cama a sus amados nietos y, muy excepcionalmente por ser el día que era, les dio permiso para subir a los pastos con las cabras.

Eleni y Lefti se pusieron contentísimos.

El invierno había sido duro y la primavera, lluviosa. Hasta hacía pocos días no les habían dejado cruzar ni los límites del pueblo, porque los ríos que rodeaban por todas partes aquel pueblecito de la ladera del monte Kipi llevaban más agua que nunca. Durante semanas, lo que no solían ser más que inofensivos arroyos que serpenteaban valle abajo entre profundas gargantas, rocas muy escarpadas y cataratas se habían transformado en monstruosas e indómitas fuerzas de la naturaleza, capaces de arrancar troncos de árbol como si fueran ramaje seco del que se lleva la corriente más débil. A Yaya María le daba miedo que sus nietos pudieran resbalar y caer a alguno de los torrentes. Desde que había terminado la guerra y desde que, a principios de los años cincuenta, se supo controlar la tuberculosis, la principal causa de muerte en Varitsi eran las aguas enloquecidas: el agua suponía un peligro mayor que los lobos, los osos, el rayo o el frío del invierno.

Encerrados en casa, los dos primos se habían aburrido mortalmente durante todas aquellas semanas. Habían jugado tanto a las canicas, a las tabas o a sus juegos de mesa que por las noches soñaban con los dados. Habían adiestrado a los perros que guardaban los rebaños para que se pusieran en dos patas a la orden de «¡Manos arriba!» y se hicieran el muerto a la señal de «¡Bang!», y su Yaya María les había contado cuentos hasta que las cuerdas vocales se le habían irritado tanto que apenas le salía de la garganta un débil graznido. Ni siquiera les divertía ya incordiar a las hermanas de Eleni, las adolescentes Foti y Christina, y a los demás niños del pueblo les tenían declarada la guerra. Ni se acordaban de cuándo había empezado aquella enemistad. Lefti ya tenía cicatrices de haberse pegado con ellos cuando nació Eleni. Y ella, que nunca había llorado cuando tenía hambre o sueño, ni siquiera cuando aún no sabía hablar, sollozaba como si se le partiera el alma cuando Lefti se llevaba algún bofetón o incluso cuando simplemente le llamaban alguna cosa fea.

Varitsi en realidad estaba formado por dos pueblos: el Varitsi central, también llamado «de abajo», vigilaba la carretera. Desde la guerra, apenas cuarenta de las sesenta casas estaban habitadas permanentemente. Por otro lado, al pueblo de arriba, que estaba a dos kilómetros al noreste y en su día había sido tan grande como el de abajo, apenas había vuelto nadie después de la guerra, con lo cual los lugareños empezaron a llamarlo Micro-Varitsi. Las tierras de pastoreo de la familia no estaban lejos de Micro-Varitsi, y Eleni y Lefti condujeron a las cabras hacia el oeste, bordeando el pueblo, hasta un lugar desde el que tenían una buena panorámica de las dos partes, así como de la estrecha carreterilla serpenteante que unía los pueblos de arriba y de abajo. Por la mañana estuvieron buscando escarabajos de colores, al mediodía compartieron el paquete de comida que la abuela les había preparado y atado con un cordel, y por la tarde a Lefti se le ocurrió un truco de magia.

—¡Soy Lefti, señor de la Luz y de la Sombra! —exclamó poniendo voz de barítono y subiéndose de un salto a una roca atravesada de brillantes vetas de cuarzo.

Eleni tuvo que sujetarse la tripa de la risa.

—Tú eres Lefti, mi primo.

—¡El señor de la Luz y de la Sombra te ordena subirte aquí, detrás de mí, para ver cuanto ve tu señor!

Eleni obedeció sin rechistar. Lefti abrió los brazos y los dos juntos contemplaron el valle desde las alturas.

—¡Ahora ordeno a la Sombra que devore el pueblo! —dijo Lefti, abriendo las manos, y Eleni se asombró al ver que la sombra que arrojaba la cima de la montaña comenzaba a moverse de verdad a lo largo del borde de las manos de Lefti e iba tragándose el pueblo a pequeños bocados. Eleni siempre había sabido que su primo poseía poderes mágicos. Se quedó boquiabierta… hasta que oyó una algarabía de voces de niños. Eleni y Lefti avistaron un tropel de gente que subía por la serpenteante carreterilla en dirección al pueblo de arriba. A Eleni le faltó tiempo para tirarle de la camisa a su primo:

—¡Mira, Lefti!

Los dos primos, sin palabras en lo alto de la roca, guiñaron los ojos porque no daban crédito: alguien había aparecido en Varitsi, y los niños del pueblo lo acompañaban a su destino entre brincos y jaleos.

—¡Ay, Lefti —chilló de excitación Eleni—, dentro de dos semanas es tu cumpleaños, tiene que ser tu papá!

Desde la última vez que había regresado a Varitsi un hombre a quien daban por desaparecido en la guerra, tres años atrás, Lefti rezaba fervientemente para que también su padre volviera algún día. Ni él ni Eleni sabían mucho de las cosas que habían sucedido antes de nacer ellos, salvo que había habido dos guerras. Primero, los dos pueblos habían luchado contra los alemanes. Pero, después de vencer a los alemanes, el país se había dividido: los unos querían al rey, los otros el comunismo, y la disputa se había vivido incluso dentro del propio Varitsi. El pueblo de abajo había luchado del lado de los monárquicos, pero el de arriba —de donde procedía el padre de Lefti— estaba de parte de los comunistas. Habían vencido los seguidores de la monarquía, motivo por el cual en cada casa tenían colgado un retrato del rey; al mismo tiempo, casi todos los que habían luchado por el comunismo desaparecieron; a los pocos que regresaron no les saludaban por la calle ni les servían en el *kafenion*. Lo que había sido de aquellos desaparecidos no lo sabía bien nadie. Los adultos, tapándose la boca con la mano, murmuraban que si estaban en prisión en alguna isla, que si habían huido cruzando la frontera, que si habían muerto… Pero Lefti se acordaba a diario de que su padre le había prometido por lo más sagrado que volvería. El corazón le latía como si se le fuera a salir por la boca.

—¡Vamos, vamos, Lefti! —chillaba Eleni, que ya había echado a correr. Los padres de Eleni le habían insistido mil veces en que nunca debía preguntarle a nadie por el padre de Lefti y su destino; el padre de Lefti era una mala persona, un traidor a la patria…, claro que a Eleni le daba igual por quién hubiera luchado. Ella estaba de parte de su primo de manera incondicional. Lefti se echó el morral al hombro, llamó a las cabras con un silbido y emprendió el camino detrás de Eleni.

Un buen pastor se cuida de que no se le pierda ninguno de los miembros más débiles del rebaño, pero Lefti enseguida se puso tan nervioso que dejó de correr detrás de las cabras para ir delante como Eleni.

—¿Adónde vas con tanta prisa, Lefti? —le gritó al pasar el maestro, con quien se cruzaron en el pueblo de arriba y quien tuvo que arrimarse contra el muro de piedra de una casa medio derruida para dejar paso a los niños con sus alocadas cabras detrás—. ¡Oye, Lefti, que te estoy preguntando algo! —le gritó enfadado cuando el niño siguió corriendo sin contestar. El curso escolar había terminado ya para que los niños pudieran ayudar con las numerosas tareas que el campo imponía al final de la primavera, pero el maestro consideraba importante no perder su autoridad en el período de vacaciones escolares.

—¡No tengo tiempo! —gritó Lefti sin darse la vuelta, y el maestro se apresuró a buscar un lapicero y un trozo de papel en los bolsillos. Quería apuntar que semejante falta de respeto implicaba unos azotes con la vara de avellano el primerísimo día de clase. Como tantos hombres del pueblo, también el profesor había perdido casi por completo la capacidad de recordar a consecuencia de la guerra. Sobre todo cuando, como era el caso, iba de camino al *kafenion,* fuente del delicioso *tsipouro* en el que cada noche ahogaba la escasa memoria que aún tenía, hasta que la cabeza le quedaba como una pizarra bien borrada. Pues lo único que unía a todos los habitantes de Varitsi, rojos o monárquicos, era que no querían recordar.

Lefti corría calle abajo lo más deprisa que podía al tiempo que prestaba atención a Eleni, cuyas piernas eran bastante más cortas que las suyas, no fuera a tropezar y se cayera. A diferencia del núcleo de Varitsi, el pueblo de arriba estaba construido sobre una ladera muy escarpada de la montaña. Las casas se amontonaban unas sobre otras y como por azar se abrían entre ellas las calles, de adoquines mal puestos entre los cuales brotaban las malas hierbas. Eleni, Lefti y el rebaño de cabras cambiaron de dirección dos veces hasta encontrarse con el tropel de gente: el recién llegado se había detenido ante la antigua casa de la familia de Lefti e intentaba forzar el candado que mantenía clausurada la puerta principal desde que Lefti y su madre se habían mudado al centro del pueblo para vivir con la familia de Eleni. Al principio lo consideraron algo provisional, pero las ventanas sin cristales y el tejado medio hundido de la casa no parecían algo provisional, sino más bien abandonados para siempre. Como a todos los hombres que regresaban, también a aquel desaparecido durante tantos años lo rodearon los niños del pueblo, asombrados de que aún llevase el mismo traje con el que antaño había partido. Los niños no sentían tanta curiosidad por quién era, de dónde venía o qué había vivido como por su extraño traje y su peculiar sombrero, que parecían salidos directamente de alguna ilustración del libro de Historia que el maestro solía leerles en clase con voz quebradiza. Era un hombre de cabeza estrecha y tez pálida; cabello castaño claro, muy fino; ojos claros, barba rala, calva incipiente en las sienes; por su aspecto general, parecía una versión de Lefti con treinta años más. Eleni agarró la mano de su primo. Este se quedó mirando al hombre, que de pronto le devolvió la mirada y abrió la boca para preguntar casi sin voz:

—¿Lefti? —El niño se le abrazó y apretó la cara contra su vientre.

—¡Papá! —Lefti se enganchó a la gruesa tela de la chaqueta del recién llegado, dispuesto a no soltarse nunca más, sintiéndose pleno por primera vez en su vida.

El hombre le puso las manos en los hombros y se arrodilló:

—¡Por todos los Cielos, Lefti, eres igual que tu padre! —Lefti dio un paso atrás—. Soy yo, tu tío Thanos. ¿No te acuerdas de mí?

Lefti no se acordaba y, para mayor apuro, aún hubo de darse cuenta de cómo le observaban los demás niños. La única que se había vuelto hacia otro lado era Eleni, que observaba a las cabras arrancar las hierbas que crecían entre las grietas del muro de la casa abandonada.

—Lefti, ¿dónde está tu padre?

El tío Thanos iba a decir algo más cuando se oyeron los pesados pasos de unas botas que se acercaban por las angostas calles del pueblo de arriba. Al punto aparecieron el señor Mavrotidis y otros hombres de Varitsi, y se abalanzaron sobre él haciendo caso omiso del tropel de niños. Antes de decir una palabra, el señor Mavrotidis agarró al recién llegado por el cuello de la chaqueta y lo tiró al suelo.

—¡Bienvenido de vuelta, cerdo comunista!

El tío Thanos fue a caer sobre la gravilla, y el señor Mavrotidis comenzó a darle patadas con sus pesadas botas militares. Del señor

Mavrotidis, en cuyas mejillas destacaban las profundas cicatrices de un impacto de metralla, se contaba que durante el servicio militar torturaba a los comunistas arrancándoles las uñas con tenazas al rojo vivo. En Varitsi no había policía, los únicos que hacían las veces de algo similar a los gendarmes eran Mavrotidis y sus hombres. Sus palabras eran obedecidas y sus palizas no se cuestionaban. Lefti se quedó petrificado. Eleni lo agarró de la mano, dio un silbido para llamar a sus cabras, que habían huido espantadas en todas direcciones, y lo arrastró lejos de allí sin volver la vista una sola vez.

No ralentizaron el paso hasta que no solo hubieron dejado bien atrás los gritos del tío Thanos, sino el pueblo de arriba entero. Eleni se chupaba el dedo meñique.

—Deja de hacer eso o se te caerá la uña —dijo Lefti, repitiendo las palabras de Yaya María, a pesar de que no se las creía. Lefti suspiró y contó las cabras, que olisqueaban las hierbas del borde del camino—. Falta la cabrita pequeña. —Y la llamó. Pero la cabrita no venía. En respuesta, lo que oyó fue:

—¡Papá, papá, ven a limpiarme el culo! —Y a ello siguió una fuerte risotada. Lefti apretó la mano de Eleni cuando vio salir de detrás de los árboles a Loukas, el hijo de Mavrotidis, a su mejor amigo, Stavros, y a otros tres muchachos del pueblo. Desde que tenía uso de razón, Lefti consideraba a Loukas su enemigo, si bien él nunca le había dado motivos para serlo. Loukas se parecía tanto a su padre que Lefti imaginaba que de mayor le saldrían solas las cicatrices de metralla en las mejillas. Con sus brillantes zapatos, Loukas daba puntapiés a las piedras para que le cayeran a Lefti. Stavros, un bruto, hijo de un campesino, que seguía a Loukas a todas partes, sujetaba la cabrita en alto, agarrada de las patas como si fuera un saco de harina.

—Devuélvenosla —dijo Lefti en tono conciliador. Loukas hacía suyo cuanto se le antojaba. Por ejemplo, dulces de los que Lefti solía recibir de su vecino o canicas que no escondía a tiempo.

—La cabrita ha lloriqueado casi igual que tú al ver al criminal de tu papá. —Loukas soltó las manos que antes tenía enganchadas en la cinturilla del pantalón y dio un empujón a Lefti—. ¡Eres un cobarde, igual que tu padre! ¡Búlgaro hijo de puta!

Lefti permitió que lo tirara al suelo a propósito con la esperanza de que así lo dejara en paz antes. Cerró los ojos con fuerza al ver que Loukas daba un paso adelante..., pero entonces este profirió un chillido como un cerdo en el matadero. Lefti abrió unos ojos como platos: Eleni le había clavado los dientes en el brazo a aquel matón y no lo soltaba. Aunque, sin duda, los demás muchachos querían ayudar a su amigo, ninguno sabía qué hacer. Al fin y al cabo, en aquel pueblo imperaban ciertas reglas básicas, y una de ellas era no hacerle daño a una niña jamás.

Pasado medio minuto que costó a Loukas sus buenas lágrimas, Eleni lo soltó y el chico se miró la herida del mordisco, mientras sus compañeros contemplaban el suelo compungidos. Lefti se levantó del suelo, agarró a Eleni, que escupía sangre de Loukas, y escapó de allí con su prima, corriendo lo más deprisa que pudieron... seguidos de las cabras, que trotaban sin balar siquiera, como si hubieran comprendido la gravedad de la situación.

*   *   *

Para cuando Eleni y Lefti llegaron a casa, ya bañaban sus muros de piedra los colores del crepúsculo. Lefti abrió el portón del patio e hizo entrar a las cabras, que se abalanzaron ansiosas al abrevadero.

—Loukas sabe a cerdo crudo —dijo Eleni, mientras Lefti trajinaba con el grueso perno que fijaba al suelo la segunda hoja del portón del patio.

Lefti se limpió la mano en el pantalón, dio unos suaves toquecitos sobre la maraña de indómitos rizos de color castaño oscuro de su prima y dijo:

—Si yo soy el señor de la Luz y de la Sombra, a partir de ahora tú serás la heroína del reino.

—¿Princesa no?

—Las princesas son muy bobas. Lo único que saben hacer es tener miedo. Las heroínas se defienden.

Con gesto pensativo, Eleni ladeó la cabeza y luego entró en la casa brincando muy contenta:

—¡Soy una heroína! ¡Una heroína valiente y no una princesa cobarde!

Lefti suspiró, anhelando ser capaz de ver el mundo con los ojos de Eleni, aunque solo fuera por un día. Su prima no solo tenía padre, y además un padre fuerte a quien todo el pueblo respetaba, sino que también tenía una madre que no se pasaba las noches llorando hasta caer vencida por el sueño y, sobre todo, que no entreabría las cortinas para curiosear por la ventana cuando creía que no la miraba nadie. Cierto era que las hermanas de Eleni, Foti y Christina, eran unas histéricas y tenían unos celos enfermizos de ella, pero no dejaban de ser hermanas.

Lefti cerró el portón tras de sí con cuidado y rodeó los tiradores con la cadena de hierro que no solían poner salvo en las noches de invierno, cuando algún lobo o algún oso bajaba al pueblo en busca de comida. Lefti tomó aire profundamente tres veces y se sentó en el borde del pilón de piedra en cuyo interior crecían las rosas con las que Christina y Foti preparaban el agua de rosas para endulzar los bollos. Le zumbaban los oídos, y los gritos de su tío aún resonaban en el interior de su cabeza.

Se le acercó trotando uno de los lanudos perros que guardaban los rebaños, le dio en la rodilla con el hocico húmedo y empezó a gruñir de contento al pasarle Lefti la mano por el cuello, tan peludo y enredado. Al vecino, Yorgos, uno de los pocos habitantes del Varitsi de abajo que había luchado en el bando comunista y que había vuelto algunos años atrás, le habían entrado en casa los matones del lugar y se habían pasado una noche entera ajustándole las cuentas. Oyéndolo desde su casa, por la espalda de Lefti competían los escalofríos con la carne de gallina. Cuando, días después, fue a llevarle leche de cabra a Yorgos, vio que tenía un retrato del rey colgado en la sala. A partir de aquella noche, Yorgos se hizo monárquico; aunque también desde entonces le faltaron la mayoría de los dientes y el que antaño fuera un hombre fuerte quedó convertido en un tullido que apenas podía caminar derecho.

—¿Sabes una cosa? —dijo Lefti al perro mientras le rascaba la barbilla y el animal estiraba el cuello de gusto—. La política es lo peor del mundo. Por culpa de la política atacaron las montañas los italianos. Y luego ocuparon el país los alemanes. Y luego, cuando ya se habían marchado esos enemigos, luchamos todos unos contra otros. Todo por culpa de la política. Porque no se ponían de acuerdo en quién tenía que gobernar el país. Por culpa de la política se fue a la guerra mi padre y no ha regresado. Seguro que lo tienen encarcelado en alguna isla. Y ahora, ¿qué? Todos dicen que vivimos en paz, pero en paz no está nadie. Todos se odian.

El perro mantenía los ojos apretados, gruñía desde lo más profundo de la garganta y Lefti quiso creer que su gruñido era señal de aprobación.

Aquella noche, Lefti decidió dos cosas:

Desde áquel momento, renunciaba a la esperanza de que su padre regresara algún día. Y jamás en la vida se metería en cuestiones políticas. La política, los partidos y todas esas cosas solo servían para romper las familias y trazar fronteras invisibles que dividían a la gente. No, pensó Lefti, él no iba a querer saber nada de esas cosas nunca. Y entonces se dio un palmetazo con la mano izquierda sobre el revés de la derecha. Había olvidado que aquellos perros lanudos estaban llenos de pulgas.

La casa familiar era grande y tenía muchas habitaciones que, sin embargo, eran pequeñas, estrechas y sombrías. En ellas había más muro que aire, pues las gruesas paredes de piedra eran así para impedir que entrase el frío que solía reinar en las montañas de octubre a marzo. Únicamente la cocina era grande y espaciosa. A un lado tenía una gran mesa de madera maciza que, en su día, había mandado hacer el suegro de Yaya María. Ofrecía sitio para veinte personas al menos, aunque desde las bodas de las gemelas, la última gran fiesta antes de la guerra, ya nunca se ocupaba más de la mitad. El marido de Yaya María había muerto al enterarse de que los italianos habían asaltado su caravana de mulas. Como si hubiera visto el futuro, se había llevado la mano al pecho, había anunciado que no quería seguir viviendo en un mundo así y había caído inconsciente, con la cara descompuesta. Claro que eso al menos le había ahorrado el disgusto de ver cómo sus bienes y su familia se reducían de año en año. Los suegros de Yaya María murieron en la primera hambruna. De las cuñadas y cuñados de Pagona, una parte se marchó y la otra enfermó de tuberculosis. Y la familia política de Despina se había unido a los comunistas. De aquellos parientes no se hablaba por norma general, pero la noche en que regresó el tío Thanos, las mujeres no dejaron de cotorrear acerca de aquel a quien habían dado por desaparecido mientras preparaban la cena. Enfrente de la mesa había una cocina de carbón de tres metros de largo. Sobre la reja de hierro que cubría el fuego hervían dos pucheros. Sin dejar de remover uno de ellos, la madre de Eleni preguntó a su hija —como quien no quiere la cosa— qué aspecto tenía el tío, qué había dicho y cómo olía, al parecer con el único fin de regañarla a cada respuesta diciéndole que no se debería haber acercado a él. Eleni, entretanto, soportaba con resignación que Yaya María le sacara las hojas, hierbas y otros recuerdos del día en el campo que traía enredados en los rizos.

—Si es que hay que cortarte este pelo... —decía la abuela cada vez que sacaba algún escarabajo, apresurándose a tirarlo al suelo y a aplastarlo con el tacón del zapato—. Ya verás como se te enrede alguna vez un ciervo alado, uno de esos escarabajos grandotes. Reza porque no te lleve una oreja de un bocado.

—¿De verdad que Lefti creyó que era su padre? —preguntó Christina, al tiempo que depositaba dos frascas de agua en el centro de la mesa.

—Mira que es ingenuo... —malmetió Foti.

La cocina olía a pan recién horneado. La única que no participaba en la conversación era Despina, la madre de Lefti. Sacaba un queso del paño de hilo azul con que lo tenían envuelto y lo cortaba en finas lonchas, muy despacio, como a cámara lenta. Despina ni siquiera levantó la vista cuando entró Lefti y, sin saludar, se sentó al lado de Eleni. Pagona y sus hijas, en cambio, siguieron cotorreando como si el chico no estuviera. Conjeturaban de dónde habría venido el tío Thanos, o si Mavrotidis lo habría encerrado en el antiguo puesto de aduana, o lo que un acontecimiento así podría suponer para la familia... De pronto, se abrió la puerta y entró Spiros en la cocina, iluminada con lámparas de aceite. La cesta de hierro llena de leña que traía entre los brazos parecía no pesar más que una toalla. Spiros la dejó en el suelo con un sonoro golpe que al instante puso fin a las conversaciones. Spiros Stefanidis era uno de esos hombres tan queridos como temidos por sus familias. Las mujeres se centraron en poner la mesa en silencio y hasta Eleni fue a lavarse las manos sin que nadie se lo mandase.

—Thanos ya no es parte de esta familia. Y vosotras, panda de gallinas, ya estáis dejando de hablar de él de una vez por todas —dijo en un tono que no dejaba lugar al más mínimo atisbo de protesta.

Foti y Christina terminaron de poner la mesa. Despina cortó las lonchas de queso en daditos, Pagona se sirvió de dos paños de cocina para agarrar las asas del puchero de guiso de cabrito y llevarlo a la mesa. Hasta que no estuvieron todos sentados cenando, no interrumpió el silencio Yaya María.

—Spiros, Lefti está a punto de cumplir doce años. Mañana te lo deberías llevar contigo al valle cuando vayas a por los rebaños —dijo, y Lefti levantó la cabeza por primera vez en toda la velada. Participar en la recogida de los rebaños en la alta montaña era el mayor honor que podía recaer sobre un muchacho, pues significaba que entraba a formar parte del colectivo de los hombres. Y que ahora no solo podría llevar su propio bastón en la mano, enjuagarse la boca con aguardiente y limpiarse la comida de entre los dientes con una navaja, sino que también tendría ocasión de escuchar los chistes guarros y las historias celosamente guardadas por las mujeres, esas que solo estaban permitidas después de haber conducido las ovejas hasta los pastos de la alta montaña en verano.

Spiros y Yaya María intercambiaron miradas. Siempre lo habían hecho. Nadie conocía la naturaleza del particular vínculo que existía entre ellos, pero a veces daba la sensación de que la anciana dirigía a aquel hombre tan grandullón y autoritario como si fuera una marioneta colgada de cuatro hilos invisibles.

—Salimos al amanecer, así que vete a la cama pronto, Lefti. No quiero tener que esperarte.

Pero antes de que Lefti alcanzara siquiera a dar las gracias y menos aún a mostrar la ilusión que le hacía, se inmiscuyó Eleni:

—¡Qué bien! ¡Vamos a buscar a las ovejas!

Lefti no se atrevía a mirarla. Siempre lo habían hecho todo juntos. No sabía cómo explicárselo, pero su tío se le adelantó.

—No seas tonta, Eleni, tú eres una niña. Tú no vas.

Y como Lefti se había temido, a Eleni le faltó tiempo para protestar. Spiros dio un puñetazo en la mesa.

—¡A callar o te quedas sin cenar!

Y entonces Eleni se metió debajo de la mesa y no paró de refunfuñar sobre aquella injusticia hasta que Spiros acabó partiendo un trozo de pan con la mano, intentó en vano que se quedaran encima de él los diminutos daditos de queso cortados por Despina, se metió en la boca un puñado de aceitunas y, entre improperio e improperio, anunció:

—Yo me voy al café.

🍃 🍃 🍃

Cinco semanas más tarde, Eleni se aseguró de que sus hermanas aún permanecerían un buen rato en la cocina limpiando judías antes de subirse, rodilla derecha por delante, encima del baúl de madera pintada que tenían delante de la ventana. El dormitorio que compartía con Foti y Christina estaba en el piso de arriba. Las ventanas eran estrechas para que no se perdiera el calor de la casa en invierno, pues nevaba mucho, y aún quedaban demasiado altas para que la pequeña de siete años pudiera asomarse sin ayuda a la plaza del pueblo y a la calle principal, la que conducía al pueblo de arriba. El baúl de madera, donde guardaban el ajuar de Christina, crujió bajo su peso. La hermana de Eleni custodiaba el contenido del baúl como su bien más preciado y, si hubiera visto a la niña haciendo el bruto encima, le habría tirado de las orejas hasta dejarlas más largas que las del borrico del vecino. Asomada a la ventana, Eleni prestaba atención a los ruidos de la cocina, pues mientras sus hermanas siguieran despotricando acerca de la inminente boda de Yorgos, el vecino, ella no corría peligro.

—Si es que no ha visto a la novia en su vida... Seguro que es más fea que un dolor —oyó decir a Foti.

—Yorgos es un tullido y un traidor a la patria. ¡Vamos! Que yo no me casaba con él ni aunque me ofreciera dos baúles de plata como ajuar —se burló Christina, aunque a Eleni no le interesaban sus chismorreos; lo que quería era atisbar al tío de Lefti.

Las escarpadas montañas que solían dibujarse por detrás del pueblo de arriba estaban sepultadas bajo la niebla, como si el mundo se acabara cien metros por encima de las casas. La niebla se había levantado el día anterior sin previo aviso, junto con la lluvia que había caído en Varitsi durante los últimos días. Eleni odiaba el mal tiempo. Cuando hacía malo, tenía que quedarse en casa con sus hermanas y la abuela limpiando o ayudando en la cocina, mientras que a Lefti le dejaban hacer lo que quisiera. Hacía tres semanas que había cumplido doce años y, desde entonces, el padre de Eleni lo llevaba con él a todas partes. A Lefti le dejaban ir al bosque, acompañar al padre de Eleni al valle, hablar con desconocidos. La última vez que Eleni le había preguntado a su padre si podía ir con él, Spiros se había enfadado tanto que la había tumbado sobre las rodillas para darle una azotaina. Eleni no se había podido sentar en dos días. El tío Thanos se había esfumado igual de deprisa que había aparecido. Eleni había oído murmurar a sus hermanas que el señor Mavrotidis lo había encerrado en el antiguo puesto de aduana, donde encarcelaban a todos los que cometían algún crimen en Varitsi hasta que llegaban de la gendarmería del valle para llevarse al malhechor. Sin embargo, allí no había ido nadie de la gendarmería, o ella se habría enterado; después de todo, en aquel pueblecito de la montaña no había nada más emocionante que la visita de algún hombre de uniforme. Eleni ya había preguntado por el tío Thanos a la madre de Lefti, su tía Despina, pero como esta casi se había quedado muerta sin aire, su madre le había prohibido volver a preguntarle nada. Sin embargo, Eleni no era una princesa cobarde. Se le había metido en la cabeza encontrar al tío de Lefti para que este contara con un adulto propio en lugar de andar todo el día con Spiros.

La niña apretaba la naricilla chata contra el cristal de la ventana, y el vidrio se llenaba de vaho. Pasado un escaso cuarto de hora, vio dos figuras que se acercaban desde el pueblo de arriba. Eleni reconoció las siluetas de inmediato: un hombre corpulento como un oso, de hombros anchos como un armario, acompañado por un muchacho delgaducho y desgarbado que tenía que dar dos pasos por cada zancada del grandullón: no cabía ninguna duda de que eran su padre y Lefti.

Eleni guiñó los ojos y observó cómo Spiros entraba en el café de Mikis y cómo Lefti le seguía. A ella no la habían llevado nunca, ni siquiera sabía cómo era por dentro. Todo lo que conocía del mundo del *kafenion* eran las sillas que sacaban a la calle cuando hacía bueno.

—¡Rata asquerosa! —oyó de pronto a Christina detrás de ella, y se dio la vuelta sobresaltada—. ¡Te he dicho cien veces que no toques el baúl de mi ajuar con esos dedos sucios! ¡Y sobre todo que no te subas encima!

La voz de Christina sonaba histérica, y Eleni se apresuró a bajar del baúl de un salto, pero se encontró como un animal atrapado en medio del cuarto, sin saber cómo esquivar a su hermana, que ya apretaba los puños. Christina dio un paso adelante; bajo el pañuelo le asomaban unas greñas de un rubio ceniciento, le brillaban las manos, aún mojadas de limpiar judías, y traía el delantal todo manchado de rayones verdes.

Con gesto amenazador iba a darle su merecido a Eleni, acorralada contra la ventana, cuando esta, sin pensar, agarró el orinal lleno que había junto a la cama de Foti. Christina lanzó un chillido al ver a su hermana pequeña meciendo el orinal por encima del baúl del ajuar.

—Ni se te ocurra, condenada...

—Prométeme que no me harás daño —jadeó Eleni, a quien casi le cortaba la voz el miedo a los potentes brazos de su hermana mayor. Y para reforzar su amenaza, abrió el baúl. Como Christina sacaba las telas, juegos de cama, manteles y prendas de ropa dos veces al día para acariciarlas cual si fueran gatitos, el baúl nunca estaba cerrado con llave... y, a partir de ahí, todo sucedió muy deprisa. Christina se abalanzó sobre Eleni como una furia para arrancarle de las manos el orinal. El contenido de este ondeaba con serio peligro de derramarse sobre las telas blancas. Las dos hermanas tiraban del orinal cada una de un lado hasta que Eleni le dio una patada en la espinilla a su hermana. Christina lanzó un grito y soltó el orinal; Eleni, del susto, lanzó otro grito; las dos clavaron la vista en el recipiente suspendido en el aire y lo siguieron cada fracción de segundo, como si el tiempo transcurriera a cámara lenta, hasta que el contenido se derramó profusamente sobre el ajuar de Christina.

Christina se puso a gritar como no había gritado en su vida y como no habría de gritar nunca más. Sus gritos no es que resonaran en toda la casa: hicieron temblar el pueblo de Varitsi entero y dejaron mudos del susto a los pájaros de todos los jardines vecinos. Christina y Foti siempre habían mostrado una fuerte tendencia a la histeria, hasta el punto de que, en tiempos, su madre las tenía que agarrar de la trenza para meterles la cabeza en el agua fría del abrevadero. Eleni no se parecía demasiado a sus hermanas: mientras que Foti y Christina eran de piel clara y áspera, cabello fuerte, de un rubio ceniciento, así como de constitución robusta, Eleni era menuda, tenía la piel cetrina de su abuela y el pelo oscuro, con unos rizos como sacacorchos tan crespos y salvajes que no era raro que algún desconocido le pidiera permiso para tocarlos. Dada la diferencia de edad entre ellas, Eleni apenas había vivido antes las metamorfosis producto de la histeria de sus hermanas, así que se quedó como paralizada en un rincón mientras Christina gritaba como si le fuera la vida en ello. La primera en acudir corriendo fue Despina, que sujetó a Christina de los brazos e intentó calmarla.

Al poco irrumpió en el cuarto Pagona, con las manos manchadas de harina y la cara colorada del calor del horno.

—¡Christina! ¿Qué pasa, hija? Dinos, ¿es que te han hecho algo?

Pero Christina no hacía más que chillar y chillar, hasta que por fin entró en la habitación de las tres hermanas Yaya María con un vaso de agua que vertió poco a poco por el cuello de la muchacha.

—Te están oyendo los vecinos. Y nadie se quiere casar con una mujer que chilla como el ganado.

Casarse era el pensamiento que, desde hacía medio año, ocupaba por entero la cabeza de Christina, a quien solo le quedaban dos meses para cumplir los dieciocho y frente a cuya ventana se paseaban a diario algunos mozos, así que se calmó por un momento, respirando hondo unas cuantas veces antes de señalar con el dedo a Eleni y decir con una voz que esta creyó propia de las bestias de los cuentos de Yaya María:

—¡Esa rata asquerosa ha vaciado el orinal de Foti en el baúl de mi ajuar!

Eleni sabía que no le serviría de nada negarlo ni protestar e hizo lo único que se le ocurrió en aquel instante: salir corriendo todo lo deprisa que le permitían sus piernecitas de siete años, salir corriendo de la habitación, escaleras abajo, cruzar la sala, cruzar la cocina, salir al patio, llegar al jardín y esconderse en la caseta donde pasaban el invierno los perros. Se agazapó al fondo del todo, se abrazó las rodillas y decidió que mordería a todo el que intentara sacarla de allí. Menos a los perros, que esos te devuelven el mordisco.

ɸ ɸ ɸ

Tuvieron que pasar varias horas y caer la noche sobre Varitsi hasta que la familia se puso a buscarla: Yaya María por la casa, y Pagona y Despina en el patio y en el bosque de detrás; tan solo Spiros aguardaba en el café con una botella de *tsipouro:* los ataques de histeria de sus hijas le eran indiferentes desde hacía dieciocho años. Christina se negaba a salir a buscar a Eleni, y Foti le hacía compañía, en parte por solidaridad y en parte por pura pereza.

Lefti llegó a casa, con la cara roja como un tomate, pues había sido incapaz de respirar en aquel café tan lleno de humo, justo cuando todos los que salieron en busca de Eleni se habían dispersado.

—¿Dónde está todo el mundo? —preguntó a Foti y a Christina, que permanecían sentadas a la mesa, enfurruñadas como si las hubiera engañado un marido infiel.

—Esa indeseable se ha escapado después de engorrinarme el ajuar —bufó Christina y se echó a llorar otra vez.

—Ojalá se la coman los lobos —añadió Foti.

A Lefti le dolían la cabeza, por el humo de los cigarrillos del *kafenion*, y la tripa de tanto café de puchero demasiado dulce como le había hecho tomar su tío. No obstante, sin decir nada dio media vuelta y salió de la casa. Tres semanas atrás, al celebrar su duodécimo cumpleaños, su tío le había dicho que ya era casi un hombre, con lo cual Lefti, el muchacho sin padre, en principio se había sentido tremendamente orgulloso. Con todo, después de pasar cuatro horas en el café oyendo a los hombres hablar de política, aquella noche sintió un particular alivio cuando pudo volver a refugiarse en el lugar favorito de su infancia: la caseta de los perros. Y tal y como había imaginado, allí estaba su prima, agazapada al fondo del todo.

—Tranquila, que soy yo.

Lefti metió una mano en la caseta, tanteando dónde estaba la de Eleni.

—La culpa ha sido de Christina —musitó la niña.

En la oscuridad de la caseta de los perros, Lefti no alcanzaba a ver si lloraba, pero cuando la atrajo hacia él y la apretó contra su cuerpo notó que estaba temblando.

—No llores, Eleni. Las heroínas no lloran.

—¿No?

—No. Las heroínas no lloran. Tú eres demasiado fuerte como para llorar. Y además yo voy a cuidar de ti. Te lo prometo.

La bestia de un solo ojo

En el habla popular, al valle que se extendía a los pies de Varitsi lo llamaban también «el valle de los mil oídos», porque en aquellos pueblos de casas de piedra construidas sobre las faldas de las montañas se oía todo y a todos los que transitaban por sus serpenteantes y recoletos caminos. En los setecientos años desde que existía el pueblo, sus habitantes no habían necesitado construir grandes torres de vigilancia, pues, fuera amigo o enemigo quien se acercaba, se le oía venir mucho antes de avistarlo. Dos días antes de la fecha señalada para la boda de Yorgos, el vecino de Eleni y Lefti, los habitantes de Varitsi empezaron a aguzar los oídos, ya impacientes por que llegara la novia.

—Apuesto a que es ciega o sorda —farfulló Christina, y Foti, sentada a la ventana a su lado, dijo:

—Seguro que ciega y sorda.

Eleni y Lefti estaban igual de nerviosos que el resto del pueblo, pero a diferencia de la familia y del resto de vecinos, los dos tenían mucho cariño a Yorgos. Lefti recordaba vagamente lo alto, guapo y querido que había sido antes de marcharse a las montañas con los comunistas. Yorgos no se había alistado hasta casi el final de la guerra, cuando en realidad ya estaba todo decidido. Nadie logró explicarse cómo se le ocurrió hacerlo entonces, y se rieron de él: «Tiene que estar mal de la cabeza, mira que irse a luchar por los perdedores...». A las pocas semanas lo hicieron preso y lo mandaron exiliado a una isla donde apenas había más que piedras. Luego lo dejaron en libertad relativamente pronto. Se rumoreaba que se había prestado a firmar una retractación, afirmando que no era comunista, que odiaba a los comunistas y que estaba dispuesto a revelar cuanto sabía de los secretos de la organización comunista. Desde entonces, los habitantes de Varitsi lo despreciaban tanto como los de Micro-Varitsi. En otras palabras: Yorgos no tenía absolutamente a nadie excepto a su madre, que permanecía enferma en cama y a quien se desvivía por cuidar. Nadie había querido casarse con él, así que tanto mayor fue la sorpresa el día que el cura colgó en el tablón de anuncios del campanario la noticia de que, cinco semanas más tarde, Yorgos contraería matrimonio con una mujer de las montañas de la que nadie había oído hablar. Una boda semejante no se había dado nunca en aquel pueblo: la novia de Yorgos no procedía ni de Varitsi ni de ningún otro pueblo de la zona, y no era pariente suya ni de ningún pariente de nadie de Varitsi. El matrimonio lo había arreglado una casamentera profesional del valle a cambio de una cantidad acorde con el encargo... y no dejaba de tener cierto morbo que Yorgos no conociera a la novia más que por una foto. En persona no la había visto nunca.

A Eleni y Lefti les gustaba ir a casa de Yorgos. Él siempre los obsequiaba con algún dulce y, cuando iba de viaje, les traía algún juguete que luego ellos tenían que esconder de sus madres. Eleni y Lefti eran los únicos de todo el pueblo a los que había dejado ver la foto. Por desgracia, en la imagen no se veía demasiado. La futura esposa estaba delante de una especie de cobertizo, rodeada por una gran familia cuyos miembros tenían todos un aspecto muy serio e iban vestidos como de otra época, y apenas se veía cómo era porque llevaba un vestido cerrado hasta la barbilla. Para colmo, la foto estaba mal de luz, manoseada y amarillenta.

Así que Varitsi se consumía de curiosidad esperando la llegada de la novia, pero, por mucho que aguzaron los oídos y se asomaron al valle, cuando finalmente hizo su aparición la comitiva nupcial, les pilló por sorpresa. Porque no vinieron por la serpenteante carretera de las montañas, sino por detrás de estas, por otro camino a través del desfiladero que solo utilizaban los pastores para el ganado de alta montaña, justo por medio del monte. Y mayor aún fue el revuelo al ver que llegaba al pueblo un cortejo de veinte personas, cuatro carros y ocho mulas, bajando casi campo a través desde los pastos de Konitsi por aquellos imposibles caminos centenarios.

Foti y Christina corrieron a casa y se quedaron plantadas junto al portón.

—Apuesto a que tiene los dientes podridos —dijo Foti con sonrisa de mala.

—Seguro que no puede tener hijos porque es vieja revieja o porque está enferma —añadió Christina, y su madre, Pagona, concluyó:

—Sea lo que sea, esto es todo muy raro.

Y entonces llegó Yaya María y las mandó a todas al patio:

—¡No os quedéis ahí pasmadas mirando como las cabras! ¿Es que no tenéis vergüenza?

Eleni y Lefti eran los únicos que esperaban en la calle, tomando una limonada a la que les había invitado Yorgos antes de salir al encuentro de su futura esposa. A Lefti le hacía gracia cómo las mujeres de la familia se morían de ganas de ver a la novia pero fingían el más absoluto desinterés.

—Lefti, Eleni…, vamos, al patio —los mandó la abuela.

Pero en ese mismo instante doblaba la esquina el cortejo nupcial. De pronto, se hizo el silencio: hasta las gallinas dejaron de cacarear y el perro se guardó el ladrido.

—Pero esa no será… —susurró Christina, buscando la mano de Foti con la suya.

La novia de Yorgos iba delante de todos, del brazo de su padre, cuya cara quemada y estropeada por el sol resplandecía de orgullo. Y, no, no era guapa: la novia de Yorgos era guapísima, y cuantos la habían visto hacían correr la voz de que ya tenían a la nueva mujer más guapa de Varitsi. Cierto es que tenía la piel oscura como si hubiera pasado el verano entero trabajando en el campo, pero no afeaban sus delicadas facciones ni una sola arruga ni una sola mancha de sol, y más bien se la veía rebosante de frescura y juventud. Era menuda y esbelta, aunque bajo el traje regional se adivinaba un pecho muy generoso, y también el velo de novia permitía algún vistazo furtivo de un cabello dorado que el sol hacía brillar. Tenía los labios carnosos y de color rosa, y un cuello largo y elegante. Lefti y Eleni agitaron la mano para saludarla y ella les devolvió una sonrisa tímida. Foti y Christina estaban espantadas: tenía todos los dientes, y, además, blancos y fuertes.

—¿Cómo se llama tu novia, Yorgos? —preguntó Lefti desde su patio en tanto que el orgulloso novio conducía a su futura familia hacia el interior de la casa.

—Spiroula —anunció Yorgos, exultante, y Eleni murmuró:

—Yo creo que es una princesa.

La belleza de Spiroula era proporcional a lo raros que eran sus acompañantes. Ni Lefti ni Eleni ni nadie de la familia habían visto nunca unos trajes como los que llevaban: el de los hombres consistía en una falda plisada encima de una suerte de bombachos hasta la rodilla, chaleco bordado y un sombrero extrañísimo, mientras que los vestidos de las mujeres, de color rojo, negro y verde, tenían hasta tres faldas superpuestas; y, lo más sorprendente de todo: a la más antigua usanza, las mujeres llevaban la cara tapada hasta los ojos.

—No veía eso desde que era niña —susurró Yaya María, acordándose de su juventud y de cuando las mujeres se cubrían la cara con un pañuelo cuando hacían algún viaje por los territorios turcos de Asia Menor—. Ay, qué cosas… —dijo ensimismada y, de pronto, sintió escalofríos. Para la anciana fue como si la rozara el soplo de un oscuro pasado.

🍂 🍂 🍂

La boda de Yorgos y Spiroula habría de ser una de las más bonitas de la historia del pueblo. Con su vestido blanco, Spiroula parecía un lirio de los valles, y Yorgos se pasó el día sonriendo tan contento que incluso a los más brutos, a los que hasta hacía poco se andaban burlando de él, se les ablandó el corazón sin quererlo. La ceremonia de cuatro horas se les hizo muy corta, pues nadie se cansaba de observar a la bella Spiroula, al felicísimo Yorgos y a la peculiar comitiva de pastores. Aunque, sin duda, la mayor sorpresa del día fue la fiesta que siguió a la ceremonia. En la plaza del pueblo, donde se sirvieron pan, queso, cordero y aguardiente, algunos hombres de la familia de Spiroula se pusieron a tocar instrumentos que allí no se habían visto jamás. Y sonaron notas llenas de tristeza y de alegría, de melancolía y de anhelo, de las que parecía emanar una magia especial. Incluso las viudas, que en su día se habían jurado no volver a sentirse animadas ni felices, movían los pies al compás y decían por lo bajo:

—¡Qué música del demonio! Es que es música del demonio...

Para cuando llegó la noche, compartían la improvisada pista de baile familias que se habían enfrentado diez años atrás y aún la noche anterior se estaban insultando. Comunistas y monárquicos, campesinos y artesanos, mujeres y hombres. Incluso permitieron que las jóvenes solteras se mostrasen en público después de ponerse el sol, aunque en realidad no lo pasaron tan bien como esperaban, pues los solteros del pueblo solo tenían ojos para la novia. Lefti y Eleni no habían comido tanto dulce en su vida —a la niña le dolería la tripa del empacho los tres días que siguieron—, y Yorgos no cabía en sí de gozo, hasta el punto de que invitaba a una ronda tras otra y parecía dispuesto a gastarse todo su dinero con tal de ofrecer la fiesta más bonita de todos los tiempos a la misma gente que llevaba años haciéndole la vida imposible.

Eleni y Lefti brincaban y daban vueltas algo apartados del resto hasta que, poco antes de las doce de la noche, Yaya María los agarró de la mano para arrastrarlos a casa. La anciana creía que con la medianoche despertaban toda suerte de espíritus malignos que no podían sino dañar el alma de los niños inocentes.

Una vez en casa, aún estaban tan alborotados de tanto dulce como habían comido que Yaya María se mostró dispuesta a contarles una historia antes de dormir. Pero previamente cerró todas las contraventanas, encendió tres velas blancas y colocó su pulsera contra el mal de ojo sobre la mesa, bien visible, para que los espíritus se quedasen fuera.

—Me estoy acordando de una historia de los Antiguos que me contaba mi tía abuela cuando tenía vuestra edad. En aquellos tiempos, al otro lado del mar... —dijo, carraspeó y se sentó en la mecedora que tenían junto a la mesa de la cocina desde tiempo inmemorial, tan inmemorial que ya le daban el pecho en ella al marido de Yaya María. La anciana se acomodó el cojín de la mecedora a la espalda, Lefti estiró las piernas sobre el banco de madera y Eleni apoyó la cabeza en su regazo, al tiempo que la abuela empezó a contar la historia con voz dulce:

De entre todas las nereidas, que son las hijas de Nereo, el dios del río, la más bella era Thetis. Era tan hermosa que hasta los dioses del Olimpo se asombraban al verla pasar y le concedían todos sus deseos con el único objeto de que les permitiera mirarla. Ni que decir tiene que todos los dioses habrían querido casarse con ella, pero existía una antigua profecía según la cual el hijo de Thetis habría de ser mucho, mucho, mucho más fuerte que su padre. Y eso a los vanidosos dioses les daba miedo.

Un buen día, Thetis se quedó dormida en una recóndita gruta porque estaba cansada de bañarse. Y dio la casualidad de que pasó por allí el hijo de un rey, un joven llamado Peleo; vio a la bellísima durmiente, se encendió en él el fuego del amor y no pudo resistirse a abrazarla. Thetis despertó sobresaltada y sintió repugnancia ante aquel mortal.

—Apártate de mí, mortal maloliente —exclamó, pero Peleo respondió:

—No te soltaré jamás porque te amo.

Como era una diosa, Thetis tenía el don de la metamorfosis. Se transformó en fuego y le quemó la piel al hijo del rey. Se convirtió en agua y le robó el aire para respirar. Se transformó en una leona y le despedazó la cara. Se convirtió en una serpiente y le mordió todas las partes del cuerpo. Pero no importaba cuánto le hiriese ni cuánto dolor le hiciera soportar, que Peleo no soltaba su abrazo.

Cuando Thetis se calmó, se dio cuenta de que Peleo apenas seguía con vida. Se sintió conmovida ante su amor y al ver que el joven era capaz de morir antes de soltarla jamás del abrazo, y por ello volvió a su forma original y le curó las heridas. Y aunque era una diosa y Peleo un simple mortal, se casó con él. Peleo y Thetis tuvieron un hijo y lo llamaron Aquiles. Y este llegó a ser el guerrero más fuerte de todos los tiempos, y mucho más fuerte que su padre, pero lo que vivió Aquiles es otra historia. Peleo y Thetis, en todo caso, vivieron bien, pero nosotros vivimos mejor aún.

Eleni se despertó al oír un grito en mitad de la noche. Era un grito agudo y penetrante, de los que se clavan hasta la médula y ponen los pelos de punta. Dejó pasar unos minutos sentada en la cama, con el corazón acelerado, intentando escuchar a través de la oscuridad. Algo daba golpes en el exterior, como si el portón no estuviera bien cerrado y lo sacudiera el viento, aunque las ramas del sauce que se veían desde la ventana no mostraban movimiento alguno. Al cabo de un rato se pusieron a cacarear las gallinas, los perros ladraron e hicieron sonar sus cadenas, y a Eleni le entró miedo. Christina se agitaba en sueños; Foti dormía boca abajo con la cabeza enterrada en las almohadas. Eleni hizo acopio de valor y salió a tientas, cruzando la oscuridad, para ir al cuarto de su abuela.

—Yaya… —susurró al tiempo que entornaba la delgada puerta de tablones con mucho cuidado para que no rechinaran los viejos goznes. A Eleni no le extrañó que su abuela tuviera los ojos abiertos. Nunca la había visto dormir—. Yaya, en el patio hay una bestia.

La abuela miró a Eleni con ternura y asintió con la cabeza, como si también ella la hubiera oído. La anciana se echó a un lado y dio unas palmaditas en la parte libre de la cama. Eleni cerró la puerta con mucho cuidado, se subió a la cama de la abuela y respiró aliviada cuando se vio en sus brazos. Se quedó con la espalda bien pegada a su yaya, apretándose contra su piel suave. No tardó en quedarse dormida.

Yaya María siempre era la primera en levantarse, y así despertó a su nieta antes de que saliera el sol.

De puntillas, Eleni la siguió escaleras abajo y a través de la cocina hasta el lavadero, que siempre dejaban entreabierto. Yaya María encendió la cocina, cuyos fuegos presidía un gran caldero de agua para calentar. Ella, en cambio, no esperó ni a que se templara el agua, sino que se lavó la cara y las axilas con el agua helada de la fuente que tenían recogida del día anterior. Yaya María se puso el pañuelo a la cabeza, cubriéndose el cabello blanco, y se ató el delantal de faena.

A Eleni le puso en la mano el cestillo de recoger huevos, y la niña salió al patio a ver si habían puesto las gallinas. Aún medio dormida, abrió la puerta del corral, fue a por maíz para repartirlo por el suelo y así obligar a las gallinas a salir, y estaba a punto de llamarlas con el «piiitas, pitas, pitas...» cuando se dio cuenta de que ya estaban todas fuera, un tanto desubicadas allí, a la intemperie. Eleni se frotó los ojos.

—Pero ¿qué hacéis aquí vosotras, si no ha amanecido aún? —les preguntó. Las gallinas se pusieron a picotear el maíz, vacilantes y confusas.

El gallinero lo había construido Spiros con todo el cariño de sus manos. La luz que entraba a través de los tablones apenas iluminaba el interior. Eleni fue sacando los huevos de los nidos que era capaz de localizar a simple vista y colocándolos con sumo cuidado en el cestillo, que tenía pegadas algunas plumitas y excrementos de gallina. Ya se disponía a salir cuando decidió abrir del todo la puerta para asegurarse una última vez de que no se dejaba ningún huevo por recoger. Y entonces descubrió el motivo de que las gallinas hubieran pasado la noche al raso. Allí estaba el origen de los gritos en plena noche, y Eleni se llevó un susto mucho mayor del que le habría dado nunca ninguna de las bestias de sus pesadillas. Escondida, casi sepultada entre la paja había una mujer vestida de blanco. El fantasma se irguió y Eleni pudo reconocer a Spiroula, la novia de Yorgos.

—Pssst, no digas nada, por favor —lloriqueó esta. Spiroula ofrecía un aspecto horrible: la bestia le había desgarrado toda la ropa. Llevaba el corsé de boda medio desabrochado, medio roto, y su enagua blanca estaba llena de manchas rojas.

—¿Te has topado con la bestia? —preguntó Eleni.

Spiroula asintió con la cabeza enérgicamente.

—Voy a buscar a Lefti. —Fue lo primero que se le ocurrió a la niña. Pero Spiroula la agarró de la muñeca y la retuvo.

—No, no, por favor. Ve a buscar a mi padre, tiene que sacarme de aquí. —Las lágrimas y los mocos bañaban aquella cara que aún se veía tan guapa el día anterior. Eleni no entendía lo que pasaba.

—Pero... ¿Y la bestia?

—Psss... ¡Si es que la bestia es Yorgos! ¡Es un muerto viviente, que se le sale el intestino por entre las piernas! —Eleni abrió unos ojos como platos—. Que sí, que sí, créeme, niña. Y su intestino es como una serpiente. Al principio estaba dormida, pero cuando me metí en la cama con él, se despertó. ¡Tenía un solo ojo y se me quería meter dentro para comerme el alma!

De semejante tipo de bestias no había oído hablar Eleni nunca; de hecho, estaba convencida de que las bestias tenían todas mucho pelo y garras muy afiladas, aunque a juzgar por las manchas de la enagua, estaba claro que Spiroula sabía del tema mucho más que ella.

—Iré a buscar a tu padre —prometió Eleni, y corrió hasta el portón del patio, sacó la pesada cadena con que lo cerraban y la colocó en la entrada del gallinero.

Y con firme decisión, emprendió el camino hacia el pueblo en busca del padre de Spiroula: una nueva misión para la heroína que era.

Estaba amaneciendo, sobre las calles empedradas flotaban finos jirones de niebla, y después de pasar media hora deambulando por Varitsi, donde aún dormían todos, Eleni tomó conciencia de que no tenía ni idea de dónde encontrar al padre de Spiroula. Sin aliento, se paró junto a la cisterna, y se acababa de sentar en un escalón a pensar qué hacer, cuando justo apareció Yorgos a su lado. Llevaba un ojo morado e hinchado y el pelo estropajoso; todo el conjunto de su persona daba miedo.

—Pero, Eleni, ¿qué haces aquí a estas horas? —La niña olió su aliento cargado de alcohol y, al instante, comprendió que Spiroula estaba en lo cierto. Sí, sin lugar a dudas, aquello era el mortífero aliento de una bestia de los infiernos. Presa del pánico, se levantó de un salto y echó a correr hacia su casa y de vuelta al gallinero, donde vio que Spiroula había desaparecido.

🍃 🍃 🍃

Yorgos tenía la sensación de que lo perseguía la mala suerte. Si tan solo unas horas antes se había sentido el hombre más feliz del mundo, ahora tenía que hacer frente a una cruda realidad. En el momento de llevar a término su pasión más íntima, su novia le había dado un mandoble con una lámpara de aceite y se había escapado. Le dolía la cabeza de un modo atroz. Había pasado las últimas horas buscando a Spiroula en vano, aunque al entrar de nuevo por la puerta de su casa, se abrió la ventana de los vecinos y por ella asomó Pagona diciendo:

—Yorgos, hemos encontrado lo que habías perdido.

Y, en efecto, allí sentada a la mesa de la cocina tenían a la nerviosísima y malparada Spiroula.

—Se había encerrado en el gallinero —rio Pagona—. Menos mal que recurrió a la pesada cadena del portón, porque de otro modo no la habríamos descubierto…

Yorgos intuyó que, después de aquel episodio, sería el hazmerreír del pueblo hasta el fin de los tiempos. Sin embargo, en ese momento solo fue capaz de sentirse feliz de haber recuperado a la niña de sus ojos. La familia de Spiroula era tan conservadora que siempre le habían prohibido acercarse a los animales en primavera, época de celo, con el fin de que la joven guardara no solo su virginidad física sino también la de su imaginación. Pero Pagona y Despina ya le habían dado un cursillo acelerado lo más completo posible, con lo cual accedió de buen grado a que Yorgos la llevara de nuevo a casa, donde ambos pasaron el día en la cama, primero recuperando también algunas horas de sueño y luego

50

probando muy poquito a poco y con suma precaución las alegrías del matrimonio.

Y puede decirse que fue así como llegó a Varitsi la educación sexual. Las mujeres casadas pasaron la mañana muertas de risa con aquella historia. Para el mediodía, el rumor ya había corrido incluso hasta Mikro-Varitsi, y esa misma tarde salieron las primeras madres a pasear con sus hijas casaderas, mientras que otras enviaron a los hombres a donde fuera para poder hablar ellas tranquilas. En los años cincuenta, se procuraba que las muchachas adolescentes se mantuvieran lo más lejos posible del sexo opuesto, apenas se hablaba de las diferencias entre hombres y mujeres, y el acto mediante el cual la doncella se convertía en mujer ni siquiera se mentaba; eso sí, la historia de aquella novia tan casta y tan pura que confundió cierta noble parte de su marido con el intestino de una bestia, estuvo a punto de romperle la cabeza al marido y puso pies en polvorosa en plena noche de bodas convenció incluso a las familias más estrictas y celosas de sus valores morales de que tenían que contarles a sus hijas la verdad sobre la cigüeña, las abejitas, las flores y las macetas antes de arriesgarse a vivir un ridículo como aquel. También Pagona pasó la tarde con sus dos hijas mayores. Las tres salieron a recoger té de roca, aunque volvieron con un puñado muy escaso, pues nada más empezar la explicación, Pagona les había tenido que quitar el cuchillo de las manos de lo que les temblaban. A Eleni no la llevaron; después de todo, todavía era demasiado pequeña como para pensar en el matrimonio. Y lo que, desde luego, nadie sospechaba era que no había sido Spiroula sino la propia Eleni quien había puesto la cadena en el gallinero. Con el revuelo del momento, ni siquiera Yaya María —aunque había que reconocer que su memoria ya distaba de lo que había sido en otros tiempos— se acordó de que ella misma había mandado a la niña a por huevos. Y así, en tanto que las muchachas mayores del pueblo aprendían que Yorgos no era ninguna bestia, Eleni permaneció escondida en la caseta de los perros, muerta de miedo. Esperó horas a que Lefti fuera a buscarla, confiaba en verlo entrar por el arco que hacía las veces de puerta, arrastrándose sobre la barriga. Pero le esperó en vano. Spiros lo había llevado al valle con él a comprar guadañas, pues hacía años que ya no pasaba ningún afilador por Varitsi. De modo que Eleni se quedó esperando hasta que cayó la tarde, pero nadie fue a buscarla. Los perros estaban en los pastos para mantener a los lobos alejados de los rebaños durante el verano, y cuanto más bajaba el sol, más aumentaba el miedo a la bestia que sentía la niña. Una vez de noche, el viento se hizo más frío. Las contraventanas golpeteaban contra los marcos de las ventanas, se caían cosas al suelo... y al final, Eleni se volvió a su cuarto corriendo todo lo deprisa que pudo, se metió en la cama y se quedó dormida sin cenar del miedo que tenía. Al poco se despertó, al notar que Yaya María se sentaba en la cama y le ponía la mano en la frente.

—Mi niña preciosa, ¿tienes fiebre? —susurró.

Eleni temblaba medio dormida.

—La bestia tiene un solo ojo y parece una serpiente —balbuceó mientras la abuela le acariciaba la frente.

—No es más que una pesadilla de la fiebre.

La segunda vez que Eleni se despertó era más de medianoche. También sus hermanas estaban despiertas; habían encendido una lamparita de aceite y cuchicheaban, tumbadas boca abajo y apoyadas en los codos.

—Me parece que me voy a tomar con tranquilidad lo de casarme, porque enfrentarme ya a la serpiente de un solo ojo no me hace ninguna gracia —anunció Christina, mientras que Foti, que siempre había sido la más valiente de las dos, replicaba:

—Ah, pues entonces me casaré yo antes que tú, porque la verdad es que yo sí estoy deseando ver lo que tienen ahí abajo...

Eleni no hizo el menor ruido. Se quedó escuchando lo que cuchicheaban sus hermanas. Pero entre la vigilia y el sueño aún hay un tercer estado, en el que no se sueña pero tampoco se piensa, un mundo en el que se mezcla todo para formar una realidad propia: lo que nos da miedo y lo que hemos oído, lo que nosotros mismos nos figuramos y lo que creemos, y es una mezcla de lo real con lo imaginado que, a pesar de todo y de forma inexplicable, parece verdad. Y en ese mundo se debatía Eleni, con sus siete años. En algún momento se durmió y tuvo que enfrentarse a las pesadillas, en las que aparecían toda suerte de bestias de un solo ojo. Y a la mañana siguiente, antes de salir de la cama, decidió que no se casaría nunca, sino que seguiría siendo una heroína. No pensaba permitir que ninguna bestia la devorase, sino que sería ella quien luchara contra todas las bestias del mundo. Costara lo que costara. Con Lefti o sin él.

El santo de Lefti

Para Yaya María, cocinar no era solo una tarea más de la casa, sino que implicaba preparar los platos más ricos posibles a su familia. Para Yaya María, cocinar —y sobre todo hacerlo para alguna fiesta— era casi como entrar en batalla.

Cuando, en aquel diciembre de mil novecientos cincuenta y seis, llegó el momento de celebrar el santo de Lefti, en Yaya María —aun estando aquejada de gota desde el otoño anterior— despertó un furor digno de una campaña para conquistar una gran ciudad. Desde varias semanas antes tenía ya formado en la cocina el pelotón compuesto por sus hijas gemelas y sus nietas a fin de instruirlas en la sucesión de platos del menú; inspeccionaba las despensas y, hasta que llegó el gran día, iba cada hora a comprobar que no se hubiera metido ninguna polilla en la harina ni vertido el yogur, y no dejaba de idear tareas extra para las muchachas en previsión de que viniesen los duendes a robar las patatas o las cabras sufrieran un infarto todas a la vez. Y como alguna de ellas no se mostrase lo bastante diligente, la abuela cogía un paño de cocina y lo retorcía para blandirlo a modo de látigo.

Cuando Yaya María llegó a Varitsi, en mil novecientos veinte, no sabía ni cortar una rebanada de pan. En su tierra natal de Asia Menor, su padre gozaba de una posición acomodada gracias a su negocio de exportación. No solo tenían criadas y jardineros, sino también una cocinera que hacía tartas a diario, aunque nadie de la familia fuera goloso, amén de incontables platos más. El padre de María concedía mucha importancia a la educación, y la niña había tenido profesores particulares de francés, inglés y latín. También había aprendido a tocar el piano y a hacerse ella misma unos moños preciosos, a la altura de cualquier estatua griega; eso sí, con el cucharón de cocina no tuvo el más mínimo contacto hasta que llegó a Varitsi, contacto que consistió, más bien, en que su suegra agarraba el cucharón y atizaba a Yaya María con él... hasta que esta llegó a dominarlo con maestría.

Así pues, Yaya María tenía asumido que era preferible instruir ella misma a sus muchachas antes que dejarlas en manos de una suegra malvada. Pues si algo había aprendido en la vida era que las suegras son unas brujas por definición.

El santo de Lefti del año mil novecientos cincuenta y seis fue un acontecimiento especial, porque ese año había cumplido los doce, lo cual implicaba que dejaba de ser un niño. Pasaba a ser el cabeza de familia oficial, y a celebrarlo acudirían amigos, conocidos, parientes y hasta los sucesores de los socios del difunto marido de Yaya María. Y, sobre todo, la futura familia de Christina. Pocas semanas antes, Spiros había dado su consentimiento al compromiso con el hijo de un campesino de Varitsi. Christina había pasado dos noches lamentándose. Por un lado, después de la boda de Spiroula había decidido esperar un poco más antes de perder la inocencia. Por el otro, había albergado la esperanza de que su padre le buscara un marido en el valle, donde los jóvenes eran bastante más guapos que los de Varitsi, quienes de generación en generación heredaban la tendencia a la caspa. Pero después se había dado por contenta con su destino y había insistido en asumir ella sola la responsabilidad de elaborar los dulces de la comida para el santo de Lefti.

En aquellos días de diciembre, Eleni había dejado de entender el mundo. Ya no le daban permiso para jugar, sino que tenía que pasarse el día en la cocina, como si fuera ella y no Lefti quien había entrado en la vida adulta.

—Tú observa y aprende —le bufaba Yaya María cuando Eleni se aburría porque ya había cumplido con todas sus tareas.

Pero Eleni acababa de cumplir ocho años. No le interesaba cómo poner las berenjenas sobre la brasa para que soltaran el líquido. A diferencia de sus hermanas, no veía como algo mágico que una masa viscosa se convirtiera en una fragante hogaza de pan. Y lo que, desde luego, no le entraba en la cabeza era que realmente supusiera una diferencia tan abismal echar una cucharada sopera o una cucharadita de tal cosa o de tal otra a tal cosa o a tal otra. Cuanto más tiempo pasaba encerrada en la cocina, unas veces enfurruñada en el banco del rincón, asomada a la ventana con la mirada perdida en clara señal de protesta, otras cortando tomates de mala gana para hacer daditos que jamás se ajustaban al tamaño debido, más envidia le daba Lefti. A él le permitían pasarse el día entero en el *kafenion* con Spiros, y ahora encima se creía demasiado hombre como para jugar con ella —muy hombre porque ya no se limpiaba los dientes con un palillo, sino con una navaja—, y si se dignaba dedicarle un rato era, a lo sumo, para contarle alguna historia disparatada de las que oía allí a los hombres. Por ejemplo, esa de un grupo de viajeros que había pasado siete días cruzando las montañas a pie, sin pararse a dormir una sola noche. O la de uno que había cruzado todo el Mediterráneo a nado y al que casi se había comido un pez del tamaño de una barca. O la de unos gemelos cuyos cuerpos se habían fusionado en el vientre de la madre y después se habían dedicado a recorrer el mundo como atracción de feria. Eleni no sabía que todas aquellas historias en realidad se las inventaba Lefti tan solo para ella. No imaginaba que el chico se aburría mortalmente en el café porque allí no se hacía más que discutir, bien sobre política, bien sobre los precios de tal o cual producto agrícola. Eleni se sentía ofendida porque, en lugar de aquel espectáculo de los hombres, cuanto le permitían ver a ella del mundo era cómo se tostaba el pan en el horno. Se había imaginado que los inicios de su carrera de heroína serían otra cosa. Las únicas bestias contra las que tenía ocasión de luchar eran las cucarachas de la cocina.

Por su parte, Lefti habría dado cualquier cosa por cambiarse con ella. Prefería mil veces el dulce olor de la cocina que la peste a cigarrillos y a alcohol derramado.

🍃 🍃 🍃

El santo de Lefti era el quince de diciembre. Eleni quiso ir a despertarlo, pero su tía Despina la retuvo, agarrándola de los rizos.

—Déjale dormir, que hoy se lo merece.

De no ser porque era una heroína, Eleni se habría echado a llorar.

Su santo había sido un mes antes. Poco después de amanecer se había presentado en su cuarto Yaya María y había descorrido las cortinas porque quería que, antes de irse a la escuela, Eleni la ayudase con los preparativos para las visitas de esa tarde. Los únicos invitados a celebrar su santo habían sido los vecinos, Spiroula y Yorgos. Sin embargo, en cuanto la hubieron felicitado, Spiroula anunció muy orgullosa que estaba embarazada, con lo cual ya no hubo más tema de conversación entre las mujeres que si el niño que llevaba en el vientre tendría ya el tamaño de un guisante o el de una judía. A Eleni no empezaban a interesarle las barrigas hasta que no se notaban, y quiso ir a convencer a Lefti para que jugara con ella cuando vio que él ya estaba atándose los zapatos.

—Ha dicho el tío Spiros que, si vais a hablar de vuestras cosas de mujeres, los hombres nos vamos al café.

El día del santo de Lefti, en cambio, el mundo entero giraba a su alrededor. Eleni no conocía a todas aquellas personas sentadas a la mesa de la cocina y que no paraban de preguntarle cosas a Lefti:

—¿Qué materia del colegio te gusta más?

—¿Prefieres los pimientos rellenos o los tomates rellenos?

A Eleni, en cambio, le tocaba sacar los platos vacíos al patio para que los fregaran allí Pagona y Foti. Foti refunfuñaba y Pagona la regañaba para que dejara de refunfuñar. Cuando Eleni volvió a entrar con los platos limpios, Lefti ofrecía una estampa que ella conocía muy bien: se mordía el labio inferior con los dientes de arriba, y tenía la cara colorada como una cereza y los hombros encogidos. Lefti no sabía qué decir. El tío del futuro marido de Christina, un hombre enjuto de mirada penetrante y demasiada brillantina en el pelo, repetía:

—Pues con doce años tienes que saber ya lo que vas a ser de mayor. Porque digo yo que tendrás que mantener esta casa...

La futura suegra de Christina probó una de las pastas de Christina y la escupió sobre la mesa con asco. El futuro suegro de Christina ya solo tenía abierto un ojo y la camisa manchada de aguardiente. El futuro marido de Christina tenía la cara amarillenta y la piel escamosa y, con las cejas arqueadas, miraba fijamente los pedazos de pasta que su madre acababa de escupir sobre la mesa.

Eleni esperó un momento, pero, como Lefti seguía sin decir nada, respondió ella bien alto y claro:

—Yo de mayor voy a luchar contra las bestias.

Todos se echaron a reír.

A Eleni no le hizo ninguna gracia.

—¿Así que no quieres ser esposa ni mamá? —preguntó el hombre de la brillantina. Eleni comprendió al instante por qué Lefti había sido incapaz de responderle nada. A uno se le encogía el estómago cuando le clavaba aquella mirada.

—No me pienso casar nunca. Seré una heroína y viajaré por el mundo matando bestias.

Spiros estaba sentado a la cabecera de la mesa. Sus ojos parecían vacíos y cargados de alcohol. Llevaba desde primera hora de la mañana bebiendo con el futuro suegro de Christina a la salud del feliz enlace. Los dos hombres se creían los brillantes artífices de aquellos nuevos lazos familiares, cuando en realidad todo había sido obra de Yaya María. Había empezado a urdir aquel matrimonio años antes. Y también fue Yaya María la que tiró de la camisa a Spiros en aquel momento.

—Di algo —le susurró—, no se vayan a creer que, cuando faltéis tu mujer y tú, aun le ha de corresponder esta casa a Christina.

Los dos intercambiaron miradas, y Spiros anunció a los presentes con voz firme:

—Bueno, bueno, la niña no tiene más que ocho años. Pero cuando sea mayor se casará con Lefti y los dos se harán cargo de esta casa.

Eleni no se dio cuenta de cómo suspiraron los parientes de Christina. Lo que sintió fue que el estómago le hervía como un pozo negro en pleno verano.

—¡No! ¡Jamás! —dijo y salió corriendo de la cocina.

🍃 🍃 🍃

El resto del día lo pasó escondida en distintos sitios. La casa era grande y se comunicaba con los establos, el pajar y las demás dependencias de trabajo a través de un oscuro pasillo. Eleni sabía bien dónde refugiarse para que no la encontraran. Yaya María y Pagona la buscaron en vano. A todos les resultaba sumamente embarazoso que acabaran de darle calabazas al cabeza de familia Lefti delante de los futuros parientes de Christina y que, además, lo hubiera hecho su prima. Si bien en Varitsi ya tenían teléfono —para ser exactos: lo tenían en el *kafenion* y cuando hacía buen tiempo incluso funcionaba bastante bien—, muchas cosas seguían haciéndose de acuerdo con los preceptos centenarios de aquel pueblecito de la alta montaña. Y una de dichas leyes no escritas se refería al honor. A un cabeza de familia no se le podía ofender. Y menos delante de sus futuros parientes. Y menos todavía podía hacerlo su futura novia. Aunque no tuviera más que ocho años.

Los perros se pasaron el día rondando cerca de Eleni, como si tuvieran que cuidar de la niña. Le hicieron compañía y le dieron calor cuando se escondió en el pajar. Eleni sabía que estaban llenos de pulgas. Pero prefería que la picaran a estar con su familia.

🍃 🍃 🍃

Al caer la tarde, poco antes de las cinco, los tres perros que se habían tumbado junto a Eleni sobre la paja limpia de las cabras levantaron la cabeza con gesto de alerta. Eleni despertó de su duermevela, los perros se sentaron, aguzaron el oído y el jefe de la manada, un macho especialmente grandote, negro y gris y muy lanudo, enseñó los dientes. Eleni se sentó con la espalda muy recta. Desde que sabía gatear, pasaba mucho tiempo con los perros. A estos no se les escapaba ni el más mínimo movimiento, pero solo enseñaban los dientes si se acercaba algún desconocido, alguien cuyo olor no les fuera familiar. Eleni se sacó dos briznas de paja del pelo y se dirigió hacia la entrada a cuatro patas. El pajar tenía un ventanuco desde el que se veía el patio. El portón estaba abierto de par en par, con lo que la familia quería transmitir que aquel día de fiesta todo el mundo era bienvenido en su casa. Frente a la puerta de la casa merodeaba un hombre envuelto en un abrigo marrón hasta los pies. Iba y venía por el patio, se asomaba al interior una y otra vez por la ventana del lavadero, y Eleni tardó unos minutos —hasta que él se dio la vuelta para marcharse— en reconocerlo: el hombre del abrigo era el tío de Lefti.

A toda prisa, Eleni abrió la puerta del pajar y atravesó corriendo el patio hasta llegar a la calle principal. El tío de Lefti no era tan alto como su padre, pero andaba muy deprisa, de modo que la niña no logró alcanzarlo hasta la intersección que conducía al pueblo de arriba. Le tiró del abrigo y él dio un respingo antes de volverse.

—¿Por qué no ha entrado? —preguntó Eleni—. Seguro que a Lefti le habría hecho mucha ilusión.

El tío respiraba por la boca. El frío seco le congelaba el aliento.

—Ahí dentro no hay sitio para mí. Ya no formo parte de esa familia.

Y se giró para seguir andando, pero Eleni lo sujetaba por una punta del abrigo.

—Lefti necesita un tío para él solo, no un tío que además sea mi papá. Mi familia quiere a Lefti mucho más que a mí. Todos dicen que me tengo que casar con él. Pero yo quiero ser heroína.

El tío de Lefti se arrodilló para quedar a la altura de Eleni.

—¿Sabes una cosa? La gente anticuada cree que los hijos son más importantes que las hijas. Pero no es verdad. El padre de Lefti y yo fuimos partisanos en su día. Y a nuestro lado lucharon muchas mujeres. Y eran igual de valientes que los hombres. Dormían en el suelo como los hombres, se pasaban días sin comer y no se quejaban cuando tenían pulgas.

—Yo también tengo pulgas —dijo Eleni orgullosa, inclinando la cabeza para que el tío pudiera comprobarlo por él mismo. Este, sin embargo, rio con amargura y se puso de pie.

—Yo no te puedo ayudar, niña.

—¡Es que no me quiero casar! ¡Ni con Lefti ni con nadie!

El tío dio media vuelta y se alejó. Eleni no se lo pensó dos veces y echó a correr detrás de él por la oscura carretera que conducía al pueblo de arriba. Bajo sus pies crujía la nieve. A pesar del frío helador, Eleni logró mantenerse dos pasos por detrás de él. Veinte metros más allá iban los perros, que ahora cuidaban a Eleni en lugar de guardar su rebaño. El tío siguió caminando a buen paso, pero se detuvo poco antes de llegar a la pequeña zona de bosque, a través de cuyas copas cubiertas de nieve soplaba el viento.

—Ay, niña…, ¿crees que te irá mejor si, por no estar al lado de un hombre, corres detrás de otro?

Eleni percibió el fastidio en su voz. Sin embargo, no se dejó intimidar y replicó bien fuerte:

—¿Y qué voy a hacer si no?

El tío suspiró; su aliento se quedó congelado delante de la boca, con la forma de una nube alargada, y luego empezó a contarle una historia.

—¿Conoces la historia de las Amazonas?

Eleni se paró a pensar unos instantes… Con la de historias que le había contado la abuela… Pero finalmente meneó la cabeza.

—Pues te la voy a revelar yo, pero, ojo, que es secreta. Tú no se la puedes contar luego a nadie, ¿está claro?

Eleni asintió con la cabeza. Las historias secretas eran, sin duda alguna, las que más le gustaban.

Hace mucho tiempo, en un país muy lejano, había un pueblo conocido como los escitas. Este pueblo era temido por todos los demás pueblos porque era invencible en la batalla y, además, po-

seía una manada de fuertes caballos con los que cabalgaba más raudo que el viento. Entre los escitas había dos hermanos, hijos del rey, que soñaban con hacer más grande su reino conquistando reinos ajenos. Así que decidieron emprender el viaje a tierras vecinas para convertir a sus habitantes en esclavos. Y a esta empresa no solo se llevaron a su ejército, sino también a sus mujeres e hijos. Viajaron durante mucho tiempo hasta que encontraron un lugar desde el que empezar su campaña de conquistas. Sin embargo, hete aquí que los dos hermanos eran tan soberbios como insensatos. Dejaron a las mujeres atrás, en el campamento, y fueron al encuentro de sus enemigos, pero habían subestimado al otro ejército. Los enemigos vencieron más que holgadamente y mataron a los hijos del rey y a todos sus soldados. Las mujeres del campamento se desesperaron. Por culpa de los necios de sus maridos, que habían iniciado una guerra innecesaria, ahora ellas, indefensas, tendrían que convertirse en las esclavas de los enemigos. Y empezaron a suspirar y a lamentarse, hasta que una de ellas dijo: «¡Amigas! ¡Esto no puede seguir así! No podemos quedarnos aquí sentadas sin hacer nada y presas del desaliento, seamos heroínas nosotras». Las mujeres decidieron que quien había hablado tenía razón, y, como no tenían nada que perder, escogieron una roca bien alta y construyeron sobre ella una fortaleza. Y allí empezaron a criar caballos, a entrenarse en la lucha, a forjar sus propias armas, y se convirtieron en el pueblo más invencible sobre la faz de la tierra. Su secreto era que no tenían contacto alguno con los hombres. No se dejaban engatusar ni quedaban cegadas por sus dulces palabras, sino que se mantenían unidas como amigas y vencían a todos los enemigos. Pronto fueron temidas en el mundo entero. Y muchos hombres intentaron conquistar a alguna de aquellas mujeres, pero todos fracasaron. Porque las Amazonas eran heroínas de gran fortaleza que se habían jurado no casarse jamás. Y vivieron bien, pero nosotros vivimos mejor aún.

A Eleni le brillaban los ojos, y el tío señaló en la dirección del centro del pueblo.

—Y ahora vete corriendo para tu casa, que está a punto de nevar. No te vayas a poner mala, que las Amazonas tienen que cuidarse mucho. O luego no son lo bastante fuertes a la hora de espantar a los hombres con los que no se quieren casar.

Canto II

Que trata de cómo la heroína se mete
en grandes dificultades cuando, a finales
de los años sesenta, suben al poder las bestias;
de cómo el héroe se ve superado por las circunstancias
y de cómo una anciana consigue lo que siempre
había deseado cuando ya no lo desea.

La verdad de la danza

En el sótano de techo bajo, el aire era asfixiante. El suelo vibraba bajo los pies de los danzantes y la música del gramófono sonaba demasiado fuerte. Lefti no sudaba: chorreaba como una fuente de la montaña. Una y otra vez se le escurrían tanto la mano de Eleni, que bailaba justo delante de él en la fila, como la mano de la chica que iba detrás, la cual, harto molesta, le bufó que ya estaba bien y que más le valía poner de su parte. El caso es que Lefti ponía de su parte cuanto podía y más, tanto que ya llevaba los calzones —demasiado gruesos— empapados y pegados a los muslos. Lefti no encontraba el ritmo por ninguna parte en aquel jaleo de pífanos enloquecidos. Además, le costaba horrores recordar la secuencia de pasos. Deslizar el pie izquierdo, pie derecho atrás, deslizar el pie derecho, un toquecito con la punta, y otro más, izquierda adelante, deslizar el pie derecho, punta, punta…

—¿A ti qué te pasa, tienes patas de cabra o qué? —le soltó la chica de detrás, clavándole las uñas en la mano con tanta fuerza que Lefti dio un respingo antes de perder el paso una vez más.

—Con patas de cabra seguro que bailaba mejor —bromeó Eleni desde el otro lado, y Lefti se esforzó por hacer como que no la había oído.

Un día, Eleni había vuelto del valle contando que había un grupo de danza al que podía apuntarse quien quisiera aprender los bailes tradicionales de la región. Había pasado horas suplicándole a su padre que la dejara ir. El curso de danza era una vez a la semana, así que no había problema en pasar la noche en casa de

Foti, que se había trasladado al valle con su familia después de que su marido encontrara trabajo en la fábrica de tabaco. Yaya María convenció a Spiros de que era una buena idea..., con la condición de que la acompañase Lefti. Porque lo que no podía ser era que una chica de dieciséis años tan guapísima como Eleni viajase al valle con semejante fin sin que nadie la acompañara. Y además —esto se lo había dicho a Lefti al oído— era bueno que Eleni y él pasaran más tiempo juntos para ir acortando las distancias. Después de todo, también se acercaba el momento en que Lefti debía casarse con su prima.

Lefti trabajaba con Spiros en la construcción de carreteras desde que había terminado la escuela elemental en Varitsi a los doce años y medio. A menudo pasaba semanas fuera y, cuando volvía, Eleni estaba escondida detrás de algún libro de los que tomaba en préstamo de la pequeña biblioteca para los trabajadores de la fábrica de tabaco que había a tres calles de la casa de Foti cuando iba a visitar a su hermana con Pagona. La fascinación que sentía Eleni por aquellos mamotretos gordísimos e incomprensibles era todo un misterio para Lefti. Con lo temperamental que era la chica..., incapaz de quedarse sentada quieta cuando uno quería hablar con ella, siempre brincando de un lado para otro y cambiando de tema sin cesar. Durante tres años, había ido a la estricta escuela femenina del valle, donde el principal objetivo era preparar a las chicas para las tareas del hogar, pero donde ella no había aprendido nada excepto a elaborar sus respuestas con más gracia y mejor retórica para llevar la contraria a los mayores. Tal y como Lefti esperaba, llegó un momento en que la expulsaron. No quiso saber qué había hecho exactamente. Lo único que temía era que Eleni, que solía aprovechar cualquier ocasión para reivindicar la forma de vida de las amazonas como la mejor de toda la historia de la humanidad, intentara fundar un reino en cuanto pudiera y someter a cuantos se interpusieran en su camino..., pero fracasara estrepitosamente. Después de la expulsión, Pagona estuvo llevando ofrendas al icono durante tres semanas. Yaya María defendió a Eleni, señalando que de todas formas era mejor tener a la pequeña en casa, ahora que su madre y su tía se hacían mayores y que Christina no daba abasto con los histéricos de sus niños, porque Eleni siempre había sido muy dispuesta y así les ayudaría con el trabajo. Lefti se preguntaba a menudo si Eleni, que era cualquier cosa menos muy dispuesta para las faenas de la casa, aún sentía algo cuando recibía una bofetada.

Deslizar el pie izquierdo, derecho atrás, deslizar el pie derecho, punta, punta, izquierdo adelante, deslizar el pie derecho, punta, punta... Lefti tropezó, dio un paso demasiado grande hacia adelante, se le escurrió la mano de Eleni, pero no la de la chica de detrás, a quien arrastró tras él e hizo dar otro tropezón seguido de un chillido de dolor.

—¡Descanso! —anunció la profesora, una mujer ya mayor que llevaba un vestido demasiado elegante para la ocasión y vigilaba a los jóvenes danzantes subida en un sillón. Había unos cuantos algo mayores, pero casi todos tenían la edad de Lefti, poco más de veinte años.

Lefti aprovechó para acercarse a una jarra de agua, se sirvió un vaso y lo apuró de un solo trago.

—Usted, joven, tiene que repetir el paso —dijo la profesora en voz alta, y Lefti no necesitó darse la vuelta para saber que, de entre todos los presentes, el aludido, por supuesto, era él. La escena se llevaba repitiendo desde la primera clase. La última vez, Eleni lo había dejado plantado. Había desaparecido sin más durante el descanso y después de la clase no había habido manera de encontrarla. A Foti le dio igual; cuando Lefti llegó a su casa, le puso en los brazos al menor de sus niños, al que justo le estaban saliendo los dientes, le mandó que lo meciera y ella se fue a dormir. Lefti sí que se había preocupado mucho hasta que, poco antes de la una de la madrugada, volvió Eleni: pasó por delante de él, hizo un comentario burlón de que hasta el bebé tenía más pelo que él y, sin embargo, no dijo ni palabra de dónde había estado.

La profesora de baile indicó a Lefti que se pusiera en el centro de la sala. A él le resultaba más que desagradable que lo mirase todo el mundo y movía los pies obedeciendo órdenes y sudando de miedo.

—Izquierdo adelante, deslizamos derecho, punta, punta. ¡Ooopa!

Lefti confundía la izquierda y la derecha, oía risas contenidas a su alrededor. Levantó la vista de sus pies un instante y se dio cuenta de que por la puerta que conducía a las escaleras del sótano, se escabullía una cabeza de rizos. Una maraña de indómitos rizos castaños.

—Disculpe, enseguida vuelvo —dijo Lefti, agarró su chaqueta y salió corriendo detrás de Eleni.

—Espero que no —exclamó la chica a la que le tocaba bailar detrás de él en la fila y que se sujetaba sobre el tobillo un paquete de carne congelada traído de la despensa del restaurante contiguo para que no se le hinchara el golpe causado por el tropezón.

Lefti siguió a Eleni sin hacer el más mínimo ruido, iba escondiéndose detrás de las farolas, arbustos y esquinas de las casas como un detective privado. Por un lado, se sentía fatal por espiarla así. Al mismo tiempo, le parecía escuchar la voz de Yaya María susurrándole: «Ve detrás de ella, a ver si descubres en qué se ha metido esta vez...». Y no era la primera vez que a Lefti le pesaba como una verdadera losa ser quien era.

Fue pisándole los talones a su prima durante diez minutos, asombrado de lo bien que conocía Eleni las laberínticas callejuelas de aquella pequeña ciudad, hasta que recordó que había ido a la escuela allí. El destino de la joven era una casita independiente que parecía de los tiempos anteriores a la fábrica de tabaco, cuando la ciudad aún no era más que un pueblo y solo vivían allí unos pocos campesinos y comerciantes. Lefti se escondió detrás de una encina y esperó hasta que Eleni hubo desaparecido por la puerta de entrada. Sintió un dolor en el estómago. Por primera vez en su vida se le ocurrió que Eleni pudiera estar enamorada de alguien.

Lefti y Eleni nunca habían hablado entre ellos de la boda que les esperaba. La familia contaba directamente con que se casarían sin más en cuanto Eleni cumpliera la mayoría de edad. Lefti no le daba muchas vueltas. Era el cabeza de familia, tenía que hacer lo que la familia quisiera. Y cuando Eleni protestaba diciendo que antes se casaría con un buey, las gemelas, Despina y Pagona, tranquilizaban al futuro marido asegurándole que era una fase que ya se le pasaría. Con dieciséis años, era normal que Eleni se mostrara un poco rebelde. Clavando un dedo en la corteza del árbol, Lefti pensaba qué hacer.

Las ventanas de la casa estaban cubiertas por gruesas cortinas, pero en un punto se veía una rendija. Lefti se acercó a esa ventana y se arriesgó a lanzar una mirada al interior de una estancia decorada con unos azulejos muy bonitos. No había lámparas sino bombillas desnudas colgando del techo, y un grupo de hombres y mujeres de unos veinte años rodeaba una pesada mesa de madera oscura, sentados o de pie. Lefti no cabía en sí de asombro: Eleni fue saludando a los presentes con un abrazo, a algunos durante mucho rato, y luego sacó un paquete de cigarrillos. Lefti no sabía que fumara. En algún momento, una mujer que llevaba hilos de colores entre el pelo corrió las cortinas por completo, y Lefti fue a sentarse en la vieja caseta del autobús del otro lado de la calle.

Corría el final de marzo de mil novecientos cincuenta y seis. Los días ya eran bastante calurosos como para salir solo con la chaqueta, pero por las noches hacía un frío considerable en el valle, cuando poco a poco caía todo el fresco de las montañas. Lefti se levantó y se puso a pasear arriba y abajo de la calle, aguzó el oído para percibir las risas entremezcladas con la música que le llegaban desde el otro lado de los finos cristales de aquellas ventanas, pero no alcanzaba a entender lo que decía aquella gente.

«Lefti Zifkos, te estás portando como un perro», se decía para sus adentros, pero era incapaz de entrar en una taberna y menos todavía de volver solo a casa de Foti.

Cuando las manecillas del reloj de la torre de la fábrica de tabaco, allá a lo lejos, indicaron la medianoche, Lefti notó el cansancio. Estaba harto de esperar a Eleni. Pero tampoco quería marcharse de allí sin ella. Así pues, se armó de valor, llamó suavemente a la puerta y, como no le abrió nadie, giró el picaporte. No estaba cerrado, con lo cual el siguiente latido de su corazón se produjo estando ya dentro de la casa, detrás de todo aquel grupo. Pensó que no podía respirar de lo denso que era el humo en el interior de la habitación. Parpadeó.

—¿Quién demonio eres tú? —preguntó un hombre con gafas, pelo largo y barba estropajosa; el primero que lo vio.

La conversación cesó de golpe, Lefti se sintió como un ladrón pillado en pleno delito.

—Vengo a buscar a mi prometida —dijo a media voz—. Ya es tarde.

Mientras las personas que estaban sentadas a la mesa —ninguna de ellas mayor que él— se le quedaban mirando con gesto de asombro, descubrió a Eleni en la parte izquierda de la mesa. Si las miradas mataran, habría caído fulminado de un paro cardíaco en aquel mismo instante.

—Yo no soy tu prometida —bufó Eleni—. ¡Qué vergüenza me das, Lefti! ¡Lárgate de aquí!

—Pero tú te vienes conmigo, soy responsable de ti. —Eleni chasqueó la lengua en señal de desdén y se encendió un cigarrillo para subrayar su postura aún más—. Eleni, te ordeno que vengas conmigo ahora mismo —insistió Lefti, esforzándose por poner la voz firme y viril de Spiros. Sin embargo, como siempre que estaba nervioso, su voz sonó aflautada. Los amigos de Eleni se echaron a reír.

El del pelo largo y un segundo tipo, a quien como al primero se le olía el exceso de aguardiente, se pusieron de pie y se le plantaron delante. Después de tantos años trabajando en la construcción, Lefti sabía que tenía más fuerza que ellos. Pero no soportaba la violencia.

—Eleni es una persona libre y tú no eres bienvenido aquí, cerdo fascista.

A Lefti se le cortó la respiración.

Eso no se lo había llamado nadie.

Claro que ahora al menos sabía adónde había ido a parar. Aquel mismo otoño, Spiros se había clavado una astilla en la pierna cortando leña, se le había infectado la herida y había pasado semanas sin poder andar, de modo que Lefti había ido a trabajar solo en la construcción de un puente y así ganar dinero para el invierno. Como no había ninguna ciudad cerca para ofrecerles las habituales diversiones envueltas en humo y mala fama, los trabajadores no tenían más remedio que entretenerse entre ellos. Lefti conoció a otro chico de un pueblo a treinta kilómetros al oeste de Varitsi con el que hizo buenas migas. Al principio se limitaban a jugar a las chapas y a contarse cosas de sus respectivos pueblos, pero luego el compañero se fue animando a hablarle de sus amigos, que se habían propuesto sembrar la paz en el mundo. Por bonito que aquello sonara de entrada, Lefti enseguida comprendió que detrás de tal movimiento había un partido político que, como todos, no tenía en mente más que sus propios intereses. Lefti no se dejaba engañar por sus promesas. Siempre que se hablaba de partidos, se trataba de una cuestión de política, de una cuestión de poder, de amistades y enemistades. Daba igual si eran de derechas o, como en este caso, de izquierdas. Así que, en adelante, prefirió pasar las veladas en solitario contemplando las estrellas. A Lefti no le cabía en la cabeza que justo los jóvenes, los que sabían por sus padres y abuelos cuán terrible había sido la guerra civil, pretendieran revivir exactamente lo mismo que tanto dolor había costado al país. Pues si bien el partido de izquierdas ya no estaba prohibido, aquella gente parecía no darse cuenta de que, si seguían por ese camino, la historia se repetiría sin remedio.

—Haz el favor de marcharte y no me hagas quedar en ridículo delante de mis amigos —insistió Eleni, y Lefti cedió. Conocía a su prima desde que esta había venido al mundo. Sabía que llegaba un punto en el que no había nada que hacer. Era como intentar bañar a un gato. Se desgastaría las uñas a zarpazos y te sacaría los ojos antes que dejarse meter en el agua. Y a Lefti le importaba mucho conservar los ojos.

Volvió a sentarse a esperar en la caseta del autobús y se quedó traspuesto un rato, hasta que, poco antes de las tres de la madrugada, salió Eleni de la casa, bastante borracha. Lefti vio cómo intentaba besarla el tipo del pelo largo, que apenas se tenía en pie de lo bebido que iba él también. Pero Eleni siempre volvía la cabeza de manera que él se topaba con el pelo, y farfullaba que la dejara en paz, así que Lefti se levantó de un salto, corrió hacia él y lo apartó de un empujón. El tipo cayó sobre los arbustos como un fardo, se echó a reír, y Eleni consintió, sin protestar, que Lefti la cargara al hombro como quien carga un saco de arena y la llevara a casa.

Al día siguiente, en el autobús de vuelta a las montañas, Eleni iba con la cabeza apoyada en el cristal de la ventanilla, luchando contra las náuseas.

En cuanto llegaron a Varitsi, se fue directa a la cama y no se levantó hasta el día siguiente.

—Se ha resfriado —explicó Lefti—. Es que bailando se suda mucho.

Él, por su parte, no pudo pegar ojo en toda la noche, y poco antes de amanecer, doliéndole todo porque las dudas se agitaban en todas direcciones en el interior de su cabeza, se levantó y bajó al patio.

Desde que era pequeña, Eleni escondía todo lo que tenía valor para ella en la caseta de los perros. Lefti nunca se había aprovechado de saberlo, pero esta vez no podía hacer otra cosa. Se arrodilló, metió la mano y tanteó hacia la izquierda, hacia la derecha… y allí notó que, debajo de la paja, había un pequeño montón de libros envuelto en un paño. Vaciló un instante, pero al final lo sacó.

En el patio no había ningún tipo de iluminación artificial, la única fuente de luz eran la luna y las estrellas. Estaba demasiado oscuro como para descifrar todos los títulos, pero el hecho de que les hubieran arrancado las cubiertas le llevó a deducir que eran libros prohibidos. Clásicos del comunismo. Filósofos de izquierdas. En los últimos años, el clima político se había suavizado. Ya no detenían a la gente si la encontraban con esos libros, pero estaban prohibidos de todas formas. Y Lefti opinaba que, si había leyes, era para atenerse a ellas. Para eso existían. Las leyes protegían a las personas y su función era que la comunidad viviera en paz.

Por otro lado, lo que más le desasosegó fueron las cartas que había entre los libros. De nuevo, había muchas cosas que no podía descifrar, pero se imaginaba lo que contenían. Palabras como «huir». Palabras como «no casarse nunca». Palabras como «gran carrera política». Y eso fue lo que vislumbró a la luz de la luna.

Con mucho cuidado, volvió a dejar las cartas y los libros donde los había encontrado, lo cubrió todo con paja y volvió a la cama.

El estómago se le encogió como una pasa. Como una pasa machacada, metida en vinagre y escupida después.

No porque Eleni estuviera metida en política. Eso ya lo sospechaba desde hacía tiempo. Sino porque se dio cuenta de que, en el fondo, no tenía ni idea de lo que Eleni pensaba, de lo que sentía, de quién era en realidad... cuando iba a casarse con ella. Y cuantas más vueltas le daba, más tenía la sensación de que Eleni los estaba engañando a todos. De que lo único que quería era marcharse de allí. Y, además, sin él.

Lefti comprendió que, mientras siguiera en Varitsi, Eleni jamás podría hacer lo que realmente quería. Y él tampoco. Pues, en el fondo de su corazón, Lefti Zifkos era un romántico empedernido. Otra cosa era que, en Varitsi y siendo un hombre, eso no se pudiera decir en voz alta. Pero Lefti soñaba con casarse con una mujer a la que amara y que lo amara a él tal y como era. ¿Acaso era tanto pedir?

Lefti quisiera no ser Lefti

El veinte de abril de mil novecientos sesenta y siete llegó, por fin, el momento. Lefti había pasado meses ahorrando cada *lepto* que ganaba para que su última noche en el país fuera algo especial, pues Lefti Zifkos había decidido marcharse lejos. Eso sí: no sin antes conocer los goces del amor.

Se llevó la mano al bolsillo de la pechera y palpó por centésima vez el billete de tren, con sus letras troqueladas, así como un papel verde que había contemplado tantas veces que era capaz de recitar de memoria cada una de las palabras que contenía: su contrato de trabajo. Se abotonó la chaqueta, levantó con un suspiro de esfuerzo la maleta grasienta heredada del marido de su prima Christina y echó a andar en dirección al puerto. La maleta pesaba como un muerto, pues —entre lloros y lamentos— su madre se la había llenado como si en Alemania no hubiera comida: pasas, aceite de oliva, un pedazo de queso del tamaño de un bloque de la construcción…, y eso a pesar de que no solo el marido de Christina, sino todos los que trabajaban o habían trabajado en aquel país contaban que allí se podían comprar hasta las cosas más insospechadas. Algunas de ellas despertaban a Lefti cierto recelo, como lo de comer carne de cerdo cruda, pero otras estaba deseando verlas, sobre todo algo tan insólito como los cartones de leche. El marido de Christina había trabajado en Alemania durante años y había mediado para que Lefti consiguiera un contrato en una fábrica de productos de caucho. Él mismo no había ganado lo suficiente como para construirle a Christina la casa con la que ella siempre había soñado, pero a cambio trajo experiencias gracias a las cuales se convirtió en el orador más apreciado del *kafenion*. Sus más elevados epítetos eran para los cuartos de baño con sanitarios de cerámica y agua corriente, aunque Lefti ya los había visto en la ciudad. Lo que le intrigaba de verdad era cómo lograban conservar la leche en envases de cartón, aquello sí que seguía pareciéndole todo un misterio.

Con harto esfuerzo, cargó la maleta a lo largo de las tres calles que separaban la sede de la Comisión Alemana y el puerto. Una vez allí, se dejó caer en un banco, desenvolvió un poco de pan, queso y unas aceitunas y se puso a contemplar la puesta de sol. Las siluetas negras de los barcos dibujadas en el horizonte eran iguales que las de los barquitos de juguete que en su día le traía de los viajes Yorgos, su vecino.

Como todos los niños de las montañas, para quienes el mundo termina a unos pocos pasos y en un muro de roca que se alza hasta el cielo, también Lefti se sentía fascinado por la inmensidad del mar. Hasta entonces, solo lo había visto una vez, al poco de terminar la guerra, cuando su madre había ido en busca de su padre. Despina le había explicado que el bando de su padre había perdido la guerra y que ahora lo habían enviado a una isla, a una especie de escuela de reeducación donde le enseñarían que todas las cosas en las que había creído antes estaban equivocadas. Lefti no se acordaba bien, pues solo tenía cinco años por aquel entonces, pero tenía conciencia de que, en su momento, le había sonado muy lógico que a los perdedores los castigaran con hacerlos volver a la escuela. No recordaba en absoluto cuánto tiempo habían pasado su madre y él buscando a su padre, dónde se habían alojado, qué habían comido..., solo habían quedado grabados en su memoria un gran petate de marinero con ropa para el padre y la primera vez que había visto el mar. Le había suplicado a su madre que le dejara bañarse como los niños del lugar. Despina se lo había pensado mucho, pero finalmente le había dado permiso para quedarse en calzoncillos y meterse en el agua con mucho cuidado. Los calzoncillos de Lefti eran de hilo de algodón, tejidos en casa, mientras que los niños del lugar llevaban unos de una tela rarísima que se quedaba pegada al cuerpo. Todos se le habían quedado mirando llenos de curiosidad, cuando se detuvo justo en la orilla. Se fue adentrando en el agua muy despacito, asombrado de cómo la arena brotaba entre los dedos de los pies como si fuera líquida también, de cómo las olas le acariciaban primero las rodillas y luego los muslos. Después incluso se atrevió a meterse hasta el pecho y, como no pesaba mucho, hasta se dejó llevar por el agua un poco..., pero entonces las olas se hicieron gigantes. Un barco enorme que salía del puerto pasó muy cerca de las gradas de los barcos de pesca, donde se bañaban los niños, y en tanto que los demás celebraron las olas con chillidos de alegría, a Lefti le dio un poco de miedo y quiso salir, pero una ola enorme lo envolvió y lo arrastró debajo del agua. Ahí sí que le entró pánico, intentó huir del abrazo del mar, pero tragó agua salada hasta que llegó uno de los chicos mayores y lo sacó a la superficie agarrado de las axilas. Despina corrió a su encuentro dando gritos y acabó metida en el agua hasta las rodillas. Lo primero que hizo Lefti fue vomitar muchísimo, luego toser y finalmente mirar a su alrededor: la playa entera tenía la vista clavada en él, y no solo porque casi se lo habían tragado las aguas, sino porque la ola, además, se había llevado los calzoncillos de punto.

Ahora, en el Lefti de veintitrés años, el mar producía un efecto muy distinto. No es que sintiera el más mínimo deseo de meter siquiera un dedo del pie en el agua, pero le fascinaba la vista interminable sobre la inmensidad. Lefti estuvo contemplando cómo el sol desaparecía lentamente tras el horizonte; y, de pronto, el mar se convirtió en una promesa: le prometía que no tendría que seguir siendo el hijo de su padre, ni el responsable de la felicidad de su madre, ni tendría que velar por la familia y cuidar de Eleni, en su condición de único descendiente hombre de la familia. Ante sus ojos se desplegaba la promesa de la libertad. No era el primero ni sería el último que abandonaba Varitsi para ir a ganar dinero en el extranjero, pero Lefti había tardado años en decidirse a dar ese paso. Siempre había mantenido la esperanza de que se arreglaran las cosas entre Eleni y él, y de que se cumpliera el mayor deseo de la familia: que ambos se casaran y garantizaran su pervivencia en el pueblo. Sin embargo, cuanto más cariñoso se mostraba él con Eleni, con más fuerza lo rechazaba ella. Entretanto, el joven había comprendido que lo que ella quería era irse a la ciudad y dedicarse a la política. Cinco meses antes, Eleni había cumplido dieciocho años, y la familia se había puesto a prepararlo todo para celebrar el compromiso, mientras que la muchacha, por su parte, preparaba la fuga. Lefti le había preguntado si le quería. Ella le había respondido que no, con lo cual él se había dado media vuelta, antes incluso de que lo hiciera ella, y se había marchado. Directo a la Comisión Alemana, tal y como se lo había aconsejado el marido de Christina.

Después de ponerse el sol, Lefti agarró su maleta y avanzó en dirección a las sombrías y laberínticas callejas de la zona del puerto, donde vivían las chicas de vida ligera. Porque Lefti quería que su última noche en el país fuera especial.

No había estado con una prostituta en su vida. Trabajando en la construcción había tenido muchas ocasiones, pero por aquel entonces se había hecho el propósito de guardar la pureza para Eleni..., una estupidez de la que ahora se arrepentía enormemente. Habría sido el momento de ir con los demás hombres y aprender. Se sentía fatal por aquellas callejas de mala muerte. Además, apenas había nadie y, a diferencia de lo que le habían contado los compañeros de trabajo, eso de que bajo cada farola había una belleza esperándolo a uno no era cierto en absoluto. Las que esperaban a los clientes en los portales y a la entrada de los pasos subterráneos eran mujeres bien entradas en años y de cara fláccida que fumaban como las chimeneas de los grandes cargueros que él venía de admirar en el puerto, y ni siquiera se dignaban mirarlo. Así que Lefti se detuvo y dio media vuelta sobre sus talones, pero de pronto se percató de que no tenía ni idea de dónde estaba ni de cómo lograría salir de aquel laberinto.

—Hola, guapo...

Lefti se sobresaltó y descubrió a una mujer sentada en las escaleras de una casa antigua. La cara quedaba en sombra, y cuanto se veía era el rojo del cigarrillo y el blanco brillante de las bragas que le asomaban entre los muslos, muy separados bajo una falda subida hasta por encima de las rodillas.

—Buenas noches —saludó Lefti en posición de firmes, juntando los tacones y todo, lo cual hizo reír a la mujer. Su risa parecía brotar desde el vientre de lo profunda que era, y sonaba como el eco de incontables cigarrillos. Unos segundos más tarde, como el soldado Lefti seguía sin moverse en espera de nuevas órdenes, se levantó ella. Se oyó el ruido de sus tacones por las escaleras: uno sonaba normal; el segundo, metálico, como cuando se desgasta la tapa. Le puso un codo en el hombro y sus dedos empezaron a juguetear con la oreja de Lefti. Su olor le recordó a las uvas pasadas: dulce pero a punto de pudrirse de tanto estar al sol.

—Vente conmigo —le susurró casi sin voz. El aliento le olía como una chimenea atascada, y Lefti debía de ser el único albañil de la provincia que no había fumado nunca. Quiso retroceder, pero antes de pensarlo siquiera ya notó una mano dentro de los pantalones. Lefti estaba espantado. ¿Iría a amenazarlo con que aquellas uñas de gata borrarían de su futuro toda posibilidad de ser padre a no ser que le entregara todo su dinero? Pero no, la mujer empezó a besarle el cuello, y los dedos a ejecutar verdaderos juegos de virtuosismo dentro del pantalón. Lefti notó unos labios en la oreja y cómo luego le mordisqueaban el lóbulo.

—Te lo voy a hacer a mitad de precio, semental mío.

Se relajó. Conque así era como funcionaba aquello...

Los escalones donde había estado sentada la mujer conducían a un largo pasillo que recorrieron a paso ligero y que desembocaba en un patio, al otro lado del cual había una puerta por la que se entraba a una casa en estado bastante lamentable. En el interior, las ventanas estaban tapadas con pesadas telas negras, y de un gramófono junto a la puerta salían las furiosas notas de un rebético que inundaban la estancia de techos altos, mezclándose con los diversos olores y perfumes dulzones y con el espeso humo de los cigarrillos. Lefti casi no podía respirar. El techo tenía adornos de estuco: negros del humo de las velas. Había varias mesitas bajas con tapetes de terciopelo y quinqués de gas en el centro. A la izquierda había un armario que, en comparación con lo distinguido del resto, parecía obra de algún carpintero de pueblo sin talento. Lefti no daba crédito a sus ojos: los hombres que servían la barra llevaban la barba retorcida en forma de tirabuzón y un gorro ovalado, lo cual remitía a su origen valaco. Era él muy niño cuando todavía pasaban por Varitsi algunas caravanas de mulas de comerciantes valacos que se dedicaban a las especias. Sin duda hacía quince años que no veía a ninguno. Sin embargo, la mujer cuya mano agarraba tan fuerte como ella la de él no parecía tener muchas ganas de tomar nada. En lugar de eso, lo llevó a través del salón hasta una sofisticada escalera de forja por la que se subía al piso superior.

—Date prisa, tesoro —animó a Lefti al pie de la escalera, arreglándose el escote con gesto lascivo. Lefti se puso colorado de vergüenza, aunque luego se dio cuenta de que su acompañante iba bastante tapada para como iban las demás. La mayoría de mujeres que trataban con los clientes bajo las farolas enseñaban mucho más, y, horrorizado, también vio cómo una mujer de una mesa del rincón se desabrochaba la blusa para que un hombre se pusiera a succionarle los pezones como un bebé. Su acompañante, en cambio, aceleró el paso y lo condujo escaleras arriba hasta otro pasillo, donde abrió una habitación con la puerta pintada de un morado intenso que Lefti no habría de olvidar en mucho tiempo. Casi hasta el final de su vida recordaría la textura de las colchas que adornaban aquella cama de metro y medio de ancho. El olor de la lámpara de gas quedaría grabado en su olfato, como también lo haría el recuerdo de los puntos exactos en que el papel pintado de la pared estaba hecho jirones, y lo sucio que se encontraba el espejo del lavamanos y lo sugerente que era el movimiento de las telas de colores que había colgadas por delante de la ventana abierta. A continuación, la mujer, que dijo llamarse Kübra, volvió del aseo, que estaba en el pasillo, cerró las ventanas y dejó que su delgada bata de seda de un rojo intenso cayera sobre el suelo de madera.

Lefti recordaría tan bien aquella habitación y los dulces placeres vividos allí porque, durante mucho tiempo, habría de representar el último momento en que fue feliz.

🍃 🍃 🍃

De pie junto a la cama, Kübra se asombraba de lo profundo que tenía el sueño aquel muchacho. Le había llamado ya unas cuantas veces y lo había sacudido un poco, pero él seguía en estado comatoso, boca arriba y con la boca entreabierta. De no ser porque se le movía el pecho arriba y abajo, habría pensado que estaba muerto. Ya le había pasado dos veces que se le muriera un cliente en la cama y, desde luego, no le resultaba una experiencia grata de recordar. Al menos este no roncaba, se dijo, y estaba pensando en cómo despertarlo para pedirle muy amablemente que se largara de allí, cuando oyó un estrépito en el exterior. La manzana de casas en la que se encontraba el establecimiento estaba compuesta por dos edificios unidos por medio de un patio interior. El portal de las escaleras desde donde las damas atraían a sus clientes formaba parte de la zona del puerto, mientras que la parte de atrás, la de las habitaciones y el bar, daba a la calle principal. Por miedo a los guardas de la moral pública, las mujeres nunca salían por la calle principal, pero podían ver perfectamente lo que pasaba, y Kübra se asustó al abrir las cortinas y asomarse. No había ni un solo coche en toda la calle; en su lugar, era una hilera de tanques lo que avanzaba en dirección al puerto, y había vehículos militares en todos los cruces hasta donde le alcanzaba la vista. Ya le había extrañado a ella durante todo el día que hubiera tan poca actividad en el local: no se habían perdido por la zona del puerto ni soldados ni marineros, tan solo unos pocos maridos frustrados y algunos clientes ocasionales. Ahora sabía por qué. Y estaba claro que aquello no eran unas simples maniobras: allí estaba pasando algo gordo.

El teléfono del pasillo no tenía línea y la radio no emitía más que música clásica, así que, después de consultar con varias vecinas de habitación, Kübra decidió echarse en la cama junto al joven que dormía, como suele decirse, el sueño de los justos. Le inspiraba tranquilidad lo relajado que le veía y, sobre todo, pensaba que, ante la incertidumbre de lo que aún pudiera suceder esa noche, nunca estaba de más tener a un hombre de brazos fuertes en la habitación.

Hacia las seis de la mañana, Kübra no fue capaz de seguir durmiendo, se puso la bata y bajó al bar, donde para su sorpresa seguían sentados los dos valacos, que solían encargarse de cerrar y se iban a su casa en las afueras de la ciudad en cuanto salía por la puerta el último cliente.

—Han cortado la ciudad entera —dijo el más joven—, hay vehículos militares, tanques y soldados por todas partes. Nos han dicho que se ha impuesto el estado de excepción porque ha habido un golpe de Estado y nos han mandado de vuelta. Toda la zona del puerto está patas arriba, no se puede avanzar ni tres calles.

🍃 🍃 🍃

Lefti se dio una vuelta hacia la derecha, una vuelta hacia la izquierda y de pronto se sentó en la cama de un respingo, advirtiendo que no estaba en Varitsi, y a continuación se dejó caer hacia atrás para mecerse un rato con tanto ímpetu que los muelles del colchón chirriaron aún más que la noche anterior. Había compartido la cama con Afrodita y ya no tenía ningún deseo pendiente antes de partir hacia Alemania. El reloj de la pared indicaba que eran poco más de las ocho de la mañana, y calculó que su tren salía justo ocho horas más tarde; lo que no sabía era que el tráfico internacional estaba cortado por completo y que no podían abandonar el país ningún tren, ningún barco ni ningún avión. Pero

Lefti no sospechaba nada de nada en tanto se vestía, se humedecía la cara con el agua fría de la jofaina, recogía sus cosas y salía de la habitación de un humor inmejorable. Iba pensando que a continuación se daría el gusto de tomarse un café bien cargado y una estupenda vuelta por la ciudad para cansar un poco las piernas antes de emprender el largo viaje hacia el norte. Sin embargo, al bajar por las escaleras y ver que en el local donde, tan solo unas horas antes, la gente bailaba eufórica, ahora todo eran caras de preocupación y grupitos que bien cuchicheaban o bien discutían enérgicamente, se olió los problemas. Conocía el aroma de las dificultades gracias a Eleni.

—¿Y ese qué hace aquí todavía? —preguntó uno de los valacos, pero Afrodita le quitó importancia haciendo un gesto con la mano.

—Eso ahora da igual.

Lefti no supo cómo tomarse aquello, dio los buenos días y, bastante apurado, se dispuso a abandonar la habitación cuando Kübra le dijo:

—Da igual adónde quieras ir, no vas a poder.

—¿Cómo? —preguntó Lefti, tras lo cual ella le indicó que la acompañara y lo condujo hasta el pasillo que daba a la calle principal para que se asomara por la ventana.

—¡Por todos los santos! —exclamó Lefti al ver los tanques y los soldados que mantenían cortada la ciudad.

Kübra tiró de él para apartarlo de la ventana y se apresuró a cerrar las cortinas.

—¿Café? —le ofreció, y Lefti, sin decir palabra, fue a sentarse con las prostitutas, que fumaban en silencio y con gesto de mal humor.

—¿Qué hacen ahí todos esos tanques? —preguntó tímidamente, tras lo cual no solo las mujeres sino también los valacos prorrumpieron en sonoras risas.

—Eso nos preguntamos nosotros también —respondió Kübra desde un cuarto trasero, trajinando con el tradicional hervidor de moca.

—Será un golpe de Estado, tiene toda la pinta —comentó una de las mujeres, y al mirarla Lefti se dio cuenta de que tenía una cicatriz enorme que le recorría la cara de una oreja a la otra.

—¿Los comunistas? —preguntó Lefti, y la mujer de la cicatriz meneó la cabeza. Era difícil calcular su edad, tenía el pelo muy negro y la piel lisa, pero sus ojos estaban enmarcados por profundos surcos oscuros. Y la cicatriz llevaba a pensar que lo había visto ya todo en la vida. Lefti se sintió como un escolar al que hubiera que empezar por explicarle el mundo con mucho cuidadito. Y en el fondo no iba tan desencaminado, pues en aquellas horas realmente se estaba reorganizando el mundo al otro lado de la puerta.

—¡La izquierda...! —rio amargamente la mujer de la cicatriz. En el cuarto trasero, Kübra tosía como si estuviera a punto de echar los pulmones por la boca—. Pero ¿tú has visto los tanques? ¿Esas armas tan potentes? Piensa un poco, chiquitín: los de la izquierda llevan desde los años cuarenta encarcelados o perseguidos, o los han obligado a irse al exilio o al extranjero. Sí que es verdad que han estado un poco más tranquilos en los últimos años, pero después de décadas de persecución se han quedado más débiles y más esmirriados que un puñado de gallinas que no se atreven a salir del gallinero por si se topan con algún lobo. ¿De dónde van a haber sacado ahora de golpe todos esos juguetes de guerra tan modernísimos? ¿De Tito? Que no, que te digo que los de ahí fuera son de la derecha. Ahora, ¿derecha de qué tipo? Eso ya no lo sabrá más que Dios, nuestro Señor.

Kübra llegó del cuarto trasero con una bandeja llena de tazas de café, la depositó sobre una mesita y se apretó el nudo de la bata roja.

—¡Qué cosas, Katherina! —le dijo a la de la cicatriz—. ¿Y tú crees que me detendrán de inmediato si salgo así a la calle?

Todos los presentes se echaron a reír, aunque Lefti solo podía pensar en una cosa. Si era un golpe de Estado de la derecha, los de izquierdas irían a la cárcel.

Si había en la vida de Lefti una persona de izquierdas que jamás había hecho nada por ocultarlo a pesar de todas las advertencias, esa era Eleni. Lefti se llevó la mano al bolsillo de la pechera para palpar su billete de tren. Y en aquel instante tomó conciencia de que el día de marcharse a Alemania no sería ese.

Para erradicar el mildiu

Cuando, el veintiuno de abril de mil novecientos sesenta y siete, Loukas Mavrotidis salió del pueblo en compañía de sus tres mejores amigos para volver el veintidós con uniforme militar y un todoterreno nuevecito tan brillante y pulido como sus zapatos, a Yaya María le costó creer lo que veían sus ojos. Loukas anunció en el *kafenion* que los comunistas habían planeado un golpe de Estado para hacerse con el poder, pero que un cuerpo de oficiales muy preocupado por el bien del país había sabido reaccionar a tiempo, asumiendo el control del gobierno. Había que imaginar al país como a un paciente sobre la mesa del quirófano a quien no había más remedio que anestesiar e inmovilizar con correas de cuero durante el tiempo que durase aquella intervención sin la cual no podría seguir con vida. Los militares se encargarían de que una Hélade fuerte y de helenos cristianos resucitara de sus cenizas como el Ave Fénix.

Spiros repitió las mismas palabras en su casa. Pagona y Despina se encogieron de hombros. Las gemelas no entendían lo que querían decir. Automáticamente, se pusieron a rezar para que aquel extraño desarrollo de los acontecimientos no repercutiera en el viaje a Alemania de Lefti, con lo cual Eleni montó en cólera. Los militares, y para colmo la extrema derecha, se habían hecho con el poder de manera antidemocrática y a ellas no les importaba más que Lefti, quien sin duda ya estaría tan a gusto en una teutona cama fascista. Ahí, Despina tomó impulso y le dio una bofetada. Pero no le dio muy fuerte. Nada que ver con las bofetadas de

Spiros. En cualquier caso, la de Despina supuso tal sorpresa que la familia entera se encontró en una situación embarazosa: Eleni sintió el apuro de no saber qué responder. Yaya María permanecía sentada en una silla pegada a la pared y contemplaba el fondo de su taza de café. Le preocupaban sus ojos, porque no había visto venir ninguno de los acontecimientos que se habían producido durante el año anterior. Yaya María suspiró, preguntándose cuántas catástrofes le quedarían por vivir aún. Había sido testigo de una guerra mundial, de la expulsión de todos los griegos de Asia Menor, de una dictadura, una segunda guerra mundial y una guerra civil. El hecho de que ahora todo apuntara a otra dictadura le era bastante indiferente, cosas peores había superado. Eso sí, la mataba de preocupación que su nieto, en quien tenía puestas todas sus esperanzas para mantener la continuidad de la familia de Varitsi, se hubiera marchado al extranjero. Porque esto último no se lo había anunciado ninguna señal, ni terrenal ni venida de los cielos. Al contrario, no hacía más que ver cadenas en los posos del café. Y la cadena era el símbolo del vínculo. Anunciaba los regresos, los encuentros y, entre estos, las bodas. Pero ahora que Christina y Foti estaban casadas, Lefti se había ido a Alemania y Eleni había demostrado ser más terca que una mula, negándose una y otra vez a pensar siquiera en el matrimonio, Yaya María —por primera vez en su vida— no sabía cómo interpretar el símbolo.

ø ø ø

La gente estaba inquieta. Nadie podía hacerse una idea de lo que pasaría a continuación. Ni siquiera en las grandes ciudades se sabía lo que se urdía entre bastidores, con lo cual en Varitsi, adonde las noticias llegaban aún más contadas, todos se sentían tan desconcertados que las ancianas del lugar, mientras lavaban la ropa, empezaron a murmurar sobre la resurrección de muertos vivientes y a creer en toda suerte de cuentos a falta de explicaciones racionales. El único que estaba exultante era Loukas. De un día para otro, había adquirido derechos especiales en el valle con el fin de que hiciera valer en Varitsi el estado de ocupación que se había proclamado en todo el país. Con el pecho henchido de orgullo, vigilaba que se cumpliera religiosamente el toque de queda y detenía por decreto a todo sospechoso de cultivar ideas de izquierdas. La única con quien hacía la vista gorda era Eleni. Loukas sabía que leía libros prohibidos y que no tenía reparo en expresar abiertamente sus ideas de izquierdas, pero también era, con mucho, la chica más guapa de todo el pueblo. Y Lefti se había ido a Alemania. Loukas sabía que el sueño de Eleni era dedicarse a la política. Y tenía la esperanza de que en algún momento comprendiera que él era el único capaz de ayudarla a acceder al poder político que tanto anhelaba. Claro que esos pensamientos los guardaba para sí. Por las noches, cuando estaba solo en la cama, se subía la manga de la camisa y contemplaba la cicatriz que le habían dejado los dientes de leche de Eleni. En algún momento, en alguna hora solitaria, le había tomado un gran cariño a aquella cicatriz.

🍃 🍃 🍃

Tres días más tarde, el veinticinco de abril de mil novecientos sesenta y siete, aquella vocecilla que Eleni llevaba dentro, en la zona del diafragma, salió victoriosa en su lucha contra la cabeza, que hasta la fecha había conseguido impedirle hablar demasiado alto. El resultado fue un ataque de ira que habría de tener terribles consecuencias.

Eleni había intentado averiguar lo más posible sobre el nuevo gobierno, aunque nadie sabía mucho, y el servicio de autobús que comunicaba el pueblo y el valle estaba interrumpido. Nadie sabía cuándo volverían a circular los autobuses. Aunque veía a su familia muy capaz de atarla a una silla con una cuerda, tenía que intentar salir de Varitsi. Se pasaba el día yendo a casa de su hermana Christina, que estaba embarazada del cuarto hijo y que, al igual que Foti, vivía el embarazo como el peor de los males que asuelan al género femenino. Christina se sentía demasiado débil como para lavar la ropa, preparar la comida y más aún para hacer algo contra las cucarachas que habían hecho nido en el sótano y ponían más histéricos de lo habitual a sus histéricos hijos. Se quejaba de que llevaba meses sin dormir porque el embarazo le había robado el sueño, con lo bien que dormía ella antes, y a cambio su marido roncaba como un tigre de dientes de sable. Normalmente era Pagona quien se ocupaba de su sufriente hija embarazada, pero se había hecho daño en la espalda tres semanas antes al levantar a su nieto mayor, así que ahora tenía que ir Eleni a sostener los ánimos de Christina, con lo cual la que acababa con el ánimo por los suelos era ella. Y así fue como, al pasar junto al puesto de policía, no pudo más.

Hacía un templado día de primavera. La ventana estaba abierta de par en par y Eleni pudo ver cómo Loukas mandaba cepillar el óxido de los barrotes de las celdas a los hermanos Dorophilakis, los del pueblo de arriba, ambos ya casi ancianos, con los setenta años más que cumplidos —ciego el primero y aquejado de un terrible reúma en todo el cuerpo el segundo—, mientras él mismo se daba el gusto de contemplarlos, de pie sin hacer nada, chupeteando un cigarrillo. Eleni sacó un tomate especialmente maduro de su cesta de verduras, destinada en realidad a Christina, apuntó bien, y la hortaliza voló a través de la ventana trazando una elegante y aerodinámica curva para estamparse en el cogote de Loukas.

—¡Ensúciate las manos tú, que eres un vago, cerdo fascista! —le gritó, y aún añadió una buena serie de epítetos que Loukas no oía por primera vez pero a los que hasta entonces había hecho oídos sordos. Sin embargo, esta vez no le fue posible, puesto que también se había enterado el inspector general del valle, que justo estaba allí presente, en un rincón que no se veía desde la calle. De modo que Loukas salió del edificio como un basilisco, en tanto que Eleni permanecía parada en la calle sin inmutarse. Llevaban años picándose, algunos días hasta parecía que jugaban a pelearse. Ahora bien, en presencia de un inspector general, las bromitas estaban fuera de lugar.

Loukas echó mano de las esposas que llevaba enganchadas en el bolsillo trasero del pantalón. La cesta de verduras cayó al suelo,

Eleni intentó defenderse, pero Loukas era mucho más alto y más fuerte, y cuando la metió en la celda junto con los otros doce presos, antiguos miembros de la resistencia, Eleni empezó a vislumbrar la gravedad de la situación.

—Eres una vergüenza para tu padre —farfulló Loukas antes de dar media vuelta y echar la llave a la puerta.

Al principio, Eleni pensó que a lo mejor se trataba de otro torpe intento de acercamiento por parte de Loukas. La gendarmería del pueblo estaba en el mismo edificio que en tiempos había sido el puesto de aduanas, cuando aún no existían los grandes barcos de vapor ni los camiones de mercancías ni los aviones. En aquella época en la que el pueblo era rico y contaba con casi el triple de habitantes. Pero el brillo de aquellos otros tiempos había pasado a la historia hacía mucho. Ahora, el antiguo puesto de aduanas constaba de dos celdas que un pasillo separaba de la estancia delantera, donde Loukas tenía su escritorio. Como el resto de las casas del pueblo, las paredes eran de piedra, pero como el edificio había estado vacío durante tanto tiempo, nunca se habían ocupado de rellenar los numerosos huecos del muro por los que entraban verdaderos cuchillos de aire de la calle, para mayor tormento de los viejos partisanos con reúma. No habrían de pasar dos horas desde la detención de Eleni cuando se oyó a las mujeres de la familia al otro lado del muro, regañándola por entre las rendijas.

—Lo que nos faltaba, Eleni, tú siempre metiéndote en problemas —decía su madre, mientras Foti, que había venido al pueblo en autostop, añadía:

—Loukas no te ha hecho nada, es un hombre joven y respetable, igual que Lefti. Es una vergüenza para todas las mujeres que te dediques a espantar a los dos únicos que tal vez se habrían casado contigo.

—Si ahora mi niño nace con hidrocefalia, será culpa tuya —declaró Christina, milagrosamente recuperada de su agotamiento. Tres días se pasaron maldiciendo al otro lado del muro, aunque sus comentarios no tardaron en centrarse en un solo tema. Eleni acabaría como una antigua vecina que había muerto al cumplir ella los dos años: vieja, sin dientes y sola con setenta gatos tiñosos que se le meterían en la cama y le pegarían las lombrices que la acabarían devorando por dentro y le saldrían por los ojos cuando, un buen día, encontraran su cadáver maloliente.

—A mí me torturaron dos días seguidos en el cuarenta y ocho —se lamentó el señor Tsolkas en un respiro que les dieron las mujeres cuando se fueron a casa a comer—, y, desde luego, es muchísimo más llevadero que te cuelguen por los pies de la rama de un árbol que aguantar a unas histéricas como estas...

Los comunistas de Varitsi se echaron a reír con cierta amargura, y, de entrada, Eleni también, aunque pronto se le cortó la risa. Se acercaba un camión militar para trasladar a los presos desde el antiguo puesto de aduanas a una cárcel de verdad en el valle.

—Pero, Loukas, ¡cómo puedes...! —oyó Eleni lloriquear a su madre cuando ya la habían sentado en el camión, con las manos atadas al asiento—. Conoces a Eleni desde niña. No te ha hecho nada.

—Es una izquierdista enemiga del Estado —dijo Loukas impasible, pero una vez hubieron subido al camión los soldados, Eleni también le oyó añadir—: Ay, tía Pagona, yo no sabía que iban a venir a llevárselos. Cumplía órdenes y pensé que unos días de celda no le sentarían mal a Eleni.

—Pero ¡es que acabará con lombrices y morirá sola!

✿ ✿ ✿

Lefti se miró al espejo que había colgado en el pasillo. Era el tres de mayo de mil novecientos sesenta y siete. El horario de oficina del jefe de la policía empezaba, en teoría, una hora antes, pero su secretaria había anunciado que aún estaba ocupado y que tenía que esperar sentado fuera. Ya lo llamarían. Lefti iba todo repeinado, la corbata con un nudo perfecto. El traje que le había prestado uno de los valacos del burdel, en cuya casa se había alojado los últimos días, le sentaba muy bien, y en opinión de la mujer del valaco incluso sería ventajoso para él que no fuera precisamente de última moda, pues parecía que los militares que estaban detrás de aquel golpe de Estado querían atrasar el reloj cincuenta años. Las escasas noticias oficiales decían que se había abortado con éxito una conspiración comunista. Que únicamente se detenía a los izquierdistas con el fin de abrir el camino a la consolidación de una Hélade de helenos cristianos. Unos días antes se había publicado un decreto del Ministerio del Interior sobre las medidas de educación y disciplina de los jóvenes. Señalaba la importancia de ofrecer un aspecto decente, de ir limpio y aseado. A partir de ese momento, en el país estaban prohibidos los *beatles* y *beatniks,* calificados de «atropello, fruto de la soberbia del extranjero norteamericano». Se prohibían las faldas cortas para las chicas. Todos los jóvenes en edad escolar tenían obligación de asistir al servicio religioso los domingos y de comulgar durante la Semana Santa.

Lefti comprobó en el espejo que cumplía con el ideal: pelo corto y repeinado, bien afeitado, la cara limpia. Esa mañana temprano se había lavado muy bien las orejas y pasado un hilo de los calzoncillos entre los dientes para retirar cualquier posible resto de comida. Solo había un pequeño problema en el que no había reparado antes: tenía que ir al servicio con urgencia. Últimamente, no aguantaba una hora seguida sin ir. Lo achacaba a lo nervioso y preocupado que estaba por Eleni desde el golpe de Estado. De hecho, no había bebido ni un trago de agua desde la noche anterior en previsión, pero tenía ganas de todas formas. ¿Qué hacer si lo llamaba el prefecto en el preciso instante de haber ido al excusado? ¿Qué hacer, por otra parte, si un fatal escape de aguas echaba a perder su única oportunidad de sacar a Eleni de la cárcel? Estaba con una prostituta el día en que tenía que haber protegido a Eleni. ¿Cómo podría vivir el resto de sus días si, en el momento de liberarla de la cárcel, se hallaba en el retrete?

—Zifkos, ya puede pasar a hablar con el prefecto —dijo la secretaria que le había mandado esperar casi una hora antes. Nervioso, Lefti se puso de pie.

El prefecto tenía las mismas mejillas que un bulldog y los dedos como longanizas. Al tomar asiento enfrente de él, Lefti se apresuró a cruzar las piernas para controlar mejor las ganas de orinar. El prefecto, en cuyos hombros lucían toda suerte de condecoraciones, ni se dignó mirarlo y no dijo ni palabra, tan solo se puso a leer los papeles de una carpeta que tenía delante. De cuando en cuando, eructaba. Lo cierto es que no parecía un miembro del ejército, sino más bien un carnicero que, desde su más tierna infancia, hubiera echado mano a todos los restos de tocino a su alcance.

—Eleni Stefanidis. Acusada de comunismo y hostilidad hacia el Estado —dijo leyendo en voz alta lo que contenía el papel escrito a máquina que sostenía entre sus dedos de longaniza—. En circunstancias normales, bien que me gustaría mandar a ese mal bicho a una isla de pura roca donde le iba a sobrar tiempo para reflexionar sobre todas esas tonterías que le llenan la cabecita —añadió con una risotada. Lefti quiso replicar algo, pero apenas podía concentrarse. Le ardía la uretra como si corretearan por ella un millar de hormigas de fuego—. A ver, ¿qué tienes que decir en su defensa?

Lefti apretó las nalgas. Notó que le corrían perlas de sudor por la frente.

—Es un malentendido —alcanzó a articular—. En realidad no es comunista, solo lo finge a veces.

El prefecto miró a Lefti con gesto rabioso.

—El comunismo es delito. Y grave.

—Claro, claro, pero Eleni solo finge ser comunista porque no quiere casarse conmigo. —El prefecto se reclinó en su sillón y resopló—. Eleni es una mujer decente. Se lo garantizo.

—Pues si se va con los comunistas con tal de no casarse contigo, igual tendría que detenerte a ti también...

Lo primero que le vino a la cabeza a Lefti fue que en todas las imágenes de cárceles que había visto, siempre tenían dónde hacer aguas en la celda, pero hizo acopio de sus últimas fuerzas y alegó:

—En el fondo sí que quiere casarse conmigo, lo que pasa es que quiere vengarse de mí porque estuve con una..., en fin, con una dama de vida alegre. Eleni es muy buena, de verdad, fui yo quien cometió una falta grave, y ella se quiso vengar porque yo le hice daño, y porque sabe que yo desprecio a los comunistas.

El prefecto juntó las puntas de los dedos formando una casita con las manos. Se habría dicho que barruntaba profundas cuestiones filosóficas. Lo único que era capaz de pensar Lefti era lo maravilloso que sería orinar de una vez.

—¿En tu pueblo hay vides? —preguntó el prefecto, y Lefti empezó a temblar al tiempo que negaba con la cabeza. El tono anunciaba un discurso prolongado—. Claro, entonces seguro que nunca has oído hablar del mildiu. Pues para que lo sepas, jovenzuelo, el mildiu es una enfermedad. —El prefecto se levantó del sillón, cruzó las manos a la espalda y se puso a pasear por el amplio despacho. Cuando se dio la vuelta, Lefti se maravilló de que el enorme barrigón no lo venciera hacia delante al andar—. Se agarra a las hojas de la vid. Desde fuera se ven feas, pegajosas y blancuzcas. Y si no se combate, el mildiu termina penetrando en el tallo, se come la madera, pudre las raíces y la vid se muere. Pero lo peor es que la cosa no queda ahí. El viento lo transporta a otras vides sanas y también las hace enfermar. En un principio, solo afecta a la superficie, pero si no se combate con todos los medios, se convierte en una plaga que destruye cuanto el viticultor haya plantado con todo su cariño y su esfuerzo. El mildiu no solo es un enemigo de los campesinos, es un enemigo de nuestra buena tierra griega. De esa tierra que tiene por fruto a nuestro orgulloso país.

A Lefti cada vez se le veía más encogido en su silla. Las ganas de orinar ya no eran tan terribles como el fuego que parecía devorarlo por dentro. El prefecto, por su parte, no parecía haber llegado ni por asomo al final de su perorata.

—Te estarás preguntando por qué te cuento todo esto —caviló, y Lefti habría querido asentir, pero, en su agonía, no podía ni moverse. Permanecía hecho un cuatro en la silla, esforzándose por no mirar la jarra de agua que había encima de la mesa y que constituía toda una provocación—. Bueno, pues el caso es que el mildiu infectó nuestra gloriosa patria al mismo tiempo que otra enfermedad. Una plaga cuyo combate ha de ser el principal objetivo de nuestra nación. Y mucho me temo que tu palomita haya caído víctima de esa misma plaga. Está infectada y enferma, y por eso la hemos detenido y encarcelado. Hay que cortar y quemar todas y cada una de las hojas de la vid infectada. Lo único que funciona para que no se infecte también el suelo es erradicar por completo las plantas enfermas. Eso lo entenderás, supongo.

Lefti iba comprendiendo. Una gota de sudor le rodó desde la frente y se le metió en el ojo.

—Limitarse a hablar no sirve de nada contra el mildiu. Yo no veo más que una salida: ¡sé un hombre! —exclamó de pronto el prefecto al tiempo que daba un puñetazo en la mesa, haciendo que se derramara un poco de agua de la jarra—. Con estas mujeres tan necias no se puede hacer más que una cosa: encerrarlas en casa. Mantenerlas alejadas de esa propaganda extranjera que parece ser la última moda. Aislarlas y tenerlas atadas a la cocina, para que aprendan a ser mujeres decentes, es decir: buenas madres y esposas comprensivas. —Lefti asintió con la cabeza. Estaba claro que aquel hombre no había hablado con Eleni jamás—. Y levantarles la mano como se te pongan rebeldes, ¿entiendes? Y sacar el cinturón si hace falta. Demostrarle quién lleva los pantalones en la casa. ¿Dices que te quieres casar con ella?

Lefti asintió de nuevo. El agua había llegado al borde de la mesa y empezaba a gotear al suelo.

—Bien, a mí me parece la mejor solución. La prostitución es casi tan grave como el comunismo, y la verdad es que tendría que encerrarte a ti también, pero andamos mal de espacio. Así que dejo a la detenida a tu cargo bajo la estricta condición de que se celebre esa boda en un plazo no superior a tres meses.

Lefti asintió una vez más mientras el prefecto consultaba un libro gordísimo para buscar el pueblo de Lefti. Iba pasando las hojas despacio, con parsimonia, porque sus dedos de longaniza siempre atrapaban alguna página de más. Los dolores que sentía Lefti eran tan insoportables que estuvo a punto de levantarse de un brinco y orinar en la maceta del rincón.

—Nuestro hombre en Varitsi se llama Loukas Mavrotidis. Recibirá órdenes de no perderos de vista. Eso sí, ¡pobres de vosotros como no haya boda! ¡Pobre de ti como no te mantengas lejos de las putas, y pobre de esa joven como vuelva a dárselas de comunista! ¿Entendido?

Lefti asintió por enésima vez. Se sentía como si lo hubieran crucificado, pero con los clavos en la entrepierna.

—Pues nada, te la puedes llevar.

Lefti levantó la mirada.

—De verdad que le estoy… enormemente agradecido.

—Sal de aquí antes de que cambie de opinión.

En cuanto el prefecto le hubo dado la espalda, Lefti se apresuró hacia la puerta.

—Ah, un momento… —Lefti se detuvo. A punto de morir, se volvió. El prefecto lo miró fijamente a los ojos—. Que te quede clara una cosa: os estaremos vigilando. Y como me dé a mí la sensación de que el mildiu sigue con vida, te aseguro que me persono en tu pueblo con un pico, arranco la vid entera, la dejo secar al sol y la echo al fuego para calentarme.

Lefti asintió con la cabeza y se escabulló por la puerta.

Ya notaba las primeras gotas en el calzón, salió corriendo del edificio y, al desabrocharse la bragueta a toda prisa, sintió que el fuego se le extendía por todas sus partes bajas. En aquel momento, despertó en Lefti una terrible sospecha.

Durante la época que había trabajado en la construcción de carreteras, siendo muy joven todavía, uno de los compañeros mayores también tenía que orinar todo el rato y se moría de dolor al hacerlo, con lo cual se adivinaba siempre detrás de qué arbusto había ido. «Meando fuego… ¡Eso es que alguna le ha hecho la gracia!», bromeaban los demás obreros, y Lefti había aprovechado el viaje de vuelta al pueblo a solas con su tío Spiros para preguntarle qué era aquello de «mear fuego», aunque este le había mandado hablar con el sacerdote y este, a su vez, le había echado una buena regañina, insistiendo en que lo que tenía que hacer era ser casto hasta el matrimonio, pues aquello era como una especie de plaga bíblica; y le había puesto una Biblia en la mano y mandado leer el Tercer Libro de Moisés. Habían pasado casi siete años desde entonces, pero desde algún remoto rincón de la memoria de Lefti volvió aquel episodio y allí, en la pequeña explanada frente a la cárcel, recordó: «Cualquier hombre que padece de flujo seminal es impuro a causa del flujo. En esto consiste la impureza causada por su flujo: sea que su cuerpo deje destilar el flujo o lo retenga, es impuro. Todo lecho en el que duerma el que padece flujo será impuro y todo asiento en el que se siente será impuro. Quien toque su lecho lavará sus vestidos, se bañará en agua y quedará impuro hasta la tarde».

🍃 🍃 🍃

Aliviado por Eleni pero asustado, nervioso y preocupado por su salud, Lefti esperaba debajo de un plátano de paseo situado delante de la prisión. Justo se recolocaba la chaqueta dando tironcitos de las mangas cuando, por fin, salió una patrulla por una pequeña puerta que formaba parte del gran portón de hierro. Detrás iba Eleni. Sin que nadie dijera nada, se cerró la puerta tras ella. Eleni se agachó, tosió y guiñó los ojos con gesto de incredulidad.

—Eleni, por todos los cielos... ¿Estás bien?

—Y tú, ¿cómo es que no estás en Alemania? —le soltó ella como un jarro de agua fría.

Eleni ofrecía un aspecto lamentable. Sus rizos habían dejado de ser divertidos sacacorchos indómitos para convertirse en lánguidas telas de araña sin brillo. Estaba pálida y había adelgazado mucho. Tenía la cara llena de heridas, los labios agrietados, las comisuras de los labios infectadas.

—Ay, Eleni, ¿qué te han hecho? —Lefti olvidó el dolor de sus partes pudendas y quiso abrazarla, pero ella le rechazó.

—No hay motivos para ponerse sentimental. Otros han salido peor parados. ¿Por qué no estás en Alemania?

—¿Tú lo preferirías? —preguntó Lefti. Eleni volvió la cabeza y no dijo nada.

—Vámonos de aquí —respondió finalmente en voz baja.

Lefti asintió con la cabeza y agarró su maleta, que para su alivio pesaba bastante menos que antes, porque le había dejado toda la comida al valaco del burdel, en tanto que Eleni había emprendido el camino, con el paso ligero que ya la caracterizaba de niña. Lefti la siguió con la mirada: Eleni caminaba en la dirección equivocada, y pensó si no sería mejor dejarla marchar sin más. ¿Por qué no se iba él a la estación y subía al primer tren hacia Alemania? Sabía que Eleni no se volvería a mirar dónde estaba. Lo más probable era que ni se diese cuenta de su ausencia hasta verse en un callejón sin salida.

—¡Eleni, espera! ¡Es para el otro lado!

🍃 🍃 🍃

El autobús en dirección a las montañas iba vacío. En aquellos días, la gente no salía de casa ni se alejaba de la familia salvo en caso de urgencia. Continuaba reinando la inseguridad, y nadie sabía qué podía pasar a continuación. Lefti subió primero y le ofreció a Eleni sentarse junto a la ventanilla, pero ella se instaló justo en el asiento de enfrente. Durante el viaje, Lefti se esforzaba por no mirarla. Con todo, no pudo evitar hacerlo unas cuantas veces, de soslayo, furtivamente. Eleni apoyaba la cabeza en el cristal y miraba al vacío.

El segundo autobús que tuvieron que tomar hasta Varitsi, en cambio, iba lleno. Era un vehículo pequeño y viejo, que tomaban sobre todo los obreros de las fábricas de tabaco. Eleni se sentó al lado de Lefti.

Aunque el bus traqueteaba y se paraba cada pocos metros, Eleni se quedó dormida a los cinco minutos. Lefti se sobresaltó al notar su cabeza en el hombro. Eleni gemía suavemente en sueños. A Lefti le empezó a doler el hombro y se le durmió el brazo, y también notaba de nuevo el cuchillo clavado en la entrepierna, pero no se atrevió a moverse ni un milímetro. Sentía el pecho blandito de Eleni en el codo, notaba cómo subían y bajaban las costillas de

Eleni, quien con cada bache de la carretera se apretaba más contra él. Cuando se hubieron bajado en la plaza del pueblo, Lefti dejó la maleta en el *kafenion* para llevar a su casa a Eleni, que iba como en trance. Aún no era completamente de noche, pero el crepúsculo ya había teñido Varitsi de tonos azul oscuro cuando llegó. Antes de abrir el portón del patio, ya vio allí colgado un gran papel amarillo que rezaba:

Tenemos el gusto de anunciar el compromiso de nuestra hija, Eleni Stefanidis, con el honorable Lefti Zifkos. El enlace tendrá lugar el ocho de julio de mil novecientos sesenta y siete.

Más de una mala señal

Durante la noche en que murió, Yaya María aún soñó por última vez con santa Paraskevi. Esta vez, en cambio, la santa no aparecía majestuosa ni adornada con un manto magnífico, sino atormentada y mártir. Apenas le quedaban cabellos sobre la cabeza y con gesto triste sostenía girasoles marchitos que después se convertían en polvo entre sus dedos. Yaya María se sobresaltó, boqueó para tomar aire y quiso gritar, pero desde el ictus que habría sufrido tres semanas atrás, a los pocos días de regresar Lefti y Eleni, no era capaz de emitir sonido alguno. Tan solo salían de su boca muy débiles jadeos, y, pasados unos minutos, durante los cuales las pupilas de la anciana recorrieron la pequeña habitación en busca de ayuda, entró corriendo Pagona.

Humedeció la toalla que colgaba del borde de la jofaina de esmalte y refrescó la cara, el cuello y el pecho de su madre. Hacía días que Yaya María tenía brotes de fiebre. Spiros había prohibido a las hermanas traer al médico del pueblo vecino. La anciana ya no podía hablar ni moverse, y en su opinión eso era señal de que debían dejarla marchar. Y no prolongar su sufrimiento.

Y era muy cierto que Yaya María sufría en aquel instante, porque quería contarle a su hija lo que había soñado, y decirle que estaba mal condenar a Lefti y a Eleni a contraer matrimonio. No porque fueran a tener hijos con rabito de cerdo, sino porque todo iba a acabar mal, con rabitos de cerdo o sin ellos. Jadeaba y gemía, pero Pagona interpretó sus ruidos como el delirio causado por la fiebre.

—Cálmese, madre, cálmese, que todo saldrá bien... —susurró Pagona, y le besó la frente antes de volverse a la cama. Pero Yaya María sabía que no saldría bien nada. Y antes de quedarse dormida por última vez en su vida, recordó su casa de la costa de Asia Menor, aquella casa en cuyas habitaciones había perdido muchos juguetes porque era tan grande que no se acordaba de todos los sitios donde los escondía. Y recordó las caras de asombro de los proveedores del negocio de su padre, que llevaban nuevas mercancías cada semana. Y lo orgulloso que la enseñaba su padre a las visitas, y cómo le felicitaban por el paraíso que había construido. Y cómo brindaban cada noche, deseando que la casa se mantuviera en pie siempre y siempre la llenaran las risas.

En toda su vida, Yaya María no había deseado para sus descendientes sino la seguridad de tener un hogar que ni el enemigo ni el paso del tiempo pusieran en peligro nunca porque sus cimientos serían más sólidos que todas las cosas.

Sin embargo, en el momento de su muerte, la anciana tomó conciencia de que había cometido un error. De que no estaba bien traer a una niña al mundo con el único objeto de que un muchacho encontrara un buen partido y pudiera fundar una familia. En la hora de su muerte, Yaya María se entristeció profundamente y lamentó muchas cosas, dándose cuenta de que jamás había visto a su nieta más querida como quien realmente era, pues solo la había contemplado como futura novia, como heredera... Su mayor deseo había sido siempre que Eleni se convirtiera en la matrona de una gran familia que jamás habría de abandonar Varitsi. Pero, antes de cerrar los ojos para siempre, Yaya María comprendió que lo que había hecho en realidad era ahuyentar a Eleni de allí, pues ¿quién se queda por gusto en un lugar donde no le permiten ser él mismo?

🌿 🌿 🌿

Durante el entierro, a primeros de junio, Lefti tuvo que quedarse velando la casa en la puerta de la calle. Como hombre más joven de la familia, le correspondía la función de guardar el umbral para que el espíritu de Yaya María no volviera a entrar. El entierro se prolongó bastante y Lefti tuvo la sensación de que jamás había reinado en el pueblo un silencio más profundo. Y al mismo tiempo, allí sentado, guardando una casa de un espíritu, se sintió ridículo. Lefti no creía en los espíritus, pero poco a poco se dio cuenta de que no eran solo los espíritus en lo que había dejado de creer. Lefti ya no creía en nada de lo que había en aquel lugar. Estaba sentado frente a la casa que siempre había soñado con poder llamar suya algún día... y, por primera vez, le pareció demasiado grande, demasiado oscura, ventosa, pasada de moda y necesitada de reformas urgentes. Estaba a punto de casarse con la mujer que siempre había querido que fuera su esposa y se dio cuenta de que no la deseaba en absoluto. Lefti sintió que él mismo estaba tan al borde del derrumbe como el desván de la casa.

🍃 🍃 🍃

El cementerio de Varitsi estaba fuera del pueblo, en lo alto de una suave colina desde donde los difuntos podían disfrutar de una bella vista del valle. Las numerosas lápidas daban testimonio de lo grande que había sido aquel pueblo de la alta montaña en otros tiempos. El cortejo fúnebre se había marchado hacía rato, la única que seguía en el cementerio era Eleni. Recogía los restos de las velas de las tumbas. Había sido un día caluroso, de modo que el entierro no se había celebrado hasta ponerse el sol. Al sacerdote le había pasado una vez que se le desmayó de calor medio cortejo fúnebre, y desde entonces siempre tenía miedo de que se le juntara más de un sepelio en un día de calor. Eleni deambulaba por el cementerio en la oscuridad, las velas rojas le proporcionaban algo de luz y tardó bastante en darse cuenta de que había alguien observándola, apoyado detrás del mausoleo de la familia de quien, en su día, fuera funcionario del puesto de aduana. El hombre oculto en la oscuridad se mantenía erguido y con los brazos pegados al cuerpo. Había perdido la cuenta de las veces que se había escondido detrás de algún arbusto, algún arriate de flores o algún muro para observar a Eleni. A sus ojos, era la criatura más bella y grácil que la naturaleza hubiera dado jamás. Haciendo lo que fuera: lanzar tomates, arrancar malas hierbas o sacar de paseo a las cabras. Pero, sobre todo, cuando, sin saberse observada, se paraba y hablaba sola o pronunciaba breves discursos para los escarabajos. Eleni había guardado los restos de las velas en un saquito y, sentada sobre el murete que enmarcaba la sepultura de su abuela, inclinaba la cabeza hacia atrás para contemplar el cielo. El hombre se inclinó ligeramente hacia delante para ver mejor su cuello blanco y elegante, sus labios carnosos y sus tirabuzones castaños, enroscados como sacacorchos y tan rebeldes que siempre encontraban la forma de asomar por debajo del pañuelo. Se imaginaba que un finísimo velo de sudor cubría aquel cuello y aquel labio superior, y se imaginaba cómo lo retiraría él con sus besos, cuando pisó una piedra que de repente se deslizó, con lo cual Eleni se dio la vuelta sobresaltada:

—¿Loukas?

Loukas sabía que no tenía sentido esconderse de Eleni, de modo que salió de detrás del mausoleo, con la precaución de que no le diera mucho la luz para que ella no le viera el grano que le salía en la comisura de los labios cada vez que se ponía muy nervioso.

—¿Qué haces tú aquí?

—¿Puedo ayudarte en algo?

—¿Tú? ¿A mí? ¿Ayudarme?

Eleni le dio la espalda, y Loukas sintió una punzada en el corazón. ¿Cómo hacerle comprender cuánto sentía todo aquello? Él había pensado que le vendría bien ver cómo eran las celdas por dentro para volverse más cuidadosa; no sabía que vendrían a llevársela los militares. Después de su detención, había escrito al prefecto a diario, asegurándole que Eleni no era comunista, sino que la había detenido por equivocación, porque había malinterpretado una cosa. Que, en el fondo, era una buena hija de la tierra helena, así como una mujer muy valiosa para el futuro del país. Incluso se había tragado el orgullo, revelando a su mortal enemigo

Lefti en qué cárcel tenían detenida a Eleni y con qué prefecto se podía hablar.

Trataba de encontrar las palabras adecuadas y estaba a punto de decir que incluso se haría comunista con tal de que Eleni le diera un beso, y aunque no fuera más que uno. Pero Loukas no consiguió abrir la boca.

—Déjame sola, Loukas. Me metiste en la cárcel, se ha muerto mi abuela y me tengo que casar. Hazme el favor. Has vencido, ya puedes reírte de mí. Restriégamelo por las narices, pero hazme el favor de esperar a mañana. Hoy déjame sola, te lo pido.

Y Loukas obedeció.

🌿 🌿 🌿

La familia no necesitó deliberar mucho si debía retrasarse la boda con motivo del luto por Yaya María, pues todos estaban de acuerdo en que, dadas las circunstancias de la pareja, esperar no era solución. Por añadidura, el más ferviente de deseo de Yaya María había sido que se casaran cuanto antes. Lefti tenía intención de irse a Alemania a ganar dinero en cuanto se hubiera celebrado la boda y, para la inmensa sorpresa de todos, Eleni no solo se había mostrado dispuesta a casarse con él lo antes posible, sino también a acompañarlo en su viaje.

Después del entierro, Despina y Pagona se sentaron a la mesa de la cocina sin decir nada, ellas se comunicaban con el pensamiento. Ya lo hacían desde niñas, lo cual en el pueblo dio lugar al rumor de que las gemelas eran hijas del demonio. En realidad, era tan sencillo como que cada una sabía lo que sentía la otra sin necesidad de verbalizarlo. Y en el presente se daba con mayor intensidad aún, pues iban pareciéndose más a medida que envejecían y estaban más solas.

Sostenían sus respectivas tazas de té de roca y ninguna quiso preguntar en alto qué le habrían hecho a Eleni en la cárcel. Había traído las plantas de los pies llenas de cicatrices y no era infrecuente que gritara en mitad de la noche.

Sin embargo, las gemelas no eran lo bastante fuertes como para soportar saber la verdad. Así que no le preguntaron nada, sino que, a cambio, acordaron tácitamente que lo que había pasado en la cárcel era que Eleni había descubierto su amor por Lefti.

Y que todo saldría bien, aunque fuera dando un rodeo.

🍃 🍃 🍃

Desde un mes antes de la boda, Eleni intentó mantener la calma. Lo que más deseaba era perder de vista aquel pueblo, pero sabía que jamás lo conseguiría sola. Entretanto, el país entero estaba en las férreas manos de los militares. Había intentado contactar con sus amigos de las juventudes de izquierdas, pero la mayoría estaban detenidos y a algunos incluso los habían deportado a islas abandonadas en algún confín del Mediterráneo. La mañana de la boda, pensó con amargura que su única posibilidad de salir de aquel país era precisamente la boda que había querido evitar toda la vida. Lefti ya tenía contrato de trabajo, si bien a ella no le ofrecerían un contrato nunca por sus antecedentes penales. Su única opción era ir en calidad de esposa. Apática, Eleni permanecía sentada delante del espejo en casa de su vecina, Spiroula, que se afanaba por recogerle los rizos debajo del velo, perfilarle los ojos con carboncillo y ponerle unos pocos polvos en la nariz y algo de color en los labios.

—¿Estás nerviosa? —preguntó Spiroula, la que en su propia noche de bodas saliera huyendo de su marido y, entretanto, había traído al mundo a seis hijos sanos y adoraba a Yorgos sobre todas las cosas.

—No. En realidad, no.

—Es que es tan romántico… Lefti y tú, que os conocéis de toda la vida. ¡Una auténtica historia de amor! —fantaseaba Spiroula, intentando poner orden en los rizos de Eleni con unas horquillas. Eleni se contemplaba en el espejo como si fuera otra persona. La historia de Lefti y de ella era cualquier cosa menos romántica. Se sentía como una muñeca de porcelana vestida de novia que podía romperse en cualquier momento, hasta que a Spiroula se le resbaló de entre los dedos una horquilla y sin querer se la clavó en la cabeza.

🍃 🍃 🍃

Mientras se ponía el traje, la angustia que Lefti sentía como un nudo en el estómago desde el día del entierro de Yaya María se hizo tan grande que tuvo que correr al baño a vomitar. Despina salió tras él y, zarandeando el picaporte del baño, preguntó al borde del pánico:

—Hijo mío, sol de mis ojos, ¿estás malo? ¿Te hago un té?

Pero Lefti no abrió, sino que se sentó en la silla de madera que había delante de la ventana, sacó la cajetilla de tabaco que le había regalado el valaco del burdel como despedida y se fumó el primer cigarrillo de su vida. Lefti intuía que estaba cometiendo un gran error.

🍃 🍃 🍃

El pueblo entero se congregó a las puertas de la iglesia. Había tanta gente en la pequeña casa del Señor que, por primera vez desde una misa de acción de gracias una vez que el pueblo se salvó de un incendio en el bosque aledaño, faltó el sitio en el interior de la iglesia y tuvieron que dejar abiertas de par en par las ventanas y las puertas para que pudieran asomarse desde la calle todos los que no cabían dentro. Los motivos de tamaño interés eran diversos: a algunos les parecía tremendamente romántico ver por fin frente al altar a dos personas de quienes, desde su más tierna infancia, se había dicho que se casarían. Otros eran cotillas sin más. Eleni Stefanidis siempre había sido una caja de sorpresas, y todos los domingos corrían las apuestas sobre si finalmente consentiría en dar el «sí». Mikis, el dueño del *kafenion*, se había apostado un cerdo entero a que no. El marido de Foti aún había cerrado una segunda apuesta a que ese día ni siquiera acudiría a la iglesia. De ahí sus improperios cuando vio a la familia formando el cortejo nupcial que acompañaba a Eleni desde la casa de sus padres a la iglesia.

En contra de todas las expectativas, la ceremonia transcurrió dentro de la más absoluta normalidad hasta el momento en que el sacerdote pronunció la pregunta decisiva:

—Lefti Zifkos, ¿deseas casarte con esta mujer?

Lefti no respondía. La comunidad entera contuvo la respiración, Eleni se le quedó mirando perpleja y Lefti bajó la vista al suelo de piedra. Una arañita zancuda pasó correteando por delante de las puntas de sus zapatos. Lefti habría dado cualquier cosa por intercambiarse con ella. El sacerdote carraspeó:

—Lefti Zifkos, ¿deseas casarte con esta mujer? —voceó, creyendo sencillamente que Lefti no le había oído bien la primera vez. A Lefti le hervía el estómago de estupor, y Eleni le susurró al oído:

—Lefti, que soy yo: Eleni.

Y cuando levantó los ojos y vio que Eleni tenía el miedo grabado en el rostro, emitió lo que más bien fue un leve gañido, una palabra que solo oyeron los de los dos primeros bancos:

—Sí.

El sacerdote no quiso bajar el volumen, lanzó la misma pregunta a Eleni y ella, conmocionada en lo más hondo de su ser por la vacilación de Lefti, gritó como quien grita «¡Presente!» al pasar lista en el colegio:

—¡¡Sí!!

En lugar de relajarse y prorrumpir en los habituales «¡Vivan los novios!», el pueblo de Varitsi entero seguía conteniendo la respiración. El momento de vacilación de Lefti había supuesto una impresión de la misma categoría que si alguien les hubiera anunciado que el verdadero dios era Alá. Había muy pocas cosas que la gente de aquel pueblo tomase como verdaderos dogmas de fe, firmes e inmutables: la tierra giraba sobre su propio eje, el agua de Varitsi era la mejor del mundo entero y Lefti amaba a Eleni.

Mas aún faltaba por llegar el mal augurio definitivo: según mandaba la tradición, el sacerdote tenía que conducir a la recién formada pareja a dar tres vueltas alrededor del altar, un símbolo del nuevo camino del matrimonio. Los invitados les echaban arroz y poco a poco iba mejorando el ambiente general cuando Lefti tropezó, arrastrando a Eleni con él, y ambos tuvieron que dar un paso hacia un lado para no caerse, con lo cual se les resbalaron de la cabeza las coronas de boda. Yorgos, testigo en el enlace, se apresuró a agarrarlas en el aire antes de que tocaran el suelo y se las volvió a poner corriendo, como si no hubiera pasado nada. Pero todo el mundo lo había visto. Y esa era otra de las grandes verdades en las que todo el pueblo creía: si las coronas de boda resbalan de la cabeza, al matrimonio no le espera un futuro feliz. Tan solo Loukas, quien se había jurado mantenerse lo más lejos posible de aquella boda, pero a quien su madre había sacado de la cama a rastras con el argumento de que no podía eludir sus obligaciones como policía del pueblo, percibió aquello como una pequeña chispa de esperanza en el que, hasta la fecha, estaba siendo el peor día de su vida.

≈ ≈ ≈

Una vez en casa, Lefti cruzó el umbral con Eleni en brazos. Sin embargo, en lugar de llevarla hasta la cama, la dejó en el suelo de inmediato. Eleni no cabía en sí de asombro. Llevaba el día entero preguntándose en qué demonios estaría pensando Lefti. Ni siquiera había probado el pastel de boda. Y en su primer baile tenía la vista clavada en las punteras de los zapatos en lugar de mirarla a los ojos.

—¿Tienes sed? —preguntó Lefti sin saber cómo comportarse cuando se encontraron frente a frente en la entrada de la casa. Ambos habían crecido en aquella casa y, con motivo de la boda, les habían cedido la parte de atrás para ellos solos. A pesar de ello, ambos recorrían las paredes con la mirada como si no supieran dónde estaban.

—Creo que no.

—Voy por agua —respondió Lefti ausente.

Eleni se quedó sola por primera vez desde que cantara el gallo esa mañana. Estuvo un rato mirando al techo, sin saber si esperar a Lefti o qué hacer. Luego decidió irse al dormitorio. Se sentó en la cama recién hecha y se meció. De modo que así era su cama de matrimonio, pensó, y olió los girasoles que esa misma mañana había colocado Despina sobre una mesita auxiliar. Prestó atención por si oía a Lefti y se desvistió con mucho cuidado. Se había puesto una ropa interior de boda muy delicada, el corpiño lo había heredado de su madre: Foti y Christina no habían cabido en él, pues lo que habían heredado ellas era la complexión fuerte de su padre, Spiros. Envuelta en fino encaje, se metió en la cama y empezó a imaginar cómo sería estar lejos de allí. Por fin abandonaría Varitsi. Abandonaría un país en el que ahora te detenían hasta por pensar. En comparación con eso, la cárcel del matrimonio no era para tanto.

Lefti apareció con un vaso de agua que dejó sobre la mesilla de noche y desenrolló una alfombra a los pies de la cama.

—Por mí, dormiría en la cocina, pero si viene alguien de visita a primera hora… —farfulló y apagó la luz.

—Lefti… —A Eleni le costó un gran esfuerzo de superación seguir hablando—. Es nuestra noche de bodas. Puedes venir a la cama conmigo.

Se oyó resoplar a Lefti.

—Eleni, sé que solo te has casado conmigo para salir de Varitsi y no tengo intención de aprovecharme de ello.

Se quitó el traje y lo colocó encima de la silla. Eleni hizo acopio de valor y levantó las sábanas, igual que hacía cuando eran niños y Lefti se metía en la cama con ella para escuchar las historias de Yaya María. Lefti ignoró el gesto y se tumbó sobre su alfombra.

—Mira, Eleni, hace mucho que asumí que no me quieres. Vamos a dormir y ya está. Que ha sido un día duro.

Canto III

En el que el héroe y la heroína, en una ciudad
de provincias de la Baja Sajonia, llegan
a una bifurcación y toman caminos diferentes;
eso sí: creyendo erróneamente que ahí
han llegado al final del viaje.

El «nein» alemán

La brisa de verano se llevó volando todo un enjambre de arañuelas que aleteaban perezosas cerca de la orilla de un pequeño río de la Baja Sajonia, el Innerste. Estos bichitos diminutos no suelen desplazarse mucho, pero el viento que anunciaba una inminente tormenta arrastró con él toda una nube de insectos de color amarillento. En el habla popular de la región los llamaban también «insectos de tormenta», pues aparecían en grandes masas sobre todo en los días de bochorno, como lo era aquel martes de julio de mil novecientos setenta y uno. Justo una de esas nubes de arañuelas se desplazaba por el cielo desde la zona de la vega. El viento no llevaba a los insectos hasta las urbanizaciones donde se apretaban los bloques de pisos y los chalés adosados con jardincito delantero y donde se saludaban los enanitos de jardín; no llevaba a los insectos hasta la gravera en construcción, ni hasta los bosques de alrededor, como no los llevaba tampoco hasta el centro de la ciudad de Hildesheim, tan afanosa ella por convertirse en metrópoli aunque todavía le faltaban seis mil habitantes para alcanzar los cien mil, cifra que según los criterios de población alemanes otorga la categoría de «ciudad». No, el viento iría a dejar a los alados mensajeros de las tormentas en algún vivero de las afueras de la ciudad, no lejos del siguiente pueblo que aún existía como localidad independiente pero que la ciudad no tardaría en incorporar como barrio, como iba sucediendo poco a poco con todas las poblaciones de los alrededores de Hildesheim.

Eleni esperaba al dueño del vivero cuando una de las arañuelas, desorientada en tan precipitado y caótico vuelo, confundió el sudor de la joven con la savia de alguna planta y la mordió. Eleni se dio una palmada en el brazo. Sintió un picor de mil demonios.

—¡Usted otra vez!

El dueño del vivero —un hombre alto de unos cincuenta y tantos años al que se le caía el pelo a puñados y, para compensar, llevaba un bigote imponente, más frondoso que los pelargonios de sus jardineras— le dio la espalda en cuanto la vio, aunque ella hizo caso omiso y echó a andar tras él a paso ligero, liquidando, sin temor a la derrota, a unas cuantas arañuelas despistadas más que le querían morder los brazos desnudos.

—¡Eso es de mala educación!

—¿Y qué? También es de mala educación presentarse aquí todas las semanas. ¡Maldita sea! —gruñó el dueño del vivero, dándose palmadas en las piernas que un pantalón de color caqui, subido casi hasta medio pecho, dejaba desnudas de rodilla para abajo.

—Entonces, deme las semillas y así no vuelvo más.

El dueño del vivero cerró la puerta de un invernadero para que no le entraran los insectos.

—Le digo que no por centésima vez. Esto es un vivero y aquí vendemos plantas, no semillas para plantarlas uno mismo. Haga el favor de marcharse.

En las puertas del invernadero, las lonas, los rosales al aire libre, las plantas ornamentales, los esquejes, los árboles frutales y las partes desnudas de los brazos de Eleni y las piernas del dueño del vivero se agolpaban en masa las arañuelas como si fueran avispas en torno a un jamón dulce.

—Hoy me voy por las mosquitas asquerosas estas, pero pienso volver y volver hasta que me dé usted las semillas. Un puñado nada más —dijo Eleni, dando media vuelta. A sus veintitrés años, tenía más que perfeccionada la técnica de retirarse de la escena con tremendo dramatismo. Valía igualmente para enfrentamientos con la familia o para enfados con Lefti: había aprendido a dar media vuelta hacia la izquierda, justo como ahora, haciendo notar una especial fuerza en el pie derecho para compensar, y a salir andando con la barbilla elevada. Ahora bien, lo imponente del gesto era la espalda: echaba los hombros tan atrás que se le marcaban bajo la ropa como si fueran las puntas de unas alas dispuestas a desplegarse en cualquier momento, como si Eleni fuera a salir volando cual esfinge. Tampoco el dueño del vivero fue capaz de resistirse a seguir con la mirada a aquella joven griega de tan férrea voluntad y tan empeñada en conseguir su puñado de semillas.

Lefti y Eleni llevaban tres años en Hildesheim, una ciudad de provincias con ambiciones de metrópoli al sur de la capital del estado de la Baja Sajonia: Hannover. Eleni llevaba nueve meses intentando que el señor del vivero le vendiera semillas de albahaca, orégano y tomillo. Pensaba que las plantas que vendían ya crecidas eran demasiado caras y venían mal agarradas a la tierra. La plantita de albahaca que había comprado se le había muerto a las tres semanas nada más, el tomillo se le había puesto amarillo y había perdido todas las hojas de una forma muy inquietante, y por la tierra de la maceta del raquítico orégano habían asomado una mañana unos gusanos. Eleni lo había intentado con argumentos racionales, pero al parecer allí estaban por encima de todo razonamiento. Había muchas cosas que Eleni odiaba de Alemania, pero lo que más odiaba era el «nein» alemán.

El «nein» alemán era absoluto. No admitía discusiones. Y no necesitaba justificación. Por más que el «nein» pudiera no tener lógica e ir en contra del sentido común de cualquiera. Eleni lo veía como la luz roja del semáforo. Con el «nein» alemán tampoco se podía negociar.

Eleni le había preguntado al panadero si no se podría hacer el pan con menos sal y menos especias, más a la manera mediterránea. Bien alto y claro, al estilo militar, le había respondido:

—*Nein*. No se puede.

Le había preguntado al carnicero por qué no había cordero.

—Porque no hay —le había respondido. Añadiendo un «nein».

—¿Se puede uno sentar en la hierba?

—*Nein*.

—¿Puedo dejar la bici aquí?

—*Nein*.

Al principio pensaba que eran los de Hildesheim los que vivían obsesionados con las reglas y siempre hacían lo que les mandaban sus superiores, o las ordenanzas municipales o el Estado alemán. Pero desde que conocía al dueño del vivero pensaba que igual era que había gente malvada sin más. Gente que disfrutaba teniendo el poder, negándole a otro algo que necesitaba con urgencia. Por ejemplo, había observado en el tráfico que a los conductores les entraba un regocijo especial cuando, en una calle de dos carriles, el conductor que quería girar a la derecha se tenía que quedar parado esperando, porque al conductor de delante no le había dado la real gana de cambiarse al carril izquierdo.

¿Quieres subir por aquí?

Nein.

¿Quieres cruzar la calle?

Nein.

¿Quieres semillas?

Nein.

A pesar de lo que la habían debilitado las experiencias de la cárcel, la precipitada boda y, sobre todo, la muerte de Yaya María, en cuanto llegó a Hildesheim, Eleni volvió a encontrar a la guerrera que llevaba dentro. En los últimos tres años, había conocido a mucha gente: antifascistas anti energía nuclear, anti contaminación del medio ambiente, antiamericanos, antiplástico o anti lo que fuera.

Eleni también era «anti». Era anti junta militar griega, anti generación de sus padres, antichauvinismo. Desde hacía nueve meses, además era anti especias desecadas en botecito. Echaba de menos la albahaca fresca de sabor no contaminado por la peste del abono alemán, el orégano expuesto al sol, el tomillo que crece silvestre entre las rocas.

Había aprendido que los alemanes podían ser rígidos y tercos. Pero ella había nacido en la alta montaña griega. Había crecido entre mulas. Estaba convencida de que ella era más terca.

Hildesheim había sido destruida casi por completo durante los bombardeos de mil novecientos cuarenta y cinco. Las típicas casas con entramado de madera que en su día la hicieran célebre como «la Núremberg del norte» habían ardido hasta los cimientos y apenas quedaban más que ruinas de la mayor parte de las iglesias, de la antigua muralla y de las laberínticas callejas medievales. Donde antaño había estado el símbolo de la ciudad, una casa típica de fachada policromada maravillosa, antaño conocida por el nombre popular de «el Pan de Azúcar cabeza abajo», se alzaba ahora un austerísimo hotel de hormigón que paradójicamente llevaba el nombre de «Rose». Los habitantes de Hildesheim iban reconstruyendo su ciudad. En el año mil novecientos setenta y uno, para cuando Eleni y Lefti llevaban tres años allí y habían pasado más de veinticinco de la destrucción de la ciudad, Hildesheim era un hervidero de máquinas que hacían todo tipo de ruidos ensordecedores, y de grúas que se dibujaban en lo alto del cielo, de calles levantadas y de excavadoras dispuestas a alzar lo que hubiera a su alrededor.

Al volver desde el vivero al centro caminando —pues resultaba más rápido andar cuarenta y cinco minutos que esperar las dos horas que tardaba en pasar el autobús—, Eleni tuvo que taparse los oídos porque la atronaban los martillos neumáticos que, durante todo el camino hasta su casa, rompían el pavimento antiguo para construir una vía de cuatro carriles y circulación rápida para los coches. Eleni solo alcanzaba a explicarse la fascinación que sentía Lefti por todas aquellas obras recordando que había trabajado en la construcción durante años. Ella se ponía triste cada vez que pensaba en todo lo que estaban construyendo nuevo. Aquella ciudad debía de haber sido preciosa en su día, pero ahora imperaban en ella los esqueletos de vigas de hormigón y cables de acero, a su vez rodeados de hormigón liso, hormigón con salientes o chapa ondulada.

De haberle dado a elegir, Eleni habría preferido marcharse a otra ciudad en la que fuera la vida humana lo que bullía y no solo las máquinas de la construcción, pero el contrato de trabajo de Lefti era para una fábrica de productos de caucho de Hildesheim, y le quedaban dos años más. Por supuesto, podía pedir el despido, pero Lefti —para la absoluta incomprensión de Eleni— se sentía en deuda con su fábrica de caucho, pues al fin y al cabo le habían pagado el primer viaje y el primer alojamiento, así como un curso de alemán. Ella había conseguido un empleo en una fábrica de radios de coche por medio de la mujer de un compañero de Lefti, pero había renunciado a los seis meses porque le resultaba demasiado monótono. A Lefti le pareció tan mal que pasó casi un mes sin dirigirle la palabra. Ahora, Eleni trabajaba en una lavandería, donde ganaba menos, pero ya no se sentía como el burro que no para de dar vueltas en todo el día para hacer girar la rueda del molino. Se había jurado que se marcharía de Hildesheim en cuanto tuviera ahorrado el dinero suficiente para instalarse en Hamburgo o en Fráncfort. Eso sí, al menos había hecho algunos amigos en el único local griego de la ciudad, gente que como ella estaba en contra de la junta militar e intentaba organizar un movimiento de resistencia en el extranjero.

Poco a poco, Eleni fue acostumbrándose a la Baja Sajonia y estaba convencida de que, en cuanto le encontrara el truco también al «nein» alemán, todo sería mucho más fácil. Se sentía como uno de los personajes de aquellos cuentos de su infancia, como si tuviera que averiguar las palabras mágicas que transforman las piedras en seres vivos, las ranas en príncipes, el hielo en flores… y el «nein» alemán en un espontáneo «ja». Así pues, en aquel verano de mil novecientos setenta y uno en el que las nubes de arañuelas atormentaban a los habitantes de las afueras de Hildesheim, Eleni estaba animada a descubrir esas palabras mágicas.

Belleza y erotismo de la lengua alemana

Cuando Lefti llegó a casa después del turno de noche, tuvo que empujar la puerta con el hombro y estuvo a punto de escurrirse con la alfombrilla de rafia. Hacía solo cuatro meses que Eleni y él se habían mudado a un piso más grande: uno con toma de agua corriente propia y hasta dos habitaciones. Estaba en un edificio bajo de viviendas obreras y, desde un vestíbulo mínimo, se llegaba a la cocina, que también hacía las veces de baño. Detrás de la puerta había dos perchas; a la izquierda, una cocina con lo básico y una mesita estrecha pegada a la pared. Obligaba a comer con un brazo pegado al cuerpo, pero así quedaba sitio para una cabina de ducha instalada justo al lado de los fuegos. El retrete era comunitario y estaba fuera del piso, en el pasillo del edificio.

—¿Eleni?

En el fregadero se apilaban los platos sucios, encima de la mesa la ropa para lavar y por todas partes había zapatos y material de trabajos manuales. En el cuarto del fondo, Lefti ya ni veía el sofá-cama porque este estaba tapado por cartulinas, celofanes y papeles; la estancia entera se encontraba atravesada por cuerdas de tender de las que colgaban numerosas pancartas de fabricación casera en tela de sábana, lona plastificada y cartón, con mensajes como: «Libertad para Grecia», «Abajo la junta militar», «Democracia Sí, Dictadura NO» o «Make Love not War».

—¿Eleni?

Estará en la lavandería, pensó Lefti. Si ya le costaba acordarse de sus propios turnos en la fábrica, los de Eleni se le escapaban por completo. Lefti miró el reloj de la cocina, faltaba poco para las nueve de la mañana. A las cuatro de la tarde empezaba el curso de alemán y Lefti estaba muerto de cansancio. Buscó la papelera y alargó la mano hacia el primer cartel.

Hacía dos años que Eleni era miembro del consejo rector de la Asociación Cultural de Griegos en el Extranjero, una organización que, con la excusa de velar por las tradiciones y organizar fiestas y obras de teatro para los emigrantes griegos de la ciudad, realizaba actividades de oposición a la junta militar. Al principio, Eleni y Lefti tenían la esperanza de que la junta no durase mucho, pero ya llevaba casi cuatro años en el gobierno.

A Lefti no le gustaba la Asociación de Griegos. La formaban dos docenas de emigrantes, estudiantes, trabajadores y alemanes de izquierdas, que a los ojos de Lefti no hacían mucho más que ondear pancartas de cuando en cuando y pasarse las horas en local griego de la Kaiserstraße, discutiendo sin llegar a ninguna parte. Y al parecer ninguno veía que para derrocar a la junta hacía falta mucho más que sentarse y discutir. Lefti se había jurado mantenerse lejos de la política con solo doce años, pero además se habían encargado de recordárselo la primera vez que lo ascendieron en el trabajo. Nada más recibir la buena noticia, lo llamó un funcionario de la Comisión de Trabajo que se ocupaba de los griegos de la fábrica. Lefti jamás había recibido un aviso de acudir al teléfono en el trabajo.

«Piense en su anciana madre», había farfullado la voz del auricular. «¿Qué pasaría si dejaran de llegarle las divisas que le manda? ¿Si recibiera una visita de la policía?» En aquel instante, Lefti había roto a sudar. «Y nada de sindicarse», había amenazado la voz. «Después de todo, aquí usted es un modelo.»

A Lefti le entró dolor de tripa cuando Eleni le habló por primera vez de la Asociación de Griegos, a los nueve meses de llegar a Alemania. Pero también la había visto sonreír por primera vez desde que estaban en Hildesheim, es más: hasta aplaudió. «Eleni, por lo que más quieras, ten cuidado, hay gente de la junta por todas partes», le había dicho él, a lo que ella se había limitado a responder: «Ay, Lefti...», y en sus labios se había dibujado una sonrisa pícara, y luego le había abrazado y besado... por primera vez desde el día de la boda. Y también por última desde entonces. Lefti dejó la papelera a un lado, fue a darse una ducha y se tumbó desnudo entre los restos de los trabajos manuales de Eleni.

Cuando sonó el despertador unas pocas horas más tarde, Lefti se tapó la oreja con la almohada. Se dio la vuelta unas cuantas veces, luchando contra la pereza que ordenaba seguir descansando a sus brazos y piernas, agotados de recorrer las numerosas estaciones de la fábrica y entumecidos de tantos movimientos distintos. Lefti trabajaba casi sesenta horas a la semana, se prestaba a ayudar siempre que hacía falta y accedía a cambiarle el turno a todos los compañeros alemanes. No había llegado tarde ni un solo día, como tampoco había estado enfermo nunca, pues —aunque sus compatriotas de la fábrica se burlaban de él diciéndole que era más alemán que los propios alemanes— Lefti amaba su trabajo. Había sentido amor por él desde que pisó la fábrica el primer día y le dieron un mono de trabajo azul marino a cambio de una firma.

En su momento, Eleni y él habían llegado a Hildesheim de noche. Tardaron en llegar en tren varios días, cruzando los Balcanes, y según dejaron atrás la frontera austríaca, los días se tornaron grises y sombríos. Lefti tenía grabados en la memoria aquellas paredes de piedra y aquellas montañas, aquel paisaje montañoso envuelto en la niebla; Eleni tan solo había comentado que aquello parecía el escenario de las historias de miedo de Yaya María.

Hildesheim se había esforzado mucho por mostrarse hostil con ellos. En los primeros días, hizo un frío espantoso, pero no era el frío transparente y purificador que conocían de Varitsi, sino un frío húmedo y perverso que, daba igual cuántas capas de ropa llevaras puestas para calentarte, calaba poco a poco hasta los huesos y te devoraba desde dentro. Temblando ateridos y castañeteándoles los dientes, Eleni y Lefti fueron explorando la ciudad, pero siempre se perdían. Aparte de ellos, parecía que todo el resto del mundo se moviera exclusivamente en coche o en autobús; cuando Eleni fue a sonarse la nariz, el pañuelo estaba negro de la contaminación. La borrasca mantenía atrapados entre las casas todos los gases y el humo y el polvo; los pocos edificios que no habían sufrido los daños de la guerra, como tantos otros, convertidos en las ruinas de sí mismos a la espera de tiempos mejores, estaban negros del hollín. Las contadas personas con las que se cruzaban por la calle no sonreían.

Eleni pidió a Lefti varias veces que tomaran cualquier tren y que buscara trabajo en otro sitio. Pero Lefti no había querido poner en peligro el contrato que traía ya firmado. Por su parte, la ciudad no le había horrorizado tanto como a Eleni, todo lo contrario: veía Hildesheim como la pura encarnación del progreso, con todos aquellos coches, fábricas y el estruendo de las obras por doquier. Y luego había llegado su primer día de trabajo.

La fábrica de productos de caucho era una mole imponente, un auténtico castillo de ladrillo rojizo sobre el que se alzaba la chimenea como la gran torre de vigilancia: era el edificio más grande que Lefti había visto en toda su vida. El bus paró delante del gran portón de hierro y el conserje dio los buenos días a todos. También llegaron nuevos un italiano y un turco, pero Lefti no les entendía, así que no supo si estaban tan maravillados como él de la cantidad de cosas que se les ocurren a los alemanes. Por ejemplo, tenían una tarjeta en la que cada día quedaba registrado con un sello a qué hora entrabas y a qué hora salías. Había gruesos equipos de protección y unas botas de trabajo que sujetaban el pie de un modo increíble, Lefti jamás había tenido un calzado tan bueno…, y eso por no hablar de las gafas de protección que obligaban a ponerse cada vez que uno se acercaba a menos de dos metros del caucho líquido. Cuando Lefti trabajaba en la construcción en Grecia, no había gafas de protección para nadie. Una vez, asfaltando una carretera, a uno de sus compañeros le había entrado asfalto ardiendo en un ojo, y el fuego viscoso se comía la carne tan deprisa que el médico le tuvo que sacar el globo ocular entero con una cuchara porque, si no, le habría calado hasta el cerebro. Ahora bien, la mayor diferencia entre su trabajo en la construcción de carreteras y en la fábrica de caucho eran el orden y la organización. Mientras que, en Grecia, cada uno hacía el trabajo que se le ocurría en cada momento, en la fábrica de caucho todos los procesos estaban planificados y organizados de principio a fin para que no pudiera surgir nada que los interrumpiera. Cada uno tenía su sitio y su tarea, y, si lo cumplía bien, recibía una recompensa. Por primera vez en su vida, Lefti tuvo la sensación de estar en un lugar donde necesitaban su presencia de verdad. Además, allí se fabricaban unos productos fabulosos, como, por ejemplo: gorros de natación, anillas de goma y una especie de cojines que iban plegados dentro del volante del coche y se abrían e inflaban solos si te dabas un golpe contra un árbol. Ese tipo de cosas inútiles a la par que practiquísimas solo se les podían ocurrir a los alemanes. Lefti hacía su trabajo, se atenía a las inequívocas reglas y lo llevaba a cabo con tanta disciplina y diligencia que fue ascendiendo sin parar. Entretanto, había llegado a ser el responsable de su sección y cada día se sentía orgulloso de la confianza que depositaban en él.

🍂 🍂 🍂

Lefti era un gran amante de la puntualidad. Nunca había tenido un reloj propio, pero incluso de niño se ponía nervioso cuando tenía alguna cita y se acercaba el momento de salir de casa, y contaba los segundos para asegurarse de llegar a la hora. En Varitsi, el pueblo entero le tomaba el pelo por ello, pero en la Baja Sajonia lo apreciaban muchísimo; de hecho, hasta regañaba a los compañeros cuando se retrasaban un minuto en el descanso para comer.

«Alemán de las narices...», le había insultado un día un muchacho de Creta, pero Lefti había replicado con una sonrisa y sacando pecho..., no podían haberle hecho un cumplido mejor.

Sin embargo, justo aquel día, justo aquel día en que empezaba su nuevo curso de alemán, Lefti tuvo un desliz. No se había dado cuenta de que el «Refuerzo de conversación. Nivel: Intermedio bajo» no tenía lugar en la misma aula de la Escuela Superior de Pedagogía donde habían sido las clases del curso anterior. Era ya su sexto curso de alemán, y Lefti no sabía por qué insistía en torturarse a sí mismo con aquello, pero era un animal de costumbres. Desde que estaba en Alemania, iba a clase de alemán, y así lo seguiría haciendo mientras estuviera en el país. Así que le tocó correr como loco por el edificio, leyendo indicaciones y carteles, abriéndose paso entre las estudiantes de Pedagogía, quienes sin duda no serían mayores que él aunque pareciera llevarles bastantes años. Las suelas de sus zapatos chirriaban sobre el suelo de linóleo, la luz brillante de las bombillas del techo de los pasillos sin ventanas le hacía sudar... Lefti estaba al borde del desmayo cuando por fin encontró el aula, jadeando y... con dieciséis minutos de retraso. Se detuvo un instante antes de cruzar la puerta, pensando si aún podía cometer la osadía de entrar, pero justo entonces abrieron desde el interior y se encontró frente a la mujer más preciosa que había visto jamás.

—Ah, pues no me equivocaba..., me había parecido oír algo —dijo esta con una sonrisa tan increíblemente encantadora que a Lefti se le cortó la respiración. Jamás había visto unos dientes tan pequeños y tan igualitos—. ¿Cómo se llama?

Lefti no alcanzaba a articular palabra. Lo que ocupaba su cabeza era que aquellos dientecitos te podrían mordisquear cualquier parte del cuerpo sin hacer daño.

La dueña de los dientecitos también llevaba flequillo: un flequillo que se curvaba como un rulo sobre la frente pero no la cubría toda, sino que quedaba justo dos dedos por encima de las cejas, a su vez peinado con raya en medio y, en perfecta simetría, la mitad hacia la izquierda y la otra mitad hacia la derecha. Tenía el cabello fino y largo hasta los hombros, recogido en una cola de caballo que se mecía graciosamente al andar. Llevaba una blusa azul cielo, abrochada hasta el último botón y un lacito blanco al cuello, y Lefti admiró la bonita falda de vuelo pero de cintura ajustada. Eleni solo se ponía pantalones desde que habían llegado a Alemania, y Lefti, allí clavado al suelo en el umbral de la puerta, mirando fijamente a su profesora sin decir palabra, descubrió lo erótica que puede ser la parte de la pierna donde el muslo se convierte en rodilla.

—¿Cómo se llama?

Lefti estaba colorado como una fresa.

—Lefti Zifkos.

—Estupendo. Pase, por favor, ahora sí que estamos todos.

Lefti entró en la clase tropezando, un señor mayor que se sentaba en la primera fila lo fulminó con la mirada, una fila más atrás, dos hombres de su edad empezaron a darse codazos. La bella del flequillo entreabrió sus finos labios para hablar, pero Lefti interrumpió levantando la mano.

—Diga, señor Zifkos.

—*Verspreche* por el retraso. *Entschuldigung* que no volverá a pasar.

El resto de la clase se echó a reír. Lefti se hubiera arrancado la lengua allí mismo. ¡Vaya por Dios! Se había hecho un lío con el alemán: «Entschuldigung» siempre es lo primero que se dice, siempre: «perdón». «Verspreche» es «prometo». La profesora lanzó una mirada muy seria a la clase para hacerlos callar.

—No llega tarde. Empezamos con el cuarto de hora académico. Significa que la clase empieza en realidad a las dieciséis quince.

Lefti se paró a pensar. La Academia la habían inventado los antiguos griegos, así que no le extrañaba nada que un invento griego implicara llegar tarde. Le gustó que los alemanes respetaran eso…, dentro de los límites del cuarto de hora, eso sí. En aquel instante, el amor que sentía por Alemania se tornó más profundo todavía, y si había un motivo para amar aquel país era que hubiese dado al mundo a aquella deliciosa criatura que era la profesora de alemán.

—Yo soy Fräu-lein Ha-sel-ba-cher —articuló ella despacio, subrayando cada sílaba—. Fräulein, por favor: «señorita». No: Frau Haselbacher, es decir, «señora» —repitió, y Lefti articuló sin sonido: «Fräu-lein Ha-sel-ba-cher».

La señorita se levantó y escribió su nombre en la pizarra, que ocupaba toda la pared, hasta el techo del aula, un techo bajo y recubierto de planchas de formica. Y dibujó la diéresis sobre la «a» como dos bolitas para que quedara claro lo que es el *Umlaut*, mientras informaba de cuándo les preguntaría el vocabulario y cuándo pondría nota a las tareas.

A Lefti le costaba concentrarse en los papeles que tenía delante. Le distraían los piececitos con zapatos rojos que asomaban bajo la mesa de Fräulein Haselbacher. Y ¡qué decir de su sonrisa! Aquella señorita tan solo curvaba los labios con timidez, no como Eleni, que para reírse abría la boca como si estuviera en el dentista.

La hora de clase no se pasó volando, sino aún más deprisa. Fräulein Haselbacher repartió los libros, comentó las fechas de examen y, para terminar, apuntó en la pizarra una cita de cierto escritor norteamericano del que Lefti no había oído hablar jamás, pero que ella definió como «un tipo curioso y divertido» que, por lo visto, le tenía mucha aversión a la lengua alemana:

«Cuando el escritor alemán se sumerge en una frase, lo perdemos de vista durante un buen rato hasta que reaparece en la superficie, al otro lado del océano, con un verbo en la boca».

Antes de que sonara el timbre que indicaba el final de la clase, Fräulein Haselbacher les dijo que no tuvieran miedo a las estructuras complejas de la lengua alemana que iban a aprender en aquellas clases. Que lo mejor era abordarlas con sentido del humor y no olvidar nunca que todo se aprende. En aquel instante, Lefti sintió que no había nacido para otra cosa. Como si el único sentido y objetivo de su vida fuera sumergirse en el océano de la lengua alemana y salir a la superficie con el verbo correcto para ofrecérselo a Fräulein Haselbacher.

Al salir, ella lo retuvo un instante:

—Perdone, señor Zifkos... Tiene algo ahí...

Lefti, turbado a la vez que embriagado ante la idea de buscar verbos en las profundidades del océano como quien busca perlas para su amada, casi sufrió un infarto cuando Fräulein Haselbacher le pasó la mano por el pelo. Se le desbocó el corazón de tal forma que hasta tuvo miedo de que ella lo oyera, pero ella siguió tan tranquila, quitándole virutitas de goma del pelo.

—Señor Zifkos, es motivo de inspiración que un trabajador asista a estas clases. La educación es el bien más preciado.

Sonrió una vez más, recogió su bolsito y se colgó al brazo una cesta llena de lapiceros, papeles y libros. Con la emoción, Lefti no había entendido nada. Una vez en el pasillo, se inclinó sobre un dispensador de agua y se humedeció la frente, que notaba ardiendo. No se le borró la sonrisa de la cara en todo el camino de vuelta, hasta pasó por alto un semáforo en rojo y casi lo atropella una camioneta cuyo conductor fue maldiciéndolo los siguientes catorce kilómetros.

Demóstenes contra Antígona

Eleni estaba en lo alto de una escalera, sujetando varias chinchetas entre los labios para colgar un cartel. El tablón de anuncios estaba forrado de un fieltro marrón verdoso muy áspero, casi como el estropajo, y, de no haber tenido los labios ocupados, se habría puesto a soltar improperios por los pasillos de la Escuela de Pedagogía. El cartel anunciaba la manifestación anti junta nuclear que su asociación celebraba cada dos semanas en Hindenburgplatz. Cada dos semanas, Eleni renovaba los carteles en los restaurantes y tabernas de cuyos dueños sabía que eran de izquierdas, en los lugares de encuentro de los socialistas, en los institutos de enseñanza superior, en las discotecas, en los supermercados y, por supuesto, en la Escuela. Allí era donde tenía sentido poner más anuncios, pues sus estudiantes, o al menos una parte de ellos, eran los únicos en todo Hildesheim a quienes interesaba un poco si en Grecia torturaban a las personas, o si la libertad de prensa y de opinión estaban totalmente prohibidas. Aun así, los días de buen tiempo tal vez se manifestaba media docena de personas que no eran de la Asociación de Griegos; si llovía, hasta los miembros de la asociación se quedaban en la mitad, y, si nevaba, solo acudía el núcleo duro formado por los miembros del consejo a agarrarse a la pancarta temblequeando de frío. Esos días no pasaba por allí ni un peatón y desde los coches seguro que no se podían leer las pancartas bajo la nieve, y Eleni —a quien nada le parecía más insufrible que el frío húmedo del invierno alemán— se preguntaba por qué seguía torturándose a sí misma de tal modo. Al principio de todo, enterarse de la existencia de la Asociación de Griegos había sido para ella la mayor de las alegrías. Por fin encontraba gente que compartía sus ideas y, con ello, la posibilidad de meterse en política. De hacer algo en contra de la dictadura de la que había huido. Sin embargo, después de tres años de manifestaciones, discusiones y pegadas de carteles, se planteaba seriamente el sentido de todo aquello. Hacía meses que no hablaba por teléfono con su familia de Varitsi, pues allí estaban todos convencidos de que el gobierno militar era una cosa estupenda: construía carreteras, había liberado el país de la amenaza comunista, Loukas incluso iba a solicitar que se enviase un sacerdote nuevo a la iglesia del pueblo y a los niños de las escuelas se les enseñaban los fundamentos del pensamiento griego cristiano como estaba mandado. Eleni solo podía culpar en parte a su familia por creerse toda esa propaganda sin cuestionarse nada. Los Coroneles tenían las riendas del país bien sujetas, mientras que ella en Alemania hasta el momento no había conseguido nada. Si ni siquiera su lucha por el puñado de semillas había tenido éxito...

—¡Eleni!

Eleni casi se cayó de la escalera del susto. A los pies de la misma, a su espalda, se había parado un chico de Creta que trabajaba con Lefti en la fábrica y que, como ella, estaba muy comprometido con la Asociación. Eleni hizo un gesto con la cabeza para mostrarle que no podía hablar por las chinchetas, y el chico sacó y encendió un cigarrillo.

—Eleni, bonita, tu marido es un imbécil. —Eleni suspiró—. He vuelto cinco minutos tarde del descanso de la comida porque tenía que ir al retrete. ¡Solo falta que a un hombre no le permitan ni ir a cagar! Es que tengo estreñimiento y la cosa va despacio. Es por la comida de la cantina, sobre todo por las patatas cocidas. Yo me pregunto cómo digieren los alemanes tanta patata cocida. Y mira que se lo digo a tu marido, le digo: «Pero Lefti, solo falta que a un hombre no le permitan ni ir a cagar». ¿Y sabes lo que me contesta? «Cagas en tu tiempo libre», y yo voy y le suelto: «Me cago en ti, imbécil», y él va y se apunta no-sé-qué en una carpetita que le han dado.

Eleni notaba cómo el chico le estaba mirando el trasero, escupió las chinchetas y retorció la cabeza para mirarlo:

—Qué bien, sabes repetir la palabra «cagar» cinco veces en la misma frase. Ya me podías ayudar.

El chico apagó el cigarrillo enseguida.

—Yo te ayudaría, pero es que voy con prisa.

—¿Qué pasa, que se te escapan las estudiantes a las que vienes a mirarles el culo?

El de Creta le dio un pellizco en la pantorrilla.

—¿Te pasas ahora por la taberna de Nikos? Los demás ya estarán todos allí.

A Eleni se le cayó el cartel.

—¿Qué quiere decir: «Los demás ya estarán todos allí»?

—Bueno, hoy tenemos reunión para hablar del Primero de Mayo. Para ver qué hacemos este año distinto de los anteriores y eso.

Eleni tuvo que apoyarse en la pared un momento.

—Yo también soy parte del consejo rector, ¿cómo es que nadie me ha dicho nada?

🍃 🍃 🍃

Los días en los que todo le salía bien, Dimitris Vangelis se creía la reencarnación de Demóstenes, el célebre orador ateniense. Los días en que estaba más torpe, se consolaba con la perspectiva de llegar a ser aún mejor que Demóstenes alguna vez. Demóstenes había fallado al final de su vida al no lograr advertir a los griegos a tiempo de la amenaza que suponía el rey Filipo II de Macedonia, enemigo que venció a la hasta entonces libre Grecia para incorporarla a su reino. Dimitris albergaba la esperanza de alcanzar todas sus metas particulares. Era un hombre joven, oriundo del Pireo, y estaba orgulloso de haber fundado la Asociación de Griegos de Hildesheim. A diferencia de lo que pasaba en la cercana Hannover o en grandes ciudades como Colonia o Hamburgo, allí la Asociación llevaba una existencia pacífica y no estaba en constante lucha con otras asociaciones de emigrantes griegos que apoyaban a la junta militar desde Alemania o recibían dinero de Grecia para apoyarla en el extranjero. Todos los griegos de Hildesheim apoyaban a la Asociación de Griegos local abiertamente, o se callaban la boca: allí no había protestas violentas ni choques con griegos projunta, allí no había enemistades dentro del propio campamento —con muy pocas excepciones—, y Dimitris estaba firmemente convencido de que, en cuanto el régimen de los Coroneles cayera, su labor sería premiada con un buen puesto entre los funcionarios de las más altas esferas.

Dimitris estaba sentado en una de las cabeceras de la mesa habitual de la Asociación en la taberna de Nikos y moderaba el debate en torno al Primero de Mayo cuando, de pronto, se abrió la puerta tan bruscamente que casi le da un colapso a la campanilla que anunciaba cada vez que entraba alguien. Y como un huracán entró Eleni, la bellísima pero —a los ojos de Dimitris— también muy peligrosa joven de la alta montaña.

—¿Qué pasa aquí? —exclamó—. ¡¿Os reunís todos sin decirme nada y en su lugar me mandáis a poner carteles?!

—Pero, Eleni, debe de haber sido un malentendido...

Dimitris odiaba y amaba a las mujeres. Por un lado, le volvían loco su belleza y sus encantos; por otro, pensaba que no era casualidad que los grandes jefes de Estado jamás tuvieran tetas. Con las mujeres no se podía discutir, eran irracionales, no tenían ni idea de lo que es el poder ni la dinámica del poder..., y Eleni era el mejor ejemplo de ello. Cada vez que Dimitris exponía una idea, ella le llevaba la contraria. Eleni había pasado los últimos meses intentando convencer al resto de miembros del equipo para sustituir las manifestaciones quincenales en Hindenburgplatz por charlas informativas en las escuelas, las asociaciones, los colegios y los distintos locales de reunión. Para hacer cosas como recitales, conciertos, picnics colectivos o un mercadillo, cosas que sirvieran para unir a la gente. Para Dimitris, todo aquello eran tonterías sentimentales. Solo podían venir de una mujer.

—¿Sabes lo que es un malentendido? Que me deje yo el culo por ti.

Y allí mismo dio media vuelta y se disponía a abandonar el local con su perfeccionada técnica melodramática, pero Dimitris, a la vista de las caras consternadas del resto del grupo, se levantó de un salto y corrió a detenerla.

—Pero, Eleni, ¿cómo iba yo a querer dejarte a un lado? Si precisamente te tenía reservada una misión especial para el Primero de Mayo. He pensado que seas tú quien pronuncie el discurso de la Asociación de este año.

El Primero de Mayo siempre era un día importante y lleno de actividad en Hildesheim; se celebraba una gran marcha de sindicatos, organizaciones de estudiantes y agrupaciones de izquierdas que culminaba en un solemne acto de clausura en la plaza principal de la ciudad, la Marktplatz, y cada asociación enviaba a un orador para representarla. En los últimos años, el representante de la Asociación de Griegos siempre había sido Dimitris: su retórica era brillante, tenía el carisma de un futuro alcalde y hablaba un alemán perfecto gracias a que sus padres lo habían enviado a Alemania hacía diez años. Dimitris llevaba media eternidad matriculado en la Universidad de Hannover para estudiar Electrónica, pero como la comunidad griega de allí era mucho más grande y los líderes carismáticos sobraban, había trasladado su actividad política a Hildesheim. En aquella ciudad, más pequeña, él era el indiscutido número uno, lo invitaban a comer, y a base de alianzas y promesas había conseguido que lo apoyara mucha gente.

Eleni era diferente. Eleni cuidaba a los niños de las trabajadoras, mediaba para reconciliar a los matrimonios peleados, se preocupaba por cuantos estaban enfermos y, así, de paso, les hablaba de su visión de una Grecia libre. Para Dimitris era una amenaza porque actuaba desde el corazón. Jamás se mezclaba en juegos de poder y, a pesar de todo, la conocía todo el mundo. Conseguía acceder a quienes no creían en Dimitris. Como Antígona, pensaba él algunas veces. Espontánea hasta la torpeza, absolutamente irreflexiva y visceral al cien por cien... y, por eso mismo, incorruptible y sorda a todo argumento racional. Pero muy querida. Dimitris la necesitaba tanto como se sentía amenazado por ella. Y eso era muy peligroso.

Dimitris esbozó una sonrisa de yerno perfecto, Eleni lo miró perpleja.

—¿Yo?

—¿Quién mejor que tú?

El resto del grupo, como un solo hombre, dejó caer la barbilla sobre el pecho en señal de consternación. Cierto es que Eleni era irresistible y tenía carácter, pero no había pronunciado un discurso en su vida y, sobre todo, no hablaba alemán bien. Nada bien. Lo hacía demasiado deprisa y no se fijaba en la fonética correcta, por no hablar del orden de la frase, y cuando no sabía alguna palabra la decía en griego poniéndole un artículo alemán y listo. Lo justificaba diciendo que, a fin de cuentas, el alemán había tomado su gramática y su vocabulario del griego, así que ya podían los alemanes esforzarse un poco y deducir lo que ella quería decir.

Dimitris serenó al inquieto grupo y animó a Eleni con gesto exultante. En realidad, lo que pensaba era que Eleni se estrellaría clamorosamente. Estaba dispuesto a sacrificar el Primero de Mayo con tal de que su rival quedase mal delante de todo el mundo. Con todo lo que tiene de admirable la figura de Antígona, al final se labra su propia catástrofe. Demóstenes, por el contrario, siempre conserva el don del sentido común. Y él, Dimitris, aspiraba a ser un Demóstenes y aun en versión mejorada.

🍂 🍂 🍂

Antes de su siguiente clase de alemán, Lefti fue a la peluquería, pidió un afeitado a conciencia y se dio una buena ducha. Y antes de entrar en el edificio hizo una cosa por la que le remordió la conciencia durante once minutos: se quitó la alianza y la guardó en un bolsillo del pantalón. Once minutos más tarde entraba Fräulein Haselbacher en el aula. Se había maquillado, sus labios brillaban en un suave tono rosa. En cuanto sonrió y los últimos rayos del sol del crepúsculo rozaron su cabello del color de la miel, la mala conciencia de Lefti se desvaneció como por arte de magia.

—Hoy vamos a dar la declinación del adjetivo —dijo Fräulein Haselbacher y empezó a poner en la pizarra una tabla para añadir las desinencias a «das rot-E Haus»: «la casa roja»; en genitivo: «wegen des rot-EN Hauses»; en dativo: «vor dem rot-EN Haus», etcétera. A Lefti hasta le costaba mantener las piernas quietas de tan dispuesto como se sentía, y no solo a aprender todos los casos en que se declinara «das rote Haus»: «la casa roja», no: Lefti le construiría a Fräulein Haselbacher todo un palacio lleno de casas rojas y le diría lo guapísima que era en todas las casas rojas del mundo, llevaran la desinencia que tuvieran que llevar.

*   *   *

Eleni echaba de menos muchas cosas. Echaba de menos el guiso de col agria de su madre, donde metía el dedo y removía hasta que se cansaba y lo sacaba envuelto en una madeja de hilos de col. Echaba de menos el olor del pan recién horneado en el patio, y sentarse a charlar con los vecinos durante horas, hasta echaba de menos pelearse con sus hermanas…, pero lo que más echaba de menos era a su abuela. Y a una de las máximas de Yaya María no paraba de darle vueltas en la cabeza aquel treinta de abril de mil novecientos setenta y dos.

Cuando jugaba a ser heroína y se subía a lomos de alguno de los perros y gritaba que no se casaría nunca, sino que lucharía en solitario siempre; cuando encerraba a sus hermanas en la cocina y echaba conjuros a la cerradura de la puerta para que no volvieran a salir jamás; cuando quería convertir a Lefti en su sapo y condenarlo a vivir en el fondo de un pozo…, en todas aquellas ocasiones, su abuela la miraba a los ojos muy seria y le decía: «Ten cuidado con lo que deseas, no vaya a ser que se haga realidad».

Eleni estaba sentada en el sofá, en la posición del loto, con un bloc sobre las piernas, recordando las palabras de su abuela. Al día siguiente tenía que hablar del presente de Grecia delante de cientos de personas y estaba al borde del ataque de pánico. Le dolían los ojos cuando leía los artículos sobre las conexiones entre los grandes industriales norteamericanos y los Coroneles griegos, aquellos artículos de letra tan pequeña. Le latían las sienes cuando intentaba relacionar aquello con el tema de su discurso: «La impotencia: vivir bajo la junta militar», y le entraban palpitaciones cuando pensaba que, además, tendría que hacerlo delante de un público masivo. «Vamos a atraer la atención como nunca, todos los ojos estarán puestos en ti», había subrayado Dimitris una docena de veces como poco.

Lefti estudiaba vocabulario en la mesa de la cocina, con los codos apoyados sobre el tablero:

—«Das Spei-se-eis»: «el helado»; «die Ein-la-dung»: «la invitación»; «der Treff-punkt»: «el punto de encuentro»; «das Weinglas»: «la copa de vino».

Desde que iba a esas nuevas clases de alemán, estudiaba con más aplicación que nunca. Hacía poco, incluso le había preguntado cómo se pronunciaba una cosa a la vecina del bajo, una señora mayor que se pasaba el día cotilleando en el descansillo de la escalera. Observando con qué afán afilaba los labios para reprimir su «ese» griega y pronunciar la que mandaban los correspondientes cánones de la fonética, Eleni imaginó que el profesor de Lefti debía de ser un nazi de la lengua alemana.

Eleni tenía mala conciencia. Lefti se pasaba el día trabajando. No tenía amigos, lo único que hacía cuando no trabajaba era ir a clase de alemán, y Eleni sentía que era culpa suya. Lefti escribía a su madre todas las semanas. Aunque lo que Eleni interpretaba como añoranza, en realidad también era mala conciencia. Porque Lefti se sentía fatal por lo mucho que le gustaba Alemania y porque, en su cabeza, empezaba a germinar la idea de quedarse allí para siempre.

Pero hacía muchísimo que Lefti y Eleni no hablaban de cosas importantes. Habían dejado de preguntarse cómo le iba al otro de verdad. Y cuando Lefti, finalmente, levantó la vista de sus apuntes, no fue la bondad —como creyó Eleni— sino la mala conciencia por pasar las noches pensando en otra mujer lo que le impulsó a decir de pronto:

—Por cierto, Eleni, mañana voy a ir a escuchar tu discurso.

Hasta entonces, Lefti se había negado en rotundo a tomar parte en las actividades de la Asociación de Griegos y, de hecho, evitaba la taberna de Nikos.

—¿De verdad? —preguntó Eleni sin dar crédito.

—Como excepción. Que yo sigo siendo apolítico, ¿eh? —advirtió Lefti. Eleni se sentó derecha y no pudo ocultar una gran sonrisa. El hecho de que Lefti, la persona que más rechazo sentía por la política de cuantas conocía, tuviera intención de asistir al acto tan solo por ella significaba muchísimo. Aquel gesto le infundió confianza en sí misma, igual que cuando, de niños, Lefti se mantenía a su lado en las batallas contra las monstruosas arañas chupasangre.

Canto IV

En el que el héroe y la heroína, a mediados
de los setenta y en un lugar como Hildesheim,
encuentran el gran amor; el héroe regresa al lugar
del que huyó para después no volver nunca,
y la heroína toma una decisión muy difícil,
porque el gran amor, a veces, es incompatible
con el gran futuro.

Un día con el efecto de muchos

Otto Joe, registrado oficialmente con el nombre de Ottmar Mü-ller, no quería despertar. No tenía ni idea de dónde estaba ni de cómo había ido a parar allí ni de qué era lo que metía tanto rui-do de fondo; en suma: no se acordaba de lo que había pasado el día anterior. Lo último que recordaba era el concierto en el Jung-scharkeller. Él había tocado su repertorio estándar, pero el público era raro. Iba mentalmente preparado para entretener a los típicos niños de parroquia pacifista, pero allí no había más que chicas jó-venes con blusas abrochadas hasta el cuello y faldas largas. Con el «Blowin' in the Wind», habían entrelazado los brazos para me-cerse al compás y con «Knockin' on Heaven's Door», ambas en versión alemana, habían asomado las lágrimas a las pupilas de las primeras. ¿Y luego? Mientras apretaba la cara contra una al-mohada con funda de franela que olía a alguien desconocido, sin querer abrir los ojos, intentaba recordar completamente en vano lo que había pasado luego... y sobre todo: con quién.

—Oye... ¿Te puedes levantar de una vez? —dijo una voz feme-nina—. No tiene ninguna gracia —añadió a los pocos minutos, y Otto se dio cuenta de que alguien lo sacudía—. Mis padres están a punto de volver, por favor, tienes que levantarte. —La voz sona-ba histérica, y la palabra «padres», junto con «casarse» y «emba-razada», era una de las tres palabras mágicas que, a su vez, ponían histérico a Otto.

Tenía la nariz completamente taponada. Eso, combinado con cierto regusto en la boca le permitió concluir que la noche anterior se había excedido con los porros. Y eso que él no llevaba, porque el turco jovencito que solía proveerle en la Osterstraße lo había dejado en la estacada.

—Buenos días —farfulló, entornó los ojos y se horrorizó. Estaba en una camita infantil, en un cuarto de paredes empapeladas en color salmón con un estampado de rosas rojas. A la izquierda había una mecedora abarrotada de ositos; a la derecha, sobre la mesilla de noche, una Biblia; en la pared, un crucifijo y, en la habitación, una chica que le tiraba sus cosas a la cama... y que sin lugar a dudas no tenía dieciocho años.

—¡Por favor, por favor, desaparece de aquí antes de que vuelvan mis padres! —alarmado, Otto se deshizo del edredón.

—Lo siento —murmuró, vistiéndose lo más deprisa que le permitía el mareo.

—Por favor, vete de una vez —dijo la chica de espaldas a él. Otto se abotonó la camisa de *batik* azul claro, se encendió un cigarrillo y le puso una mano en el hombro.

—Te llamaré.

Ella se volvió sobresaltada y le arrancó el cigarrillo de la boca.

—Pero tú ¿dónde te crees que estás?

Dos ojos bajo un flequillo rubio se clavaron en él. Otto se fijó en las pecas de su nariz y pensó que era una muñequita muy sexy.

—A ver, ¿cómo me llamo?

«¡Ay, madre!», pensó Otto y balbuceó bajito:

—Sabine.

Si la chica no hubiera echado mano a un trofeo de hípica para lanzárselo a la cabeza, Otto se habría echado a reír al ver su cara de estupor. Cuando el trofeo no le dio pero le pasó rozando, Otto corrió hacia la puerta. Cuadritos, figuritas de porcelana y más trofeos de hípica lo acompañaron en el trayecto hasta la calle. Una vez allí, se volvió y vio de dónde acababa de salir huyendo: de una parroquia evangélica.

—Ay, Señor... —murmuró Otto, quien no había vivido las mejores experiencias con el Salvador precisamente, pues después de unos años en un internado religioso de Baviera, lo habían expulsado a los diecisiete. Se encendió otro cigarrillo y avanzó lentamente por la calle, haciendo eses. A los cien metros se paró, tomó conciencia de que algo le resultaba raro y al punto se dio cuenta de que no llevaba el estuche de la guitarra ni en la mano derecha ni en la izquierda.

Otto se puso a dar patadas a una farola, a maldecir, a insultar al Señor, a su hijo, a la madre de este y al Espíritu Santo, acusando a todos de sucia venganza, y escupió sobre la acera hasta que se le quedó la boca seca.

Era el Primero de Mayo. Faltaba menos de una hora para que empezasen las marchas y los actos festivos, y, por la noche —aunque Otto no era capaz de imaginar cómo lo habían conseguido—, los estudiantes socialistas habían organizado un concierto en el que tocaría H. W., uno de los cantautores de más éxito del país. Otto llevaba semanas preparándose para colarse detrás del escenario después del concierto, charlar con H. W. sobre tales o cuales influencias y comentarle esto y aquello de sus melodías o lo otro y lo de más allá sobre sus textos antes de lanzarse a tocarle algo propio. Y tal vez luego H. W. le pediría que lo acompañase en su próximo tour y le ayudaba a contactar con su compañía discográfica. Así se lo había imaginado Otto, pero sin su guitarra le iba a resultar difícil. La guitarra de Otto se llamaba Gisela, y nunca tocaba otra. En su primera y por el momento única entrevista para el periódico de Hildesheim había afirmado que Gisela era el único y gran amor de su vida y la única mujer a quien no engañaría jamás.

Furioso, desorientado y muerto de hambre fue recorriendo la calle. Otto había crecido en la Baja Baviera. Solía orientarse por las montañas y las colinas, por los puntos elevados del paisaje, pero la Baja Sajonia era tan llana que casi permitía ver que la tierra es redonda. Detenía sus pasos una y otra vez para resoplar apoyado en una pared, y finalmente llegó a la taberna de Nikos en la Kaiserstraße. A Otto le encantaba la comida griega porque, en el fondo, se parecía mucho a la bávara. Pensar en un pincho de carne chorreando grasa, acompañado con un poco de pan blanco y unas patatas fritas le animó por un momento. Eso le daría la energía suficiente para aventurarse a volver a la parroquia en busca de su guitarra, pensó, aunque en el mismo momento vio que Nikos, el barbudo dueño de la taberna, salía por la puerta y echaba el cierre.

—¡No me hagas esto, Nikos, por Dios!

—Ay, Otto, Otto, ¿aún no te has aprendido nada de Mikis? Tanto norteamericano, cuando lo que tienes que tocar es a Mikis Theodorakis...

Otto se tambaleó.

—¡Nikos, por favor! Necesito un *souvlaki* con urgencia. ¡Y *gyros!* Y un *gyros* de *souvlaki.*

—Esta noche, Otto, porque ahora me tengo que ir al acto de la plaza. ¡Abajo la junta militar! —clamó el barbudo y corpulento Nikos a tal volumen que a Otto le entró dolor de cabeza.

—Es que por la noche no puedo, que tengo que ir a tocarle algo a H. W.

Nikos montó en un Opel Kadett abollado y se marchó.

—¡Jesús, me la has jugado buena! —blasfemó mirando al cielo, pero como Jesús no reaccionó, Otto tuvo que volver al trote a la parroquia ante cuya entrada encontró por fin a su Gisela. Al principio no quiso dar crédito a lo que veía, luego empezó a temblarle todo el cuerpo y hasta los pelillos de los dedos de los pies temblequearon cuando vio hecha realidad la peor pesadilla de todo instrumentista de cuerda: Gisela estaba decapitada. Muy gravemente mutilada. Hecha pedazos. Es más, si no hubiera visto la cinta de la guitarra, detalle exclusivo que en su día había mandado hacer en una comuna de Hamburgo, ni siquiera habría sido capaz de identificar el cadáver de su Gisela. Su primer gran amor. Destrozada por ser su dueño un patán. A Otto le invadió una pena tan inmensa que ni siquiera fue capaz de encontrar una blasfemia a la altura.

🍃 🍃 🍃

Eleni estaba detrás de la tribuna de los oradores, sudando y repasando las notas a las que se agarraba como a un clavo ardiendo, y no entendía ni palabra de lo que decían los que iban hablando delante de ella. No porque se expresaran de un modo demasiado complicado, sino porque sentía el estruendo en el interior de la cabeza, como si le atronaran los oídos sonando al mismo tiempo todas las campanas de todas las iglesias, todas las sirenas y todas las bocinas de la ciudad. En la plaza se apelotonaban los sindicalistas, trabajadores, estudiantes, aprendices, escolares, socialistas, comunistas y anarquistas, y llevaban pancartas o claveles, y escuchaban a los oradores interrumpiendo sus discursos de cuando en cuando con acalorados mensajes. No quedaba ni un centímetro cuadrado de espacio en toda la plaza, y como estallara un incendio estarían todos perdidos porque en los alrededores todo eran callejas estrechas, pensó Eleni, recordando las trampas que tendía a las avispas en su niñez: ponía miel o sirope en un tarro de cristal con pequeños agujeros para que entraran las avispas, pero cuando este se llenaba de ellas, no salía viva ninguna. Bajo las axilas de su blusa de seda roja se dibujaban dos cercos de sudor. No había sido capaz de retener nada en el estómago desde la noche anterior, cuando se había atiborrado de pasta con sal. Ahora lo sentía tan revuelto como en una barca en mitad de una tormenta.

—Eleni, te toca —susurró Dimitris, dándole un suave empujón para acercarla a los escalones de la tribuna. Eleni se colocó en el atril que habían dispuesto para los oradores, en la muchedumbre se hizo el silencio y todas las miradas se concentraron en ella. Eleni intentó dominar la respiración entrecortada, le temblaban tanto las manos que no podía leer lo que llevaba anotado, recorrió la plaza con los ojos y, a la izquierda del todo, apretado contra la esquina de una casa, descubrió a Lefti. Se había puesto un traje, con el nudo de la corbata bien apretado, se había peinado el pelo hacia atrás y se le había ido un poco la mano con la gomina. Con aquel traje, Lefti parecía un espía fuera de lugar y por un momento Eleni temió que aquella pinta aún le costara una paliza en un día como el Primero de Mayo, aunque la visión de alguien de tanta confianza la tranquilizó unos instantes.

Carraspeó y empezó.

—Buenas tardes, camaradas, amigos de la *demokratía*...

@ @ @

Lefti apretaba los labios. Eleni hablaba demasiado deprisa, no articulaba con claridad y no enfatizaba ninguna palabra, casi parecía que estaba compitiendo en un concurso de lectura en tiempo récord. Lefti se dio cuenta de que la gente a su alrededor empezaba a cuchichear: «¿Tú entiendes algo de lo que dice? Debería aprender más alemán... Lo que debería es aprender a hablar...». De pronto, notó un toquecito en el hombro.

—Señor Zifkos, ¡qué ilusión! —Lefti se volvió de inmediato.

—Fräu-lein Ha-sel-ba-cher —tartamudeó con timidez.

—Pero señor Zifkos, si no estamos en clase. Puede llamarme Gertrud. Bueno, no, mejor llámeme Trudi. —Fräulein Haselbacher esbozó aquella tímida sonrisa suya que solo dejaba a la vista unos pocos dientecitos, y le tendió la mano, que Lefti estrechó con entusiasmo.

—Yo soy Lefti, hágame el favor.

—¿Lefti?

—Lefti.

—Trudi.

—¿Trudi?

—Trudi.

—¡Apártate y deja pasar!

Un jovencito borracho atropelló a Fräulein Haselbacher para meterse por una de las callejas.

—¡¿Y tú es que eres idiota o qué?! —exclamó Lefti, y Fräulein Haselbacher, licenciada en Filología Alemana, se asombró de la perfección con que Lefti dominaba aquella frase en el dialecto de Hildesheim. Trudi no sabía que era la frase que más había oído Lefti durante sus primeros meses en Alemania. De hecho, llegó a pensar que era una fórmula de saludo, pues cada vez que preguntaba por alguna dirección, los hombres de la calle le ladraban: «¡¿Y tú es que eres idiota o qué?!».

—No pasa nada, Lefti —murmuró Trudi, volviendo la cabeza para que él no viera que se había sonrojado—. La verdad es que la joven de la tribuna necesitaría algunas clases de refuerzo en retórica —comentó Fräulein Haselbacher a continuación.

—Sí... —dijo Lefti, apresurándose a añadir—: La verdad es que solo he venido de casualidad.

—Bueno, yo también, venía de casa y me apetecía tomarme un helado, como hace tan bueno. ¿Vamos los dos?

En la tribuna de los oradores, Eleni luchaba por ganarse la atención del público. Entre los asistentes, Lefti miraba a los ojos a su profesora de alemán.

—Sí. Encantado.

En la plaza, el volumen del murmullo del público cada vez era más alto. Dimitris se mordía el puño. La cosa iba aún mejor de lo que había imaginado. Eleni era una oradora nefasta. Cualquier perro macilento desahuciado por la junta aullando sobre la tribuna habría representado la causa griega mejor que Eleni. Y el primer gamberro de turno gritó a tres metros por detrás de Dimitris:

—¡Oye, que me aburrooo!

Dimitris lanzó una mirada asesina —fingida— al gamberro, pero Eleni se calló, fulminó al borracho con sus enormes ojos brillantes de muñeca de porcelana y dejó caer los brazos, con las notas aún en la mano.

—¿Qué te aburres? —repitió con una dureza que Dimitris jamás le habría atribuido—. Te aburres —dijo al micrófono, furiosa, tras lo cual se oyó un pitido terrible que hizo enmudecer a todo Hildesheim. Eleni tiró al suelo los papeles, agarró el micrófono y se acercó al borde de la tarima.

Pocas cosas habían maravillado a Dimitris a lo largo de su vida. En realidad, estaba acostumbrado a que las cosas se desarrollaran tal y como él las tenía pensadas de antemano, pero desde el instante en el que la parte del discurso de Eleni que recogían los papeles fue a parar al suelo, todo sucedió de otra manera. De pronto, Eleni no es que le recordara a Antígona: Eleni, allí, en la plaza del mercado de Hildesheim, se convirtió de verdad en la protagonista de la tragedia..., en versión contemporánea, claro, e inspirada por su propio destino. Como si hubiera aprendido alemán en cuatro segundos, enumeró toda la serie de represiones que practicaba la junta, desde la censura de la prensa hasta los secuestros y el exilio, contó cómo ella misma había sido detenida y torturada en la cárcel, y cómo finalmente había conseguido huir de Grecia, casándose con su primo. En impactantes palabras describió a la abarrotada plaza cómo desde niña había rechazado el matrimonio con su primo, cómo había vivido siempre oprimida por su familia, cómo al final la única vía para liberarse de la junta había sido someterse voluntariamente a la cárcel del matrimonio con un hombre al que no soportaba. Como la gran protagonista de la tragedia griega, también Eleni estaba dispuesta a sacrificar su felicidad personal para defender a quienes le importaban. Dimitris sabía que el marido de Eleni estaba entre el público. Trataba de imaginar cómo reaccionaría él si su propia mujer lo vituperase de tal forma delante de tantísima gente, y durante unos instantes sintió un profundo respeto por aquella mujer visceral y desatada.

Aunque el respeto no tardó en dar paso a la envidia, cuando la muchedumbre de la plaza, conmovida por el discurso de Eleni, prorrumpió en sonoros aplausos.

Dimitris tampoco tardó en constatar que los aplausos a Eleni habían sido más sonoros que los de sus predecesores. Mucho más sonoros.

Inteligente no había sido, como tampoco Antígona lo era, pensó Dimitris, pero sí terca, inquebrantable en la postura que defendía.

Dimitris respiraba entre los dientes, cruzó los brazos y tuvo que asumir que acababa de sufrir una derrota aún mayor que la de Demóstenes en la batalla de Queronea. Demóstenes había convencido a Atenas y a Tebas para aliarse y luchar juntos contra Filipo de Macedonia. Pero la falange macedonia aplastó a los griegos, hizo prisioneros a cuatro mil hoplitas y mató al menos a dos mil hombres. Si bien durante aquel Primero de Mayo de mil novecientos setenta y dos no se derramaron más que tres gotas de sangre —las de una joven sindicalista que se hizo un raspón en el brazo en la fuente de la plaza—, en los días que siguieron se oyó a Dimitris Vangelis musitando para sí una y otra vez:

—Ay, Queronea. Mi Queronea, mi Queronea...

🍃 🍃 🍃

Pero Dimitris no fue el único hombre que, aquella tarde, descubrió a la heroína griega que era Eleni. A la plaza del mercado también había ido a parar un joven músico harto resacoso y sumido en una pena infinita por su difunta guitarra, el cual, de pronto, se sintió de vuelta a su infancia, solo que esta vez sí habría de hacerse realidad su sueño.

A los diez años, Otto fue enviado por sus padres a un internado religioso, un seminario en realidad. A los once, no quedaba en el edificio una sola ventana de la fachada occidental sin barrotes que su balón de fútbol no hubiera destrozado. A los doce, robaba la quincalla dorada —como él la llamaba— de la Capilla de los Penitentes para intercambiarla por cigarrillos con uno de los borrachos del lugar a través de la ventana. Y con trece empezó a masturbarse. El único problema ahí era la falta de inspiración. En el seminario, estaban completamente aislados de cualquier contacto con el género femenino. Incluso el autobús de una escuela doméstica femenina que había en los alrededores daba un rodeo para no pasar cerca; durante las vacaciones, las únicas chicas que veía eran las hijas del vecino, que tenían barba, y el resto de féminas vivía a una distancia de tres días a pie. Así pues, las únicas mujeres que podían prestarse a hacerle compañía por las noches eran los contados personajes femeninos que estudiaba en la escuela.

Las santas enseguida demostraron dar muy poco de sí, pues, según las leyendas, a los hombres que las rozaban les ardían las manos o se les caía algún miembro o el cabello se les convertía en llamas. Sin embargo, como, a partir de los doce años, Otto tuvo que aprender griego clásico, pronto trabó conocimiento con unas cuantas mujeres muy notables con quienes, en adelante, habría de vivir aventura nocturna tras aventura nocturna: Briseida, Helena, Afrodita, diosas y semidiosas varias, ninfas y pléyades, cazadoras, hijas de reyes…, pero, sobre todo, las grandes heroínas inquebrantables que se jugaban la vida por servir a una causa, justo como la que hallaron sus ojos en aquel Primero de Mayo en que Eleni Zifkos se dirigió a las masas.

🍃 🍃 🍃

Cuando ya empezaba a oscurecer y la muchedumbre a dispersarse, Dimitris se llevó a Eleni a un rincón tranquilo, le rodeó los hombros con el brazo y le dio un pequeño pellizco.

—¡Vamos a celebrarlo donde Nikos!

Eleni se soltó del abrazo.

—Voy un poco más tarde —se disculpó con voz temblorosa y se marchó a paso ligero en la dirección opuesta para que Dimitris no viera que estaba a punto de llorar. Eleni no podía celebrar nada en aquel momento, se sentía como si tuviese que atrapar al vuelo un montón de copas de cristal que ella misma había tirado desde el borde de la mesa. Delante de las masas no había podido refrenarse. Aunque sabía que, entre toda aquella gente, en algún lugar estaba Lefti, no había tenido el más mínimo miramiento para con él. Por primera vez en su vida, la había invadido el sentimiento de estar haciendo algo grande, más grande que ella misma. Más grande que Lefti. Y, sobre todo, más importante.

Solo que nadie le había advertido del dolor que le causaría después. Ni de la culpa que le haría sentir.

—¿Lefti? —Abrió la puerta de su piso y atravesó la cocina llamando a Lefti, encendió la luz del dormitorio, pero Lefti no estaba.

No había vuelto tarde ni una sola vez desde que se encontraban en Alemania. Cuando se peleaban, era Eleni la que salía por la puerta como un huracán. Y cuando volvía en mitad de la noche, Lefti solía estar esperándola, sentado en la mesa de la cocina, y se disculpaba. Aunque la culpa hubiera sido de ella, aunque hubiera empezado ella la pelea por aburrimiento o porque se sentía frustrada allí, quien se disculpaba era Lefti. Se había disculpado incluso un día en el que Eleni había tomado demasiado apego a una botella de vino blanco y el joven de Creta tuvo que llevarla a casa a cuestas. Lefti la había sujetado, le había retirado el pelo de la cara mientras vomitaba y, al final, había limpiado el vómito que cayó fuera de la pila…, y luego aún tuvo que desmontar el sifón del fregadero porque los restos de la cena arrojada taponaron la cañería. A la mañana siguiente, le había llevado agua a la cama y, antes de salir para ir a trabajar, había musitado «Lo siento», cuando el origen de la pelea previa al vino había sido que Eleni le había llamado «trepa alemán».

—No quería decir lo que he dicho, Lefti —murmuró Eleni para la casa vacía, sentándose junto a una pila de ropa de cama que había encima del sofá—. Es que lo hago todo mal.

🌿 🌿 🌿

Después del delicioso helado de frambuesa en la zona peatonal, Lefti había insistido en acompañar a Fräulein Haselbacher a su casa. Mientras atravesaban el barrio antiguo entre los numerosos rosales que enmarcaban las bellas casas tradicionales con entramado, ella empezó a contarle que no era alemana sino austríaca. Sus padres habían muerto en la guerra, bueno: en la guerra no, sino en un desafortunado incidente relacionado, una explosión a consecuencia de la cual se había derrumbado su casa. Lefti se detuvo y preguntó asombrado:

—¿Una bomba?

Pero Fräulein Haselbacher resopló y tardó toda la calle en hacerle entender a Lefti la expresión «instalación de gas». Iban subiendo hasta la zona de la antigua muralla por un sendero de gravilla entre la calle y el parque. Las casas de aquella parte de la ciudad se veían como si nunca hubieran llegado a Hildesheim ni la guerra ni la miseria. Eran casas de dos plantas con frondosos rosales delante. Trudi había crecido con una tía en la zona de la Baja Austria. ¿Sabía Lefti dónde estaba eso? La Baja Austria estaba justo al sur de Alemania. Siguieron caminando bajo la luz mortecina de las farolas. Hasta entonces, Lefti siempre había despotricado de que aquella ciudad, con tanta niebla, con la luz tan gris de los días y con lo pronto que se hacía de noche, no tenía una iluminación en condiciones; sin embargo, mientras paseaba junto a los matorrales bañados por la oscuridad acompañando a Fräulein Haselbacher, descubrió el atractivo de la penumbra. Lefti le contó el viaje en tren desde Salónica hasta Múnich a través de toda Austria. Le había sorprendido mucho lo cerca que pasaban las vías de la alta montaña. Y también le contó que él mismo procedía de la alta montaña. Claro que las montañas griegas eran muy distintas de las austríacas. Las montañas griegas eran más suaves, se elevaban sobre el paisaje dibujando elegantes curvas y uno podía imaginar perfectamente a los dioses del Olimpo morando en sus alturas. En Austria, por el contrario, las montañas eran brutales, casi verticales de golpe, frías y llenas de aristas. No le extrañaba que los austríacos no hubieran creído en dioses como los suyos, porque ¿quién iba a tener una morada paradisíaca en lo alto de un pico afilado?, bromeó Lefti, y Trudi rio, dejando a la vista sus lindos dientecitos. Rozó el brazo de Lefti y este pensó, plenamente convencido, que la única diosa del mundo era la que caminaba a su lado.

Fräulein Haselbacher vivía al final de la calle de la antigua muralla, donde un camino de gravilla conducía a un barrio de nueva construcción, pero en lugar de despedirse en la puerta, dieron media vuelta y siguieron paseando por el mismo camino. Lefti le habló de los lobos, las águilas y los osos que había en los bosques de alrededor de Varitsi, le contó que su padre debía de haber muerto y que echaba muchísimo de menos a su madre.

—Yo también —interrumpió Trudi—, yo también echo de menos a mis padres. —Y Lefti no pudo responder de otra manera que apretándole la mano muy tímidamente... para soltarla de inmediato.

🍃 🍃 🍃

Eleni se despertó y todo estaba oscuro.

—¿Lefti? —preguntó. Tanteó la otra mitad de la cama, pero no notó allí los habituales brazos ásperos y duros como el acero de tanto trabajar, las piernas fibrosas y una cabeza demasiado grande en comparación con el resto del cuerpo—. ¿Lefti?

Eleni se levantó. Pasaba de la una de la madrugada y Lefti no había vuelto. Se puso la blusa que había llevado durante el discurso, aún empapada de sudor, y puso agua a hervir para hacerse un té. Al abrir la lata donde lo guardaban, sintió tal punzada en el corazón que se le cayó al suelo: no quedaba té de roca. Eleni y Lefti no se habían llevado muchas cosas de Varitsi. Casi todo era ropa que a los tres meses habían sustituido por prendas alemanas. Saquitos de lavanda que Eleni tiró después de entrar por primera vez en una perfumería alemana; pasas ante las que Lefti meneó la cabeza cuando supo qué significaba la expresión «productos de repostería», que ocupaban una estantería entera del supermercado; aceite de oliva que se les terminó enseguida y que Lefti ahora compraba en la tienda de un turco. Estaban tácitamente de acuerdo en que aquel aceite suave era mucho mejor que el de Varitsi, muy amargo y casi de color verde, aunque a Eleni le pareciera una traición a la patria; eso sí, no quiso decir nada porque la alternativa era peor: aceite de girasol alemán en botella de plástico. Lo único insustituible de verdad era el té de roca. Lefti y Eleni no comprendían que en Alemania picaran las hojas del té y las metieran en bolsitas. El té de roca no era nada especial. Era más fuerte que las malas hierbas y crecía en cantidad sin importar la climatología, al borde de cualquier camino, entre las piedras, en las superficies más inhóspitas, era resistente a cualquier bicho y no tenía otra cosa que hacer que seguir creciendo en espera de que alguien cortara sus tallos, cubiertos de una suave pelusa. No costaba nada reunir una cesta de té de roca, secar y cortar las hojas en pedazos de una pulgada y, a cambio, daba una bebida que siempre sentaba bien y procuraba paz y energía al mismo tiempo. El té de roca era para Eleni el sabor de su tierra, la medicina que Yaya María le traía a la cama cuando le dolía la barriga, la bebida caliente que le preparaba su madre cuando entraba en casa empapada de lluvia. Y ahora, aquel poquito de patria se había terminado, sorbo a sorbo, con el cuidado que habían tenido de no malgastarlo.

🍃 🍃 🍃

—Buenas noches, Lefti —susurró Fräulein Haselbacher después de cuarenta minutos parados ante la puerta del edificio en cuya primera planta vivía la profesora de alemán en un pequeño apartamento.

—Buenas noches, Trudi —susurró Lefti, tieso como un poste frente a ella.

Los relojes de las torres de las iglesias cercanas dieron una campanada al unísono, Lefti y Trudi se sobresaltaron, pero él se apresuró a elogiar la precisión alemana, la señorita mostró sus dientecitos al sonreír y Lefti se sintió en el séptimo cielo.

—¿Podemos volver a vernos? Es decir: fuera de clase.

—Cuando gustes —respondió ella, y se puso de puntillas y le dio un beso en la mejilla derecha. Un beso tierno, al principio muy cauteloso, y luego apretando aquellos labios finos y suaves contra la piel perfectamente afeitada de Lefti, y se mantuvo en esa posición durante lo que se les antojó una eternidad y por fin volvió a posar los talones en el suelo. «Es esto», comprendió Lefti. «Esto es lo que se siente cuando se es feliz.»

🍃 🍃 🍃

Después de deambular por las calles durante cinco horas, Otto no tuvo más remedio que asumir que aquella noche no conseguiría convencer a nadie de que era un talento por descubrir, y se dedicó a dar patadas a las farolas hasta que se le abollaron las puntas de las botas de vaquero de piel sintética color verde.

—¡¡Desde luego, Jesús, bien jurada me la tienes!! —blasfemó en dirección al cielo, y continuó por la calle mirando a su alrededor con gesto desconfiado, no fuera a ser que a alguna alcantarilla le faltase la tapa o le cayera alguna maceta de algún balcón, pues creía al Salvador muy capaz de ponerle aún la guinda del pastel a aquel apocalíptico día.

—Nikos, un cuádruple. Y un *gyros* de *souvlaki* —exclamó mientras entraba tambaleándose en la taberna.

—Pero, Otto, ¿cómo no has ido al concierto? —preguntó el tabernero, y Otto se dejó caer en un taburete de la barra. Acostó la cabeza sobre la madera y gruñó:

—No preguntes, y ponme también una jarra de cerveza.

🌿 🌿 🌿

Eleni, que ya no soportaba estar en la casa vacía, abrió la puerta de la taberna de Nikos, cruzó el umbral en un suspiro y no encontró más que platos y vasos vacíos, servilletas usadas, un salero derramado e incontables fuentes con restos resecos de diversa procedencia en el centro de una mesa abandonada. El recuerdo de un fabuloso banquete.

—¡Eleni! —Nikos sostenía dos bandejas grandes vacías y llevaba un trapo sobre el hombro. Le dedicó una mirada de lástima, como si le diera apuro verbalizar lo que hacía más que patente aquella estampa: «Llegas tarde, Eleni, te has perdido una gran fiesta. *Tu* gran fiesta».

—¿Es que ya se han ido todos?

—Sí, se han ido a bailar, pero no sabría decirte adónde. Mira a ver en la Schuhstraße. —Eleni se mordió el labio inferior y asintió con la cabeza.

—Pues nada, ponme un *tsipouro* cuádruple, que ahí no puedo presentarme sobria. —Eleni intentó sonar lo más contenta y optimista que pudo, aunque lo único que deseaba era ahogarse en una de las botellas del *tsipouro* de Nikos.

🍃 🍃 🍃

Otto volvía del aseo y al instante se despejó la nube de autocompasión en que llevaba sumido el día entero: justo entre entre la zona del salón y la barra estaba, aunque parezca mentira, la bellísima mujer que había visto por la tarde. Otto trató de adoptar una postura elegante sobre su taburete, en tanto que la mujer avanzaba en su dirección. Dejó dos sitios entre Otto y ella y apuró de un solo trago el primer vaso que le sirvió Nikos. Otto tuvo que empujarse la mandíbula inferior con el reverso de la mano para poder cerrar la boca.

Por lo general, la cabeza le dictaba que no dirigiera la palabra a ninguna mujer porque eso no traía más que problemas, mientras que el vientre le decía que no perdiera el tiempo y que solo se es joven una vez. Al ver a Eleni, ni la cabeza ni el vientre dijeron nada. Donde notaba una tremenda presión era en el diafragma, donde según los antiguos griegos residían las distintas facetas del alma humana, y entre ellas: el valor. Y hete aquí que, de pronto, no se atrevía. Nunca había notado el diafragma en ocasiones similares.

—¿Qué? —preguntó la joven, dándose cuenta de que Otto no podía dejar de contemplar su nuca. Hasta aquel momento, él no había sido consciente de lo erótica que puede resultar una espalda bien recta, después de un largo cuello de piel morena, en una barra de un bar sobre un taburete.

—Disculpe —murmuró Otto y se volvió hacia Nikos, que meneaba la cabeza. Nunca había visto al músico así, más bien solía costarle impedir que rondase a todas las chicas del local, insistiendo en tocarles alguna canción que confesara su amor.

Enseguida se compadeció de ellos. No solo se dio cuenta del ímprobo esfuerzo que le costaba a Otto dejar de mirar a Eleni, sino también de que ella se debatía contra los elementos para hacer como que no había visto al guapo rubio. Así que sacó su mejor aguardiente de miel, el que escondía bajo la barra, sirvió un trago para cada uno e hizo las presentaciones:

—Eleni, este es Otto. ¿Sabes que de niño le encantaban las historias de los héroes griegos? Otto, esta es Eleni y hoy es nuestra heroína. Eleni y Otto, invita la casa. Voy a recoger las mesas un momento. Vosotros, a lo vuestro.

Y con esas palabras agarró una bandeja y se marchó a la zona del salón para recoger los platos y vasos, aunque eso solía ser tarea de la polaca que le ayudaba en la cocina.

Otto y Eleni brindaron tímidamente, carraspearon, se dieron cuenta de lo magnífico que era el aguardiente, y por fin fue Eleni quien se atrevió a dar el primer paso:

—¿Historias de héroes?

Y no hizo falta más para romper el hielo. Otto empezó a hablar como un torrente, y le contó lo aburrida que había sido su infancia y lo horrible que era el internado religioso, donde su única alegría habían sido los héroes y heroínas de la Antigua Grecia, punto en el que Eleni le interrumpió para ponerse a hablar ella de las historias que le contaba Yaya María.

Nikos apilaba los platos a ritmo de caracol, doblaba las servilletas y hasta se puso a raspar la cera de los candelabros para enterarse de lo que hablaban sin que ellos advirtieran que escuchaba, y les oyó reír y enredarse en una tierna discusión sobre qué héroe era el mejor: Ulises o Aquiles.

—Aquiles sabe lo que quiere, mientras que Ulises tan solo se deja llevar.

—Eso no es verdad, Ulises quiere volver a su Ítaca.

—Bueno, pero solo porque ya estaba bien de andar ahí liado con la ninfa, y porque los dioses se enfadan y le mandan volver de inmediato.

—Sí, pero fue un viaje a las profundidades de su alma y eso le mostró lo que de verdad es importante en la vida. Aquiles jamás tuvo que enfrentarse a un reto semejante.

—Ya, pero, a cambio, Aquiles muere como un verdadero héroe.

Nikos se sentó en el banco del rincón, encendió un cigarrillo y siguió escuchando cómo Otto y Eleni, que habían olvidado cuanto les rodeaba, se iban acercando poco a poco.

—Te vi esta tarde, tú sí que eres una heroína.

—¡Ay, qué va! Si lo hago todo mal, si ni siquiera he conseguido semillas de albahaca... —le respondió Eleni.

Los dos bajaron la voz, Eleni le susurró algo al oído a Otto. Nikos regañó a la polaca de la cocina porque estaba haciendo demasiado ruido y no se enteraba de la conversación, se levantó para volver sigilosamente junto a la barra, pero justo en ese instante, Otto dejó unos cuantos marcos sobre la barra, agarró la mano de Eleni y la llevó con él hacia la calle.

—Esperad. ¿Adónde vais? —exclamó Nikos, pero Otto se limitó a decirle adiós con la mano y dijo:

—Tenemos una misión.

🍃 🍃 🍃

Otto y Eleni se subieron al primer taxi que encontraron y dieron la lata al taxista hasta que accedió a llevarlos hasta el vivero de las afueras de la ciudad.

—Pero ¿qué vais a hacer ahí a estas horas? Estará cerrado —les dijo, mientras ellos cuchicheaban algo que no pudo oír.

Tampoco llegaría a enterarse, pues se bajaron un poco antes de llegar al vivero y lo mandaron de vuelta al centro, diciendo que no hacía falta que les esperara.

—No sé si es buena idea —susurró Eleni mientras caminaban a lo largo del seto de aligustre. Otto la llevaba de la mano y tiraba de ella.

Con mucho sigilo, dieron toda la vuelta al vivero, protegido con malla metálica, hasta que por fin descubrieron un cubo enorme, de los que se utilizan para recoger el agua de lluvia.

—Por aquí. —Otto se arrodilló e indicó a Eleni con gestos que se subiera sobre sus hombros—. Yo te aúpo, tú te cuelas aprovechando el cubo y luego paso yo.

—Peso demasiado —remoloneó Eleni, tras lo cual Otto la levantó y giró con ella en brazos. Eleni se echó a reír y Otto le tapó la boca.

—Ssss, no hagas ruido, que esto es una misión secreta...

Eleni y Otto cruzaron miradas y se pusieron manos a la obra. Con ayuda del cubo, lograron saltar al interior del vivero. Eleni había estado allí tantas veces que no le costó encontrar el camino al almacén de semillas. Echó mano a un saquito de albahaca.

—No seas tan modesta, ya que estamos aquí... —dijo Otto, quien ya tenía en las manos un saco de patatas vacío que llenó de paquetitos de semillas de todo tipo. Y, como Papá Noel, al final lo cargó al hombro y se fueron corriendo.

Unas semanas más tarde, todo Hildesheim hablaría de un milagro. Pues, sin saber cómo, en toda la ciudad volvían a crecer la albahaca, el orégano y el tomillo. Y las plantas eran mucho más grandes, frondosas y sabrosas que aquellos ramitos que hasta la fecha se compraban en macetas. Y se barajarían toda suerte de hipótesis: que tal vez algunas bandadas de pájaros se habían comido las semillas del vivero y luego las habían repartido por la ciudad con las heces; que tal vez era un cambio climático, que tal vez se había derramado el abono... Unos cuantos soñadores llegaron a afirmar que tal vez incluso en Hildesheim podía darse un poquito de magia. Después de todo, fue en esa zona donde, en tiempos, recopilaron sus cuentos los hermanos Grimm.

🍃 🍃 🍃

Eleni no llegó a casa hasta la mañana siguiente, poco después de las nueve, cuando Lefti ya había salido para ir a trabajar. Cuando Lefti volvió, se había ido ella para acompañar a Otto a una manifestación en Hannover. Cuando Eleni volvió, Lefti ya dormía. Cuando Lefti se levantó, Eleni dormía aún. Cuando Eleni se despertó, Lefti había salido ya porque iba de excursión con Fräulein

Haselbacher. Cuando volvió, Eleni se había ido al concierto de Otto, y la noche del domingo empezaba la segunda semana del mes, lo cual implicaba que Lefti tenía turno de noche. Pasó otra semana en la que no tuvieron ocasión de verse o solo coincidieron en la casa cuando el otro dormía. A ninguno de los dos se le ocurrió despertar al otro. Aun con la ventana abierta, la mala conciencia que flotaba en el aire era tan densa que costaba respirar.

Hasta primeros de junio no se encontraron ambos en la cocina, un sábado después de comer. Lefti fregaba tazas y Eleni preparaba café de puchero en el hervidor de moca que les habían regalado por la boda y se habían traído de Grecia. El piso se veía como si fueran a presentarlo a un concurso de vertederos de basura.

—Deberíamos recoger la casa, si te parece bien —dijo Lefti cauteloso—. Si no te apetece, ya lo hago yo.

Eleni contemplaba el borboteo del café en el centro del hervidor. ¿Se habría dado cuenta Lefti de que se lo había llevado a casa de Otto durante varios días para demostrarle que el café de filtro era una barbaridad en sentido literal?

—Eleni, lo siento.

Eleni se volvió. Aunque Lefti solo tenía veintiocho años, estaba ya muy calvo por la frente, de modo que se le marcaban los surcos de preocupación con gran dramatismo.

«La que lo siente soy yo», pensaba Eleni, pero no conseguía articular palabra. Eleni no tenía ni idea de por qué se disculpaba Lefti. Se miraron y reconocieron la derrota. Se conocían desde niños. Habían compartido todo, habían vivido todo juntos. Primo y prima. Amigo y amiga. Caballero y heroína. Hombre y mujer. Hasta en los peores momentos de crisis habían compartido la profunda confianza de saberse una persona importante en la vida del otro. Esta vez, en cambio, se miraban para tomar conciencia, sin necesidad de decir nada, de que ya nada era como antes. Lefti había dejado de ser parte de la vida de Eleni, así como Eleni había dejado de ser parte de la vida de Lefti.

La condenada felicidad

Durante los dieciocho meses siguientes, Eleni y Lefti vivieron, cada cual por su lado, un sentimiento hasta entonces desconocido para ellos: la certeza de no desear estar en ningún otro lugar del mundo ni con ninguna otra persona. Hay quien lo llama felicidad.

A finales de agosto, Lefti empezó a hacer manitas con Fräulein Haselbacher. Al principio, solo en la oscuridad del cine; para primeros de septiembre, por debajo de la mesa cuando salían a cenar; y, para finales del mismo mes, cuando paseaban por la zona peatonal de Hildesheim. En octubre osaba acariciarle la rodilla con disimulo cuando se sentaban a tomar café con tarta, y a partir de noviembre empezaron a despedirse con un beso en la boca, mientras los vecinos los espiaban tras los visillos de encaje blanco e, incrédulos, constataban que «esa chiquita que ya iba teniendo sus años» al final sí que había echado novio. Guapo no era, pero se le veía bien fuerte y, sin duda, decente: jamás se percibió a través de los visillos de encaje que pusiera un pie más allá del umbral de la puerta. Lo único que tenía intrigadísimos a los vecinos eran sus rasgos un tanto mediterráneos. Pero no estaba nada claro de dónde era: cierto es que tenía el pelo fino, y poco, pero muy oscuro. Tenía la piel clara, casi blanca, y la nariz afilada, la barbilla ancha. De Hildesheim no era, eso era evidente, pero turco tampoco. ¿Italiano del norte? Gesticulaba poco para ser italiano. Y tenía poco pelo para ser griego. ¿Sería de algún país balcánico que no conocían? O tal vez solo fuera un chico majo a quien Dios nuestro Señor le había dado ese aire mediterráneo... Así cuchicheaban los vecinos por la calle y en la iglesia, en tanto que Trudi asistía divertida al revuelo y se sentía crecer unos centímetros.

Trudi, a sus treinta y dos años, también descubría por fin la rebelde que llevaba dentro. Orgullosa, contaba a sus compañeras que tenía novio: «Un griego, un Ulises, un hijo de Homero, de la misma cuna de Europa... ¡Ah, qué cultura tan magnífica!». ¿Y Lefti? Pues cuando Lefti paseaba con su Trudi de la mano por la zona peatonal de Hildesheim no cabía en sí de gozo y sentía que había alcanzado su destino. Sí, lo había alcanzado. Se sentía aceptado. Y sobre todo: querido. No querido como lo querían Despina, Pagona o Yaya María, cuyo amor se percibía como una sensación de calorcito en la barriga, sino querido de esa manera en que a uno le ondearían las orejas al viento, se le echarían a bailar los pelillos del antebrazo y le sonreiría el ombligo si todos ellos tuvieran movimiento.

🍃 🍃 🍃

En julio, Eleni y Otto fueron dos semanas al mar del Norte, y se bañaron todos los días aunque llovía como si el cielo del lugar tuviera un agujero. En agosto, Eleni regaló a Otto una guitarra nueva, comprada con sus propios ahorros, es decir: con el dinero que había ido ahorrando para irse de la ciudad, y a principios de octubre se mudó a la pequeña buhardilla de Otto. De cuando en cuando, pasaba por su antiguo piso, en aquel barrio nuevo del norte de la ciudad, se llevaba alguna blusa y echaba unas cuantas bragas a lavar. Poco a poco, aquel piso se fue convirtiendo en un gran armario de Eleni donde daba la casualidad de que vivía Lefti, quien por su parte se ocupaba de que la ropa que ella dejaba sucia estuviera limpia para cuando volviera a pasar por allí. No hubo de transcurrir mucho tiempo para que la despidieran del trabajo en la lavandería. Llegar tarde cinco días en tres semanas fue demasiado. Con la carta de despido en la mano, trataba de luchar contra la angustia existencial que le hacía un nudo en el estómago, cuando apareció Otto, la levantó en volandas, giró con ella en brazos y la dejó caer sobre el colchón:

—¡Olvídate del capitalismo! ¡Solo se vive una vez!

De anciana, sus nietos habrían de preguntarle a menudo: «Tú de joven fuiste hippie, ¿verdad, Yaya? ¡Cuéntanos cómo era todo!». Eleni nunca alcanzaría a describir todas las cosas que hacían. En sus recuerdos, la época de Otto era como un viaje en un tren de alta velocidad que atravesaba el paisaje más maravilloso como un relámpago, y ni ella misma sería capaz de reconstruir después dónde y cuándo hacía parada. Otto sí recordaría cada día con todo detalle. Más adelante contaría: «Eso fue en tal sitio y en tal otro, y allí vimos a tal y a cual», o «no, allí no estuvimos nunca», mientras que en la memoria de Eleni todo serían como fotografías cuya fecha nunca sabría ordenar:

Otto sentado con los pies cruzados en una pradera de algún lugar de Baden-Wurtemberg, con una guitarra en el regazo, un porro en la comisura de los labios y un sombrero de vaquero. Eleni tumbada con la cabeza sobre sus tobillos, las manos cruzadas sobre el vientre, mirándolo desde abajo. Encajados como un puzle perfecto.

Otto y Eleni sentados en el andén de una estación esperando el primer tren. El estuche de la guitarra, apoyado en el banco. Amanecer. La cabeza de Eleni apoyada en el hombro de Otto: greñas rubias e indómitos tirabuzones oscuros enredados entre sí. Ambos dormitando como niños vencidos por el cansancio de tanto jugar.

Otto desnudo, sentado en la cama, con el edredón cubriéndole el velludo pecho; solo se ve una amplia sonrisa: todo dientes, anchos y blancos, igual que los de Eleni, a quien no se ve porque está detrás dejando caer sus rizos sobre la cabeza de Otto. Gansadas de recién despertados.

Eleni haciendo el pino contra la pared mientras Otto le lee algo en voz alta.

Eleni a hombros de Otto en medio de una multitud. Misma imagen sobre distintos fondos: la gente, a veces extasiada mirando hacia un escenario, meciéndose al compás de la música; a veces, dando saltos; a veces, blandiendo pancartas. Otto y Eleni siempre se destacan entre la masa.

🍂 🍂 🍂

Lo que más vivamente habría de recordar Otto fue cierta mañana de otoño en la que, cosa muy inusual en él, se despertó antes de las seis de la mañana.

Era la primera vez desde que lo expulsaran del internado que se levantaba tan temprano. Se había jurado no salir de la cama antes de las nueve nunca más. En su opinión, antes de las nueve solo se levantaban los aburguesados, la gente sin inspiración, los tristes elementos del sistema de explotación capitalista. Pero Otto había pillado una gripe, la noche anterior se había acostado a las ocho y ahora estaba despierto, con la nariz goteando y un dolor de cabeza tremendo. La única ventana de su buhardilla estaba justo encima del colchón, y la luz del cartel publicitario de la fábrica de enfrente atravesaba la oscuridad sin misericordia alguna. Un motivo más para estar en contra del capitalismo. Otto acarició el hombro de Eleni. Ella dormía profundamente a su lado, respirando por la boca entreabierta. Eleni le había advertido de que no subestimara la llegada del invierno. Ella por su parte había ido a casa de Lefti a buscar el abrigo nada más oír el parte meteorológico y había cruzado la ciudad con él a cuestas en pleno veranillo de San Miguel. Le había hablado muchas veces de su llegada a Alemania. Lefti y ella habían emigrado al poco de la boda, cuando aún lucía el sol en el pueblo del que procedían y que Otto aún no sabía bien dónde estaba. En Alemania, en cambio, los habían recibido un frío y unas lluvias tales que se les congelaba el aliento. Y luego había visto a un grupo de mujeres de Quíos: las suelas de las alpargatas se les iban deshaciendo mientras recorrían el andén en dirección a la salida. En aquel momento, Eleni se había jurado no subestimar nunca el frío alemán.

Pero Otto sí lo había hecho y ahora, esa mañana, se sorbía los mocos y se compadecía de sí mismo. Con Eleni tenía que diferenciar muy bien cuando hablaba de «frío» simple o de «frío alemán», porque ella insistía en que había una diferencia enorme. Como entre un «crimen» simple y un «crimen capital».

Otto se sonó haciendo el menor ruido posible para no despertar a Eleni y se quedó contemplándola mientras dormía. Cuando se estiraba aquellos rizos como sacacorchos, le llegaban hasta los pezones. Si había demasiada luz para dormir, en sueños agarraba un mechón de su abundante melena y se tapaba los ojos con él.

Otto sentía los bronquios llenos de flemas, así que se levantó de la cama y puso agua a calentar para hacer unos vahos, echó sal a puñados y se sentó a la pequeña mesa, sepultada por platos, papeles y ceniceros rebosantes de colillas. Cuando volvió a sacar la cabeza de debajo de la toalla, con la cara hinchada del vapor, y vio a Eleni, que se relamía como si en el sueño estuviera comiendo algo delicioso, Otto —a pesar del goteo de la nariz— se sintió inspirado como nunca antes. Y entonces todo fue muy rápido. Echó mano a un sobre sin abrir que había por allí, le dio la vuelta y ya tenía la melodía entera en la cabeza, y no una melodía ajena, sino su primera melodía propia, la melodía de lo que sus ojos tenían delante: la Mayor, sol menor, re Mayor... Anotó los acordes del acompañamiento a toda prisa, la melodía ya estaba clara, y el texto también, como si hubiera existido siempre y Otto no hubiera tenido que inventarlo sino simplemente encontrarlo y recogerlo.

Y Otto, mirando alternadamente a su Eleni y al papel, escribió el primer gran éxito de los treinta y siete que habría de componer a lo largo de las tres décadas siguientes, y el único del que se sentiría orgulloso en toda su vida:

Pelo en los ojos
el dedo en el oído
no queremos oír
no queremos ver

y, sin embargo, yo
solo quiero
besar tus párpados
con el peso del vapor

Y cuando Eleni se despertó, murmuró «Buenos días» y se limpió la saliva de la comisura de los labios un poco avergonzada, Otto sacó la guitarra y tocó por primera vez el mayor *hit* de su vida, que en honor de los hábitos de Eleni a la hora de dormir tituló «Pelo en los ojos».

Los periodistas musicales habrían de pasar décadas elucubrando cómo aquella imagen del pelo en los ojos llegó a convertirse en la metáfora de que tantos de aquellos hijos del movimiento pacifista estaban ciegos ante sus verdaderos problemas. O cómo el texto expresaba la necesidad de un amor sin límites que, sin embargo, fracasaba ante el mínimo obstáculo (el «pelo en la sopa» sobre el que bromearía más adelante un teórico de la cultura en sus conferencias), o cómo el vapor se prestaba a ser interpretado como símbolo de las drogas. A lo largo de los años, los exégetas llegarían a estar de acuerdo en que aquella canción era como el último momento culminante del movimiento pacifista y, al mismo tiempo, el principio de su final.

En realidad, lo único que era la canción en su origen era una muestra del bien que Eleni hacía a Otto.

Antes de conocer a Eleni, Otto solo había hecho cosas a medias. Lo único que había llevado a término, por así decirlo, era lograr que lo expulsaran del seminario sin opción a ser readmitido jamás y, además, que lo excomulgaran. Siempre se le había dado muy bien destruir y echar a perder cosas, todo lo mal que se le daba construir y crear. Le robó los ahorros a su abuelo, los escondió en el estuche de la guitarra y se marchó a Hamburgo para convertirse en el Bob Dylan alemán. Pero se quedó colgado en Hildesheim, donde simplemente cantaba en alemán los grandes éxitos de Bob Dylan, que eran los que atraían al público; y si Otto llegó a ser una celebridad local fue gracias a que estaba de muy buen ver. Era alto, tenía los hombros anchos y un torso que merecía la comparación con un cucurucho de helado, a pesar de que se alimentaba prácticamente de embutido y cerveza. Por más que pasara la vida entera maldiciendo a los católicos y a los bávaros, nunca habría de abandonar el embutido y la cerveza de trigo, como tampoco su marcado acento de esa zona. Tenía la piel un poco bronceada porque le gustaba ir a los lagos o a cualquier paraje similar a una montaña en su tiempo libre, los ojos grises y el pelo rubio, siempre revuelto. Sea como fuere, Otto parecía recién salido de la cama a cualquier hora del día. Y eso hacía latir a doble velocidad los corazones de las numerosas maestras de educación infantil y mediadoras culturales en ciernes, estudiantes de ciencias políticas o de pedagogía, musicoterapia o terapia a través de las artes plásticas que poblaban las aulas de la Escuela Superior de Pedagogía de Hildesheim.

Pero luego conoció a Eleni, que no podía ser más distinta de todas aquellas chicas. Eleni le criticaba por no escribir canciones propias en lugar de limitarse a tocar las de los norteamericanos. Eleni lo sacó de su letargo, siempre sabía dónde estaba anunciada qué manifestación, dónde y cuándo tenía lugar un festival de música. Eleni aguzó su sentido de la injusticia y le contagió la energía que ella rebosaba. Eleni desbarató la vida de Otto como un remolino de viento y sacó todo lo bueno que había en él y que él mismo apenas recordaba.

*   *   *

Para finales de mil novecientos setenta y tres, Fräulein Haselbacher y Lefti daban largos paseos por toda la ciudad. Contemplando la escarcha, él compuso la primera rima en alemán de su vida:

—Flores de escarcha traeré para ti / si con mis flores te hago feliz.

Hasta que no les ardían las mejillas de frío no entraban en algún café para recuperar el movimiento de los dedos casi congelados con una taza de chocolate con nata (Fräulein Haselbacher) y de café con mucho azúcar (Lefti). El invierno que, ya en aquellos días de noviembre, se instalaba en Hildesheim era el segundo que pasaban juntos.

Ni Lefti ni Trudi tenían en la ciudad familia que el otro debiera conocer. Los dos trabajaban muchas horas, y, cada dos meses, Trudi tomaba el tren nocturno de Hannover a St. Pölten para visitar a su anciana tía. Esas Navidades, Lefti volvería a Varitsi por primera vez en dos años. Después de conocer a Trudi, el año anterior había cancelado el viaje porque no sabía mentir. Y menos aún a su madre. Las raras veces que hablaba con ella por teléfono, ya había sabido averiguar que Eleni y él no vivían como el matrimonio que habría deseado que fueran, así que solo la llamaba si era para hablar de algún asunto tan especial y complejo que no dejara tiempo para tratar también temas como el amor, la descendencia y el regreso a la patria helena.

Lefti y Trudi entraron, pues, en un café de la zona peatonal, y se sentaron el uno frente al otro. La luz era de un tono amarillo anaranjado, las cortinas marrones, la tapicería de las sillas verde, y el revestimiento de madera de las paredes aun iba recubierto con una tela azul y rosa que la camarera estaba adornando con guirnaldas de papel troquelado.

—Pero no te olvides de decirle a tu prima que no deje nunca la olla exprés sin vigilar, no sea que le estalle —dijo Trudi, dio un sorbito a su chocolate caliente y señaló un gran paquete envuelto en papel verde. Lefti asintió con la cabeza y se inclinó para limpiarle un poquito de nata de la comisura de los labios. Cuando sus dedos rozaron la mejilla de Trudi, ella se apartó hacia atrás como estremecida.

—¿Qué pasa, cariño? —preguntó Lefti cauteloso mientras Trudi sacaba una servilleta de papel de un expendedor repleto de ellas.

—Ay, Lefti, no sé... —Trudi cruzó los brazos y se puso a observar cómo la camarera destrozaba una guirnalda de papel tras otra porque las estiraba demasiado—. Es que te vas a Grecia.

—¿Y eso es un problema? Me puedo quedar aquí y celebramos las Navidades juntos. —A Lefti le entusiasmaba la idea de no volver a su casa ni tener que exponerse a las preguntas incómodas, fingiendo una enfermedad para cancelar el viaje, y así disfrutar de unos días bonitos con Trudi.

—No, no es eso.

—¿Es que tú también quieres una olla exprés?

—Quiero conocer a tu familia. Quiero que esta relación sea oficial de una vez. Y quiero tener una familia propia. Tengo treinta y dos años, Lefti. Se me acaba el tiempo.

Lefti sintió un repentino picor en las orejas y le sudaban tanto las manos que tuvo que secárselas en el pantalón de pana mientras clavaba la vista en el suelo, consternado. Ya intuía él que en algún momento Trudi acabaría dándole pasaporte. Todo el mundo podía ser feliz menos él: Lefti. Él estaba condenado a la desgracia eterna. Y, por primera vez desde aquella que creyó que había regresado a Varitsi su padre pero luego era su tío, se le humedecieron los ojos. No había llorado ni cuando murió su abuela, ni una vez que un compañero de trabajo sin querer se le llevó por delante un trozo de carne del muslo con un pico, ni tampoco el día de su boda. Trudi estaba a la espera, pero Lefti no sabía qué esperaba, con lo cual no dijo nada, con lo cual también Trudi se echó a llorar en mitad del café de peor gusto en mitad de la zona peatonal de peor gusto de toda Alemania. Lefti y Trudi siempre se esforzaban por no llamar la atención, pero en aquel instante les dio absolutamente igual que todas las señoras con sombrerito que los rodeaban interrumpieran sus tertulias frente al consabido café con tarta para clavar la mirada en ellos. La última en levantar la vista de la mesita en la que jugaban a la canasta fue la viuda de un conocido arquitecto de la posguerra, Gries, quien antes de terminar la guerra había huido de Mecklenburgo y era el culpable de la mayoría de los crímenes arquitectónicos cometidos en los sesenta en la reconstrucción del centro de la ciudad, dada su fe en la eficiente sencillez y serena grandeza del hormigón, hasta que un día le cayó encima una viga y le aplastó el cráneo. Las compañeras de partida habían dejado de prestar atención a las cartas hacía minutos para mirar fijamente y con bien poco disimulo a aquella parejita de la mesa del rincón que, si bien no se parecía en nada a los jóvenes descastados de hoy en día, daba rienda suelta a sus sentimientos con una falta de recato que ofendía los rectos valores de la viuda de Gries. Así que la honorable señora depositó sus cartas sobre la mesa en forma de perfecto abanico, agarró el bastón de su compañera y dio un golpe a la silla de Lefti.

—A ver, joven caballero, señorita…, ya que no son capaces de dominarse en un respetable establecimiento público, al menos podrían ser tan amables de hacernos partícipes de los motivos de su absoluta falta de compostura.

Lefti y Trudi miraron a la viuda desde la tristeza más profunda, vacilaron un instante e hiparon casi a la vez:

—Es que… él… es que… ella… no me quiere… no me quiere.

Como si les hubiera caído un rayo, se miraron.

—Bueno, pues si usted no quiere a esta señorita ni esta señorita le quiere a usted, no veo por qué tienen que armar este escándalo aquí —concluyó la viuda y retomó las cartas para seguir con la partida—. Señoras, ¿a quién le toca dar?

—Pero Trudi…

—Pero Lefti…

—Pero si yo sí que te quiero.

—Que no, que te quiero yo a ti.

—Que no, yo a ti.

Y sin dejar de discutir quién quería a quién cuánto y cómo y quién más, entrelazaron las manos y se arrimaron, y, cuando al fin se dieron un beso de reconciliación, los últimos clientes del café volvieron a centrar la atención en sus respectivas mesas.

—Casémonos —musitó Trudi con el maquillaje corrido.

—¡Por supuesto! —dijo Lefti—. Solo que… antes me tengo que divorciar.

En el intervalo de unos segundos, el rostro de Trudi pasó de un furioso tono granate a un blanco como la ceniza.

—¿Cómo? —Y cuando Lefti le explicó que estaba casado con su prima, pero que no la quería y que, además, ella también llevaba mucho tiempo con otro, y que no se veían desde hacía meses y que ella solo pasaba por el piso común para lavar la ropa, y que de todas formas solo se había casado con ella para que la dejaran salir de Grecia porque era comunista, aunque también porque su familia les tenía organizada la boda desde que eran niños, pero que en cualquier caso su prima era una mujer imposible que no le había causado más que daño a lo largo de toda su vida, Trudi Haselbacher derramó el chocolate del susto y lo puso todo perdido.

—¡Por Dios, ya está bien, ni que estuviéramos en una de esas películas de amor indecorosas! —protestó la viuda de Gries desde su partida de canasta, pero Lefti lo atribuyó sin más a que no tenía ni idea de lo que es la felicidad.

Cuando entraron los tanques

El diecisiete de noviembre de mil novecientos setenta y tres, Eleni estaba sentada en una silla de la taberna de Nikos frente al televisor y se apretaba las manos contra la boca. A su lado estaba Dimitris, con la mano en el hombro del chico de Creta. Ninguno decía nada, todos tenían la vista clavada en la pantalla y no podían creer lo que estaban viendo: imágenes de estudiantes ocupando la Politécnica de Atenas, agarrados a las rejas, subidos en los muretes, ondeando banderas; pancartas por todas partes; y por todas partes gente joven que compartía la visión de Eleni, de Dimitris, de Nikos, de todos los que estaban sentados en el local sin decir nada. Trabajadores y alumnos del liceo, estudiantes de la universidad y ciudadanos... llevaban tres días ocupando la Politécnica. El día anterior, los cuatro miembros de la directiva de la Asociación de Griegos de Hildesheim se habían reunido en la taberna de Nikos elucubrando si aquello realmente era el comienzo de una gran revuelta, del tan esperado y necesario levantamiento contra el régimen fascista de los Coroneles. En sus oídos aún resonaban las consignas que, aunque la retransmisión era muy mala, habían oído por la radio: «¡La Politécnica lucha!», «¡Pueblo griego, la Politécnica abandera nuestra lucha y vuestra lucha y la lucha común contra la dictadura y por la democracia!». Llevaban días reuniéndose una y otra vez, siguiendo de cerca y comentando los acontecimientos; cualquier noticia por pequeña que fuera les causaba gran excitación. Dimitris había sacado un billete de avión para Atenas para dos días después: quería estar allí mientras se hacía historia. Después de seis años y medio como en trance, la población parecía haber recobrado las fuerzas. La gente estaba harta, quería una Grecia libre y democrática, y, por primera vez, en la taberna de Nikos se mencionó que tal vez sería posible volver pronto. Volver a casa. A una patria libre.

Pero desde la primera hora de aquel día, había nuevas imágenes: tanques cruzando el portón de la Politécnica aunque hubiera gente al otro lado de las rejas. Jóvenes que jamás habrían imaginado acabar arrollados por un tanque. Que un tanque les pasaría por encima sin más. Masas de soldados. Policías con porras. Esposas. Camiones de detenidos. Tanques, humo, gritos, pancartas pisoteadas. Consignas pisoteadas. Esperanzas pisoteadas.

«Brutal represión de la revuelta», decía la campanuda voz del locutor de las noticias, pero a los amigos les faltaban las palabras. «Brutal» era una palabra demasiado suave para describir aquellas imágenes. «Revuelta» tampoco estaba a la altura de un movimiento como el que se había dado. «Represión» dolía: todos tenían algún conocido estudiando allí. La madre del chico de Creta le llamaba a diario porque su hermano estaba entre los ocupantes.

—Quién sabe, las imágenes son muy borrosas, solo se le ve de espaldas —musitaba Dimitris para sí una y otra vez—. De espaldas, todos parecen iguales.

🍂 🍂 🍂

Sin aliento, con todas aquellas imágenes agolpadas en la cabeza y el pulso desbocado, pasando de camino por delante de la sede de las Juventudes Socialistas, Eleni subió las escaleras hasta la buhardilla de Otto, casi saltando por encima de las cajas de cerveza vacías y de los montones de periódicos. No estaba echada la llave, así que él debía de estar en casa. ¿No había dicho que tenía un concierto en Hamburgo? El primer disco de Otto había salido en verano. Al principio, Eleni lo acompañaba a todos los conciertos y festivales, de norte a sur del país. Al principio, después de cada actuación pasaban horas juntos, salían. Pero en algún momento empezaron a ser muy frecuentes las expresiones del tipo «estar solo» o «un poco de tranquilidad». Ya no hablaban durante los viajes en tren. Después de los conciertos, no se acostaban, aunque era la única rutina que habían consentido no romper nunca y que les gustaba.

—Ah, eres tú…

Otto estaba en la entrada con una toalla sucia por todo atuendo. Apoyaba el brazo en el quicio de la puerta y no la dejaba pasar. Eleni le vio las pupilas y no quiso ponerse a discutir sobre lo que habría tomado. A Eleni le gustaban los porros y hasta el final de sus días disfrutaría los que ella misma se liaba, pero las sustancias sintéticas le daban mala espina, ya fueran pastillas o cubitos de caldo.

—¡No te figuras lo que está pasando en Atenas!

—¿En Atenas? Mira, Eleni, necesito dormir. Ayer no me acosté hasta las cinco y hoy me he levantado a las ocho para ir a la radio, a varias entrevistas, estoy que me caigo.

Otto se dio la vuelta, avanzó unos pasos y se dejó caer en la cama.

—¡¿En Grecia hay tanques arrollando a mi gente y tú necesitas dormir?!

Otto emitió un gruñido y se tapó la cabeza con el edredón. Durante un rato, se oyó cómo respiraba muy tranquilo mientras Eleni se sentaba a la mesa, encendía un cigarrillo y esperaba que se levantara y hablara con ella. Pero cuando Eleni terminó de fumar, lo único que dijo Otto fue:

—Vamos, Eleni, olvídate de los tanques y vente aquí conmigo…

Lo que la nieve no puede ocultar

En la ciudad al pie de la alta montaña, en diciembre de mil novecientos setenta y tres, Lefti tardó mucho en encontrar a un taxista dispuesto a llevarle hasta Varitsi por el precio que él tenía pensado. Nada más sentarse en el asiento trasero, se arrepintió profundamente de haber sido tan tacaño con el taxi, porque el conductor no paraba de hablar de los acontecimientos de noviembre. Daba igual que Lefti le insistiera en que prefería viajar en silencio, porque el taxista seguía a vueltas con la revuelta estudiantil de la Politécnica. Al cuarto de hora, Lefti le dio una voz y lo mandó callar. Por trágico que fuera que hubiesen perdido la vida tantos jóvenes, a él, Lefti, no le interesaba. Y entonces el taxista tuvo que encontrar otra vía para dar rienda suelta a su rabia.

—La madre que trajo a estas montañas… —Fue refunfuñando todo el camino hasta Varitsi y maldiciendo en voz alta a los idiotas que vivían en aquella zona, que era el culo del mundo, porque cómo se podía ser tan necio de establecerse allí voluntariamente, y cada vez que se cruzaban con un borrico, gruñía:

—Si ya lo decía yo, el culo del mundo.

Lefti ni le contestaba: después de todo, en aquella zona borricos y taxis competían entre sí.

Cuando bajó del taxi, le dio la impresión de que Varitsi hubiera encogido. Muchas de las casas deshabitadas en su niñez se habían derrumbado por completo o incluso convertido en solares. Desde la plaza del pueblo se tenía una buena vista sobre los tejados; muchos de los que aún se habían retejado con tanto esfuerzo cuando él era joven estaban hundidos. Ahora había una toma de electricidad en el pueblo, pero solo tenían corriente en cuatro casas y las calles no estaban iluminadas. Pasaron corriendo unos niños y Lefti se asustó de lo que chillaban y alborotaban…, los niños alemanes no harían algo así jamás, y menos tocarían a un desconocido, mientras que allí todos empezaron a tirarle del abrigo:

—¿Nos has traído algo bueno, tío?

A Lefti se le partió el corazón. Cuántos de aquellos niños no estarían esperando a sus propios padres, emigrados al extranjero para ganar dinero porque allí, en Varitsi, no había nada que diera para vivir. Y antes aún de llegar a la casa en la que se había criado, se dijo convencido que no volvería a Varitsi en su vida. Al margen de que cayera la junta militar o de que Eleni y él se divorciaran. ¿Qué iba a hacer él allí? Y, sobre todo, ¿qué iba a hacer allí su delicada Fräulein Haselbacher?

El recibimiento fue un auténtico despliegue de agasajos. Había acudido incluso Foti con sus niños, que ahora vivían en la ciudad portuaria, donde el marido trabajaba en un astillero. Christina y sus cinco retoños pululaban por la cocina mientras que Despina no podía parar de llorar desde que su hijo volviera a abrazarla después de tanto tiempo. La mesa casi se hundía bajo el peso de las viandas que habían preparado en honor de Lefti, aunque la verdad era que él no tenía mucha hambre. Por primera vez le llamó la atención el ansia con que engullían la comida todos. En la sopa de alubias aun mojaban pan y sorbían hasta el último resto. Se llenaban tanto la boca que se les inflaban los carrillos. Trudi le había enseñado a no apoyar los codos en la mesa y a comer a pequeños bocados, porque así se apreciaba mucho mejor el sabor cuando se tomaba algo rico.

—¿No está bueno?

—Qué va, está delicioso, solo que quiero disfrutar de la comida.

—¿Disfrutar?

—Sí, saborearla más.

—¿Más? Pues rellénate el plato.

Despina y Pagona, con los cincuenta años cumplidos, tenían el pelo canoso, y las facciones se les habían endurecido. Spiros cumpliría sesenta al año siguiente y tenía una ligera joroba, aunque a él se le habían suavizado los rasgos y tenía más cara de buena persona, sonreía de vez en cuando y jugaba con sus nietos. Foti había engordado casi treinta kilos. Seguía sin perdonar a la familia, y aquella noche les dejó bien claro a todos que, por ser la hermana del medio, era la que peor ajuar había tenido. A Christina apenas le quedaban dientes. Lefti pensó que en Alemania jamás había visto dentaduras tan hechas una pena como aquella. No paraban de preguntarle por Eleni: que si cómo estaba, y qué hacía, y que si tenía amigos, y que si comía bastante, que cuánto pesaba, que si le funcionaban bien las tripas... A diferencia de Lefti, Eleni nunca hablaba por teléfono con su familia. De no ser porque Lefti, todos los meses, le dejaba en la mesa de la cocina una postal de Hildesheim que ella firmaba cuando pasaba a por ropa limpia, en su casa ni siquiera tendrían noticia de que seguía viva. Lefti no sabía qué contestar, así que imaginó que las preguntas se referían a Trudi:

—Pues está muy bien. Estaba un poco resfriada cuando me fui, porque pasamos mucho tiempo paseando al aire libre, pero estoy seguro de que ya está bien... La verdad es que tiene muy buena salud. Es muy trabajadora, está empleada en un colegio y es conmovedor cómo se ocupa de sus vecinos. Le hace la compra a una señora mayor, a otra le sube el correo todos los días hasta el último piso, y hay otro señor que está casi ciego al que le lee en voz alta los prospectos de las medicinas. Sí, claro que come bastante, yo la llevo a cenar tres veces a la semana y siempre probamos cosas nuevas. Imaginaos que la última vez probamos la comida china y, en lugar de cuchillo y tenedor nos dieron unos palillos. ¡Qué cosas! Y, en fin, sobre cómo le funcionan las tripas, pues tal vez no es de recibo hablar aquí.

Despina le dio unas palmaditas en el muslo:

—Popopopopopo, ya veo que es bien buena.

—Desde luego que lo es —confirmó Lefti.

Cuando repartió los regalos que traía para todos, Lefti también calló que era Trudi quien los había escogido. Eleni, quien con el paso de los años echaba en cara a su familia que aceptara la dictadura militar, ni siquiera le había dado recuerdos para ellos.

Despina y Pagona estaban encantadísimas con sus nuevos sombreros, modernos pero lo bastante discretos como para que no las criticaran los vecinos y, sobre todo, estupendos para mantener calientes las orejas, pues las gemelas padecían de otitis crónica. Foti se paseaba como un pavo con su bufanda de cachemir, Christina besaba la tapa de su olla exprés, los niños no querían soltar sus juguetes alemanes y Spiros disfrutaba de una manta eléctrica para el reúma que media hora antes había despreciado.

—Una maravilla, una maravilla… —murmuraba.

Entre las comidas familiares, las visitas a los vecinos y los ratos en que jugaba con sus sobrinos y sobrinas, contentísimos de que por fin hubiera algún hombre joven en la casa que se prestara a hacer de caballito y de saco de boxeo, Lefti paseaba por un Varitsi nevado.

—¿Qué haces dando vueltas con este frío? —le había preguntado su madre, que no le encontraba el sentido a una acción como pasear. ¿Andar sin tener que ir a ningún sitio a algo? ¿Por voluntad propia y aunque hiciera frío en la calle?

Pero Lefti se anudaba la bufanda por fuera del cuello del abrigo, se ponía los mitones de punto que le había tejido Trudi y recorría aquel pueblo que antaño fuera un punto clave en la ruta del comercio. Allí habían vivido casi cinco veces los que eran ahora, cuando aún se transportaba la sal a través de la alta montaña a lomos de las mulas o incluso cargada por las personas. La vieja cisterna se había derrumbado en parte, la iglesia hacía poco que ya no tenía párroco y habían cerrado la escuela, con lo cual los contados niños del pueblo tenían que levantarse a las cuatro y media de la mañana para bajar al valle en autobús. Lefti no tardó en comprender que, en el fondo, el pueblo entero estaba esperando a marcharse. Por su propio pie o con los pies por delante. Al cruzarse con una embarazada, le deseó al bebé de todo corazón que naciera con alas, porque así le sería más fácil salir volando de allí.

🍃 🍃 🍃

El veinticuatro de diciembre, Otto durmió hasta la tarde. Eleni se había despertado a las diez y, viendo cómo dormía, asumió que no iba a levantarse en bastantes horas. Se puso toda la ropa de abrigo que encontró e hizo algo insólito en ella: salió a dar un paseo. Eleni nunca consiguió entender semejante despropósito tan típico en los alemanes. O se iba a un sitio porque uno tenía algo que hacer allí, o se venía de algún sitio de hacer algo, pero lo de andar porque sí, así, sin objeto, era un misterio para ella. Aquel veinticuatro de diciembre, sin embargo, salió a dar el primer paseo de su vida porque no sabía qué otra cosa podía hacer. La taberna de Nikos estaba cerrada, sus amigos se habían ido a casa de sus respectivas familias o a las de otros amigos.

A Eleni no le gustaban las zonas peatonales. Nueve meses atrás, había roto el cristal del escaparate de unos grandes almacenes durante una manifestación en Hannover. Otto la había agarrado de la mano y habían echado a correr abriéndose paso entre la multitud, se escondieron en un aparcamiento a medio construir, resoplando, hicieron el amor, se fumaron un porro y volvieron a ponerse en la cola de la manifestación muertos de risa. Cada vez que pasaba por la zona de escaparates del centro, a Eleni le volvían a entrar ganas de romper cristales a pedradas. Pero en las casas de encima de los escaparates vivía gente, un ejército de espías escondidos tras los visillos de encaje blanco, toda una legión de ojos... Espiar a los vecinos también era de lo más normal en Varitsi, solo que allí nadie se tomaba la molestia de disimular.

Eleni torció la calle en dirección a la plaza del mercado, donde estaban desmantelando los puestos del mercadillo de Navidad.

Solo dejarían instalada, hasta enero, la pista de patinaje sobre hielo. Se apoyó en la barandilla: niños, adultos y ancianos se deslizaban sobre el hielo a toda velocidad. Entre todos los jerséis gruesos y los gorros de punto le llamó la atención una pareja: los dos pasaban de los sesenta años, tenían la cara toda arrugada y el cabello blanco, pero patinaban en medio de la masa bulliciosa como si estuvieran solos en el mundo. El bigote blanco del señor se curvaba hacia arriba de lo que reía. Su señora tenía las comisuras de los labios tan estiradas que hasta se le veían los enganches de metal de la dentadura postiza. Patinaban despacito, con mucho cuidado, sin soltarse un segundo. Ni siquiera se soltaron cuando él se cayó y la arrastró al suelo también a ella. Se cayeron juntos y siguieron riendo. Llevaban las manos entrelazadas como si fueran un solo cuerpo y no hubiera tormenta ni vendaval en el mundo capaz de separarlos nunca. Eleni se acordó de una vieja historia de las que le contaba Yaya María:

Zeus, el padre de todos los dioses, quiso saber cómo eran los mortales y si aún los había de buen corazón. Así que llamó a Hermes, el mensajero de los dioses para que lo acompañara, se disfrazaron de viajeros pobres y fueron por las casas de los mortales. En los palacios y las villas los rechazaban, y cuando ya estaban a punto de abandonar, una pareja de ancianos campesinos muy, muy pobres, les ofrecieron pasar la noche en su casa. El anciano les preparó su propia cama y la anciana sacrificó el único gallo que les quedaba después de un largo invierno para ofrecerles algo de cenar. El corazón del padre Zeus se conmovió, y el dios inundó la estancia entera de un brillo dorado y reveló quién era:

«Sois los últimos mortales de buen corazón sobre la faz de la tierra. En señal de agradecimiento, os concederé vuestro deseo más ardiente. Decidme qué queréis y será vuestro».

La pareja de ancianos se miró a los ojos un instante, se dieron las manos y sonrieron:

«Padre Zeus, a nuestra edad ya no se desea mucho, pero sí que podríais concedernos la mayor dicha en la tierra: haced que después

de muertos nos convirtamos en sauces cuyas ramas se entrelacen como lo hacen ahora nuestros dedos para que así podamos pasar la eternidad sin separarnos el uno del otro».

Y Zeus les concedió el deseo, y hasta hoy se puede ver que, en lo alto de la colina mágica, allá en los montes de los dioses, con vistas a un valle de suaves laderas, se yerguen dos sauces, y sus ramas se entrelazan mientras, mecidas por el viento, entonan susurrando sus cantos de amor. Y vivieron bien, pero nosotros vivimos mejor aún.

Eleni le contó la historia a Otto cuando volvió a casa y lo encontró frente a la cocina, con sus pelos revueltos, preparando con torpeza infinita un café en el hervidor griego según le había enseñado ella. Lo que no intuía Otto aquel día de Nochebuena era que, años más tarde, el primero de sus discos con un puesto en el Top Ten llevaría el título de *Sauces al viento*. Hasta llegar ahí, todavía le quedaban por vivir tres ingresos en clínicas de desintoxicación, un juicio por abuso de drogas y quedarse en la ruina más absoluta, si bien después el disco representaría su gran regreso a los escenarios y aunque decepcionaría a sus fans de antes, se ganaría a los amantes del pop facilón.

Después de celebrar la Nochebuena sin hacer nada especial, el veinticinco de diciembre despertó a Eleni un olor dulce muy familiar que no percibía desde hacía años.

—¡Kalajristojenna! —murmuró Otto mientras ella se frotaba los ojos.

—¿Qué?

—¡Kalajristojenna! —repitió Otto vacilante, mientras ella se sentaba en la cama. No daba crédito a lo que veía: la casa entera estaba adornada con barquitos de papel con velas, sobre la mesa había un plato de *kourabiedes,* unas pastas de mantequilla con almendras y azúcar en polvo deliciosas, además de *melomakarona,* unos bollitos borrachos de miel riquísimos: los típicos dulces de Navidad de su infancia. Otto repitió por tercera vez «Kalajristojenna» y Eleni al fin comprendió que hasta había intentado aprender a decir «Feliz Navidad» en griego moderno.

—Es «Kalá Christoúgenna» —corrigió Eleni, saliendo de la cama y rodeando con los brazos el cuello de Otto.

—Eleni, yo te quiero. Me supera todo lo que está pasando, así que he pensado que nos merecemos un poco de tranquilidad. Estar los dos solos un poco, hacer algo juntos, solo nosotros. ¿Te acuerdas de cuando los Beatles estuvieron en Ashram, en la India? Sería genial hacer algo así. Yo practico la meditación, tú haces yoga; claro, como eres tan flexible. Nos recargaríamos de energía tomando el sol, que estamos los dos muy pálidos, y a ti te hace falta, que por algo eres del sur. Vámonos lejos de este frío.

En aquel galimatías, Eleni no entendía nada. A Otto no se le daba nada bien expresar sus sentimientos. Siguió farfullando un rato hasta que Eleni no pudo resistirse a picotear un trozo de *kourabiedes,* momento que Otto aprovechó para sacar dos billetes de avión del bolsillo de los pantalones: a Bombay. Faltó poco para que Eleni perdiera su oportunidad de conocer la India, porque se atragantó con un trozo de pasta y casi se asfixia allí mismo. Empezó a toser y a jadear con la cara muy colorada, y Otto se llevó tal susto que la rodeó con los brazos y le apretó el pecho, de tal suerte que por fin escupió aquel fatal trozo de *kourabiedes* que a punto estuvo de convertir el festejo navideño de Otto en una tragedia griega.

—¿La India? —balbuceó Eleni sin poder creerlo.

—Seis meses enteros. Solos tú y yo y la guitarra. ¿Te has quedado de piedra, eh?

—Pero, Otto, ¿cómo me voy a marchar de Europa? En mi país acaban de aplastar una revolución, la junta militar oprime al pueblo más que nunca. ¡Hay que hacer algo, ejercer presión desde el extranjero o las cosas no cambiarán jamás!

La mirada de Otto se ensombreció.

—¿Y nosotros qué? Apenas hemos podido pasar tiempo juntos. Yo creo que a nuestra relación le hace más falta la India que a Grecia una manifestación más en Alemania.

🍂 🍂 🍂

El final de las fiestas de Navidad griegas era la Bendición de las Aguas del seis de enero, la ceremonia que más le gustaba a Lefti desde niño. Después de la misa, toda la comunidad se reunía fuera del pueblo, en la zona más ancha de la ribera, donde se formaba una pequeña piscina natural en la que el agua llegaba a la cadera. Allí iban las mujeres a lavar la ropa, por lo que no dejaban bañarse a los niños, para gran disgusto de Lefti cuando era pequeño. No obstante, una vez al año permitían meterse en el agua: el día de la Bendición de las Aguas, ceremonia en la que el sacerdote conmemoraba el bautismo de Jesús y lanzaba al agua un crucifijo de oro que los jóvenes tenían que encontrar buceando. Lefti lo había intentado durante años, pero siempre había alguno más rápido que él. Mientras la comunidad permanecía de pie junto al agua y suaves copos de nieve caían sobre gorros y pañuelos, Lefti miró a su alrededor para constatar que todos los que en su día le superaban se habían ido del pueblo: Stanis, Mikalis, Theodoros y un segundo Stanis estaban trabajando en Alemania. De los dos Stavros, uno estaba en Bélgica y el otro en Estados Unidos, como también Mikis y Andreas. El resto seguía en el país, pero en alguna de las ciudades más grandes. Si de ahí se habían trasladado a otro sitio, eso ya no se sabía con seguridad. El anciano campanero, que era el que siempre tomaba nota de esas cosas, había muerto el verano anterior y no habían sabido encontrar la libreta donde tenía las direcciones de todos. El único de la generación de Lefti que seguía en Varitsi era Loukas. Lefti ni había hablado con él desde su regreso. No sentía hacia él ni miedo ni rabia ni ganas de vengarse, sencillamente le inspiraba compasión. Loukas tenía mal aspecto. Se le veía la piel amarillenta, los párpados hinchados y las bolsas bajo los ojos apenas le dejaban abrirlos. Loukas, que había servido al país con los hombres de verdad, como también su padre había conocido a los hombres de verdad, había hecho una carrera modélica con la dictadura militar: jefe de la policía militar de Varitsi, jefe de la administración general de Varitsi, hasta hacía poco, incluso había llegado a alcalde de Varitsi, pero entonces el gobierno regional había decidido fusionar el pueblo con otras cinco localidades más de la alta montaña que también eran cada vez más pequeñas. La chica con la que, en su día, se iba a casar había huido la noche anterior a la boda para aparecer después en un convento, con lo cual las pocas mujeres en edad y disposición de casarse hicieron por mantenerse a distancia. Así pues, Loukas cada día estaba más viejo y más solo. Y, observándolo así, Lefti pensó por primera vez que, sin la escolta de amigotes que lo había acompañado siempre, Loukas resultaba inofensivo. ¿Cómo había podido tenerle tanto miedo, con esos deditos tan delgados que tenía?

Cuando el sacerdote hubo concluido la bendición y lanzado el crucifijo al agua, Loukas se apresuró a desnudarse. Lefti se dio cuenta de que todos los ojos estaban clavados en él, esperando que se desnudara también, pero estaba nevando y a él ni se le pasaba por la cabeza zambullirse en una piscinilla a cuatro grados. Loukas se agitaba en el agua como un salmón y sacó la cabeza tres veces antes de exclamar muy contento «¡Ya lo tengo! ¡Lo tengo!», con la mano en alto y el crucifijo en ella.

Un cansino aplauso celebró la hazaña, y ahí fue cuando Loukas se dio cuenta de que no le habría hecho falta esforzarse en absoluto. No tenía ningún competidor. Lefti seguía en la orilla, con las manos en los bolsillos y mirando en otra dirección. Loukas se limpió la nariz, se dejó de voces de júbilo, salió del agua, recogió su ropa y se vistió. Entregó el crucifijo al cura, recibió la bendición y fue el primero en volver al pueblo lo más deprisa que pudo.

—¿Y tú por qué no te has tirado al agua, Lefti? —importunaron a este por el camino de vuelta.

—Porque el agua está a cuatro grados.

Lo que se calló fue que ahora le parecía una completa estupidez seguir honrando en la alta montaña una tradición que sin lugar a dudas procedía de las regiones del sur, las que tenían playa. No, Lefti no habría de echar de menos aquellas costumbres de Varitsi que se imponían de generación en generación sin reflexionar sobre ellas, y pensó que, ahora que le faltaba poco para volver a Alemania de nuevo, era el momento de decirle la verdad a su familia.

Despina estaba sentada en la mecedora de su dormitorio. Llamar habitación a aquel espacio era excesivo, pensó Lefti desde la puerta, pues apenas sabía dónde sentarse. Se asombró de que, de niño, jamás le hubiera llamado la atención que, cuando dormía en un colchón junto a la cama de su madre, ni siquiera se podía abrir la puerta. Sería porque tampoco había intentado entrar nadie nunca.

Despina se agarraba con fuerza a sus agujas de hacer punto y entre el puño asomaba la punta de un pañuelo.

—Lefti, ya sé que me vas a romper el corazón ahora mismo, así que sé breve.

Su madre le pareció vieja y frágil. Lefti era consciente de que, en los años pasados, no había querido pensar en lo sola que estaba.

—Mamá, me gustaría que te vinieras a Alemania conmigo.

—¿A Alemania? —La voz de Despina sonó tan aguda que Lefti no sabía si iba a echarse a llorar o a gritar o se quedaba sin aire—. ¿A Alemania, Lefti? ¿Con esos cerdos nazis que mataron a tu padre?

—A papá lo hicieron preso en la guerra civil. Su propia gente.

—Bueno, pero sin cerdos nazis no habría habido nunca una guerra civil —protestó Despina con la voz ronca, y Lefti vio el miedo y el horror en sus ojos.

—Mamá, allí me siento en casa. No voy a volver.

—Haz el favor de no decir eso.

—Es que es así.

—¿Y cómo lo sabes?

Lefti no tenía ganas de discutir con su madre. Conocía bien sus estrategias: no cedía y no cedía, invocaba a varios dioses y amenazaba con sufrir un infarto hasta que el pobre Lefti daba su brazo a torcer y reconocía en voz baja que era más sabia por ser mayor. Así que Lefti se limitó a sacar una foto del bolsillo interior de la chaqueta, una foto de Trudi y de él que había hecho un fotógrafo profesional durante las primeras vacaciones que habían pasado juntos en las montañas del Harz. Ya estaba un poco amarillenta porque Lefti la besaba todas las noches antes de irse a dormir, pero la sonrisa que mostraba en ella hablaba por sí sola. No tenía nada que ver con las bocas apretadas que tenían Eleni y él en el retrato de la boda que tenía Despina sobre la mesilla de noche.

—Se llama Trudi Haselbacher. La quiero, mamá. Y si de verdad me quieres, también la querrás a ella.

Los tiempos que corren

Eleni siempre vería como la gran ironía de su existencia que, después de haber seguido todos y cada uno de los movimientos de la junta militar durante siete años, al final se perdió lo más importante: su caída. Mientras la población griega se emancipaba del régimen como consecuencia de la brutal represión de la revuelta de la Politécnica, Eleni se dedicaba a descubrir los siete chacras. Mientras los griegos se echaban a la calle cada vez más veces, ella perfeccionaba la postura del escorpión y la técnica de la respiración. Mientras su país era pura efervescencia, ella pasaba horas abrazada a Otto en una hamaca. Los Coroneles se peleaban entre sí y Eleni saludaba al sol. La cúpula del poder heleno cambiaba y ella probaba la meditación bajo los efectos de distintas sustancias. Otto y Eleni estaban muy lejos de todo. No tenían acceso a las noticias y los pocos viajeros occidentales con los que se cruzaban estaban igual de lejos que ellos de los acontecimientos al sur de los Balcanes.

Quemados por el sol y acribillados por los mosquitos, Otto y Eleni volvieron a Alemania en la segunda quincena de julio. Hicieron escala en Ámsterdam y, en cuanto Eleni vio el primer periódico alemán en meses, toda la paz interior que había logrado en semanas de meditación, se fue al traste: Turquía había ocupado Chipre. Doscientos oficiales griegos habían exigido que la junta militar abandonara el poder. Después de tanto tiempo con la sensación de que el mundo no avanzaba, ahora que lo había asumido resultaba que sí había cambios.

En lo que tardaron en llegar a Alemania, Eleni no pudo parar quieta. Otto intentó tranquilizarla, pero ella enrolló el periódico y le atizó con él.

—Tú tienes la culpa —le dijo con un bufido, y Otto guardó silencio.

Cuando llegaron a Hildesheim, a última hora de la tarde, Eleni dejó a Otto en la estación con todo su equipaje sin decirle ni palabra y corrió directamente a la taberna de Nikos.

—Anda, mira…, si aún vives —le espetó este muy seco, y todos los que estaban en el local volvieron la cabeza como si se pusieran a ver las noticias. Y eso que en aquel momento no emitían noticias de ningún tipo en la televisión.

—Sí, he vuelto —dijo Eleni con intención de sentarse en una silla que vio vacía.

—Está ocupada —dijo la mujer sentada al lado.

—¿Dónde están los demás? ¿Dimitris? ¿El chico de Creta? —preguntó a Nikos, que fumaba detrás de la barra con gesto malhumorado.

—En Grecia, comprometidos con la causa y no de vacaciones. ¿Quieres tomar algo?

—No tengo sed.

—Ya, pero esto es una taberna y no una sala de estar.

Eleni lo miró con gesto interrogante, pero Nikos se puso a secar vasos sin prestarle más atención. Hasta que terminó el programa de la televisión y Nikos echó a todo el mundo, Eleni permaneció junto a la pared sin intercambiar una sola palabra con nadie. Esperó a que Nikos terminara de recoger y echara el cierre.

—Nikos, por favor, háblame.

El tabernero suspiró y se rascó el cuello, cubierto de poblada barba.

—Nos habrías hecho falta aquí, Eleni. Pero justo los seis meses más importantes desde que terminó la guerra preferiste irte a la jungla a retozar y fumar porros con el alemán ese, Orfeo de pacotilla.

Y, acto seguido, dio media vuelta y despareció en la infinita oscuridad de la noche de Hildesheim.

—¿Qué te pasa, Eleni? —preguntó Otto cuando ella volvió a casa. Había deshecho las maletas y estaba sentado en la cocina con una taza de té.

—La India ha sido el mayor error de mi vida —dijo Eleni, dejándose caer sobre la cama—. Yo lo intuía, pero me dejé engatusar por ti.

—Pero si ha sido estupendo —dijo Otto con cierta cautela.

—¿Qué tiene de estupendo cerrar los ojos y esconderse de un mundo que entretanto se desmorona? No ha sido nada estupendo, ha sido una cobardía.

Y entonces se volvió hacia la pared y no dijo una palabra más. Aquella noche, Otto no se atrevió ni a rozar siquiera el cuerpo de Eleni.

🌿 🌿 🌿

A la mañana siguiente, Eleni se levantó temprano y compró todos los periódicos que había, incluso uno turco. Otto también se había ido, tenía una cita en su compañía discográfica, y, como por la tarde ya no encontraba forma posible de distraerse, Eleni hizo lo que más miedo le daba en el mundo: fue al médico.

Eleni evitaba a los médicos todo lo que podía, porque a los nueve años le habían hecho una chapuza de operación de amígdalas en el hospital de la ciudad más próxima al pueblo. No sabía por qué, pero solo le habían extraído una de las dos amígdalas mientras que la otra se le había quedado en la garganta a medio cortar o medio pegada al paladar; en todo caso, al despertarse pocas horas después de la operación, con las comisuras de los labios rajadas y un dolor espantoso, le había dado un ataque de estornudos y había terminado echando la segunda amígdala por la nariz.

—Vaya... —fue todo lo que comentó la enfermera, muy seca—, se ve que el doctor no ha tenido cuidado.

Sin embargo, cuando Eleni fue al médico aquel veintitrés de julio de mil novecientos setenta y cuatro, no era el doctor sino el diagnóstico lo que le daba terror.

🍃 🍃 🍃

Otto llegó a la taberna de Nikos poco antes de las diez.

—¿Dónde está Eleni?

Nikos señaló el banco del rincón, justo al fondo del todo. Eleni estaba envuelta en un mantel, con la mirada clavada en el televisor, que emitía imágenes de una muchedumbre jubilosa en Atenas. Había gente bailando por las calles, ondeando banderas y cantando el himno de la revolución cretense, en tanto que Eleni sollozaba bajito como un cachorro olvidado en la calle.

Otto miraba alternadamente a Eleni y a la pantalla sin saber qué hacer.

—El país es libre, el antiguo presidente va a volver del exilio en París..., pero lleva horas ahí sentada y no me dice qué pasa. Entró tan nerviosa que pensé que le iba a dar algo. Por eso te he llamado —explicó Nikos.

—¿Qué te ha dicho el médico? ¿Es que estás enferma?

—No —hipó Eleni, apretándose el mantel sobre los hombros aún más.

—Entonces, ¿por qué lloras? Ha caído el régimen de los Coroneles. Ha caído la dictadura. Empieza una nueva era y tal...

Otto apoyó la mejilla sobre la cabeza de rizos de Eleni y los dos pasaron un rato mirando cómo las masas celebraban la caída del régimen en Atenas. En algún momento, Nikos exclamó:

—¡Mirad, ese es Dimitris! —Y, en efecto, con la mano en alto y los dedos formando la V de la victoria, vieron a Dimitris, bailando en medio de incontables jóvenes.

—¡Uau, cómo me gustaría estar en Atenas en estos momentos! —murmuró Otto, fascinado por aquellas muestras de pura alegría y excitación. Eleni cada vez estaba más callada, mientras el local empezaba a llenarse de gente.

—Otto —dijo finalmente—, estoy embarazada.

Otto no olvidaría aquel momento en toda su vida. Cuando cerraba los ojos, era capaz de oír la voz de Eleni y cómo, con los nervios, no había pronunciado la palabra correctamente, y eso que ya le salía bastante bien la consonante fricativa en principio de frase. Y luego recordaría la escena tal y como la había vivido entonces: el alma de Otto abandonó su cuerpo y voló hasta el techo, desde donde vio a una mujer bellísima de piel aceitunada, ojos enormes e indómitos rizos como sacacorchos oscuros. Sentada, con la espalda recta, una espalda de heroína griega que no se sometía a nada ni a nadie... y, con todo, temblando como una hoja. Junto a ella, un rubio quemado por el sol, atontado como un zombi sin saber qué decir. El rubio agarró los vasos de aguardiente que había sobre la mesa, apuró su contenido de un trago y los arrojó contra el suelo, donde se hicieron añicos.

—Pero bueno... —intervino Nikos con una ceja arqueada.

—Perdona, ha sido sin querer —dijo Otto, en tanto que su alma bajaba del techo y se le volvía a asentar en el cuerpo.

—¿Algo más? —preguntó Nikos además de traer una escoba.

—Sí, la botella entera —dijo Otto—. Para Eleni y para mí.

🍂 🍂 🍂

Semana y media más tarde, Eleni se hizo la dormida mientras Otto se vestía. Él sabía que no estaba dormida, pero le venía bien que se comportara así. Una vez tuvo recogidas sus cosas, se sentó sobre el colchón de manera que su espalda rozaba la de ella.

—Es que justo ahora no es el momento —repitió Otto por enésima vez, pues aquella había sido la frase más frecuente en los días anteriores—. Más adelante podremos tener todos los niños que tú quieras. Con rizos entre rubios y morenos y eso. Pero es que ahora no es el momento, eso es lo que pasa. La gira, el nuevo disco, tu política…, es que aún tenemos muchas cosas por hacer. —Otto carraspeó—. Tenías razón con lo de la India. Fue un error. Nos distrajo mucho de las cosas que nos importan de verdad.

Otto se metió en la boca un porro liado por él, pero no lo encendió.

—Pasaré a buscarte cuando salgas. Y nos iremos a cenar y te compraremos unas cuantas blusas que hagan juego con tus pantalones de yoga de la India. Será un buen verano. Iremos a bailar, cantaremos, lo pasaremos bien.

Le dio un beso en la cabeza.

—Ya verás cómo es todo muy rápido, y yo te estaré esperando al salir.

Otto agarró su guitarra y cerró la puerta tras de sí sin hacer ruido. En su turbación, tropezó con un montón de periódicos pasados de fecha que se apilaban en las escaleras, resbaló y por los pelos logró sujetarse a la barandilla con una mano.

—Si es que no se puede vivir así… —gruñó al salir del edificio. Pasó el día entero refugiándose en los planes de lo que Eleni y él harían antes de tener un bebé. A qué sitios viajarían, qué cosas probarían, qué aventuras les quedaban por vivir. Y en una cosa tendría razón Otto: le quedaban por vivir muchas cosas, aún tenía una brillante carrera por delante…, pero nada se correspondería con lo que imaginaba en esos momentos.

🌿 🌿 🌿

Eleni se quedó en la cama y puso el despertador y lo apagó tres veces, a pesar de que estaba despierta. No había pegado ojo en toda la noche. Jamás le habían molestado los ronquidos de Otto, pero aquella noche la habían vuelto tan loca que había tenido que taponarse los oídos con algodón. Le había resultado raro su olor, la habitación entera era asfixiante, el aire olía agrio y, cada vez que se le cerraban los ojos, le venía a la memoria una mañana de hacía más de veinte años que creía más que olvidada.

Fue cuando Eleni tenía cinco años, y su madre mandó a sus hermanas que la llevaran con ellas mientras cuidaban las cabras. «Y pobres de vosotras como os vea en casa a alguna antes de oscurecer.» Foti y Christina estaban en plena pubertad, corrían mucho más deprisa que Eleni y se divertían dejándola atrás una y otra vez. Ese día, Lefti había ido con su madre al valle, así que Eleni corría montaña arriba con los ojos llenos de lágrimas. «¿Qué, enana, no te dan las piernas para ir más deprisa?», oía a sus hermanas a lo lejos. «El que va tan despacio se queda enano para toda la vida. ¡Eleni, enana, nunca tendrás las piernas largas!», se burlaban. Y Eleni ni las veía. «¡Esperadme!», les gritaba una y otra vez, corriendo a lo largo del sendero que habían abierto las cabras entre unos matorrales que le llegaban casi a la cadera, entre nubes de abejas, hasta que pisó un montoncito de excrementos de cabra, resbaló y se cayó. No le dio tiempo a poner las manos, con lo cual fue a dar con la barbilla en una piedra puntiaguda, y cuando quiso limpiarse el vestido se dio cuenta de que tenía una mancha de sangre en la falda. Estaba confusa, comprobó que no se había hecho nada ni en las piernas ni en los brazos, en ningún sitio, pero de alguna parte goteaba la sangre... y se llevó la mano a la barbilla y la vio llena de sangre, pero de sangre en gran cantidad, no un poquito manchada como el día anterior, en que había ayudado a Yaya María a destripar una gallina. Eleni empezó a chillar y sus hermanas le respondieron: «No chilles así, que vas a volver locas a las cabras», pero ella no las veía. «¡Tengo sangre, tengo sangre!», gritaba Eleni. «No exageres y ven para acá», pero Eleni, presa del pánico, salió corriendo en la dirección opuesta, montaña abajo, de vuelta al pueblo. Rodeó la casa, trepó por la valla, atravesó el lavadero hasta la cocina... y se quedó paralizada en el umbral.

Tumbada sobre la mesa de la cocina tenían a una chica del pueblo de al lado a quien ya había visto en su patio unas cuantas veces los días anteriores, Pagona se inclinaba sobre ella y le separaba las rodillas levantadas, mientras Yaya María, sentada en una silla, miraba entre sus piernas. La chica chillaba, y Pagona le sujetaba las rodillas con todas sus fuerzas.

—¡Deja de chillar, condenada, no querrás que te oigan todos los vecinos! —dijo Yaya María con severidad.

—¡Me duele mucho! —se quejaba la chica.

—Habértelo pensado antes de darte el gusto —la regañó Yaya María, y poco después se levantó. Con una aguja de hacer punto en la mano.

—¡Eleni! —se asombró la abuela a continuación. Pagona soltó los pies de la chica un momento, y también esta se revolvió y se giró hacia la niña. Estaba pálida como la nieve y se habría dicho que acababa de ver a la Muerte.

—¡Por todos los cielos, niña! —exclamó Pagona al ver a su hija, paralizada en la puerta con la barbilla chorreando sangre tan profusamente que se había formado un charco a sus pies. Eleni tenía los ojos clavados en la chica, ella le devolvió la mirada igual de espantada, y la pequeña bajó los ojos y se desmayó.

Esa noche, cuando Eleni ya estaba en la cama, Yaya María fue a verla. Cuando entró en su cuarto, la niña se giró y le dio la espalda.

—Quiero que venga Lefti —musitó al notar que su abuela se sentaba en el borde de la cama con un suspiro. Foti y Christina no estaban en sus camas. Pagona se había enfadado tanto que las había mandado a dormir con las cabras y sin cenar. A través de la ventana cerrada, Eleni había oído las sonoras bofetadas con que su madre las había recibido.

—Lefti viene mañana —susurró la abuela, acariciando la espalda de Eleni.

—¿Qué le pasaba a la chica de la mesa de la cocina? —preguntó Eleni, pero en lugar de una respuesta, Yaya María le ofreció una historia:

Érase una vez, en un país muy lejano, un pueblo en cuyas afueras había un pozo, y érase que en el fondo del pozo vivía una bestia terrible. Era realmente aterradora, con garras muy largas y dientes muy afilados. Muchos, muchos años atrás, aquella bestia había traído la peste al pueblo, y habían muerto casi todos sus habitantes hasta que el rey del país hizo un pacto con ella: una vez al año, en la noche más larga del invierno, los habitantes del pueblo arrojarían al pozo de la bestia al último recién nacido, y a cambio de eso, la bestia se quedaría sin salir de su pozo y protegería el pueblo. Y así se hizo durante muchos años, y todas las mujeres del pueblo que daban a luz tenían miedo de que a su bebé le tocara ser sacrificado. Tenían tanto miedo que juraron no tener más bebés, porque la pena por los hijos perdidos hizo que el cabello de las madres se pusiera blanco como la nieve. Y así fue que las mujeres del pueblo dejaron de tener hijos. Al acercarse la noche más larga del invierno, le entró miedo al rey: su nuera, la princesa, se hallaba en estado de buena esperanza y ya tenía la barriga muy puntiaguda. El rey rezaba cada día por que su nieto no naciera antes de la noche más larga del año, pues ya su hijo, el príncipe, había caído en una batalla contra los enemigos. Y todo lo que le quedaba de aquel hijo tan amado era el pequeño que aún se acurrucaba en el vientre de la princesa. El rey mandó acudir a todas las brujas y los magos del reino y les mandó hacer todos los hechizos y conjuros que supieran con tal de retrasar el alumbramiento a después de la noche más larga del año. Los magos y las brujas hicieron cuanto les habían mandado y, en efecto, sus conjuros salieron bien y el niño siguió en el vientre de la nuera del rey.

A continuación, el rey ordenó a los habitantes del pueblo que sacrificaran al último recién nacido, pero la bestia se olió el engaño. Le gustaba mucho el sabor de los bebés muy chiquititos, los que aún tomaban el pecho, y cuando las mujeres del pueblo le entregaron un niño que ya gateaba, la bestia se enfureció, salió reptando del pozo en mitad de la noche y despertó al rey:

«¿Crees que me puedes engañar así, rey? Sé lo que han hecho tus magos y tus brujas. Si no me traes a tu nieto en un plazo de siete días y siete noches, se lo arrancaré del vientre a la princesa yo misma y destruiré tu reino entero», resopló la bestia y se esfumó. El rey pasó la noche llorando y, a la mañana siguiente, ordenó a los magos y las brujas que dejaran sus conjuros y sus hechizos porque todo era en vano y ya estaban todos perdidos. Y los magos y las brujas se quedaron quietos, pero el bebé del vientre de la

princesa seguía sin querer salir. También la princesa lloraba y llo-
raba, y se acariciaba la barriga y le decía a su bebé:

«Hijito mío, querido, estamos perdidos los dos. Si vienes al
mundo, la bestia te comerá; y si no vienes, nos comerá a los dos».

Por otro lado, en aquellos días cruzaba por aquel reino un jo-
ven caballero de un país lejano, y al pasar junto al palacio oyó
llorar a la princesa en la ventana de su torre. De inmediato, hizo
detenerse a su caballo y le preguntó por qué lloraba con tanta
amargura. La princesa le contó la historia de la bestia y de su
bebé. El caballero sintió compasión y, como era tan valiente que
no le tenía miedo a nada, bajó al pozo, se enfrentó a la bestia y la
mató con su espada. El pueblo entero estalló en júbilo, pero el
bebé del vientre de la princesa seguía sin atreverse a salir. De nue-
vo llamó el rey a los magos y a las brujas, pero no hay magia en
todo el mundo capaz de obligar a venir a él a un bebé que tiene
miedo. Cuando el caballero se enteró, se arrodilló junto al vientre
de la princesa y le susurró al ombligo, para el bebé lo oyera bien:

«No tengas miedo, principito, que aquí estoy yo para protege-
ros a ti y a tu mamá de todos los peligros de este mundo».

Y cuando el principito oyó esto, olvidó el miedo que tenía y
nació. El caballero se casó con la princesa, y mantuvo a todas las
bestias alejadas del reino hasta que el propio príncipe se hizo
grande y fuerte para combatir a las bestias él mismo. Y vivieron
bien, pero nosotros vivimos mejor aún.

Eleni suspiró y su abuela le pasó los dedos entre los rizos, aquellos dedos largos y finos de Yaya María.

—¿Sabes lo que pasa, niña de mis ojos? —le dijo con mucha dulzura—. Que en el mundo hay muchas bestias. La chica de la mesa de la cocina llevaba en el vientre un bebé que no tiene a nadie que lo proteja. Así que le hice un hechizo para que no salga hasta que no tenga un papá que se ocupe de él.

Y la abuela acarició la espalda de Eleni hasta que se quedó dormida.

Eleni se levantó y se miró en el espejo. A veces se preguntaba si la Eleni de siete años, la que antaño había jurado convertirse en heroína, se sentiría orgullosa de ella ahora, dieciocho años después. Y entonces, por primera vez, se acarició el vientre, se miró al espejo y dijo:

—No, tú no tienes que quedarte dentro de mi vientre para siempre. Es verdad que no vas a tener papá, pero tu mamá sí que sabrá protegerte de todas las bestias que hay por el mundo.

🌿 🌿 🌿

Otto bajó del taxi con un ramo de flores gigante en la mano y le pidió al conductor que esperara. Llamó a la puerta tres veces, pero no le respondió nadie. Qué raro, pensó preocupado. Estaba en el sitio acordado a la hora acordada, la mujer del teléfono le había dicho que también podía ir antes, o incluso estar todo el tiempo, que iban muchos hombres y se quedaban esperando en la cocina, tenía muchas revistas. Otto llamó de nuevo, y esta vez dejó el dedo en el timbre un buen rato. Por fuera, la casa era igual que las demás casas de las afueras de la ciudad. Con un jardincito delantero muy cuidado y visillos de encaje en las ventanas. Otto tocó a la puerta con los nudillos otro buen rato hasta que, finalmente, le abrió una señora mayor, menuda y bien arreglada. Llevaba una blusa blanca y una chaqueta de punto, y los rulos en la cabeza.

—Usted dirá.

—Vengo a recoger a Eleni Zifkos. Hablamos por teléfono.

La mujer carraspeó.

—La señorita Zifkos se lo ha pensado mejor.

—¿Cómo dice? ¿Cuándo? ¿Cómo? ¿Y dónde está?

—Yo no lo sé, aquí no ha venido.

—Y entonces, ¿por qué me dice que se lo ha pensado mejor?

—Porque si no, habría venido.

—A lo mejor es que se ha entretenido...

La mujer carraspeó de nuevo.

—Mire, joven, llevo cuarenta años en esto. Créame, nunca en la vida ha llegado tarde ninguna mujer que de verdad quisiera hacerlo. Adiós.

Le cerró la puerta en las narices, y Otto aún oyó cómo echaba la llave antes de recorrer el camino hasta el taxi con la cabeza vacía.

Fue todo el viaje pensando en su infancia. Despreciaba a su padre, para quien educar consistía prácticamente en dar palizas con el cinturón, con una rama de avellano o con trapos de cocina mojados. Y también a su madre, que se limitaba a observarlo sin decir nada. Ya de adolescente se había jurado que nunca tendría hijos, sino que se haría famoso para demostrar a la gente de aquel siniestro pueblo bávaro de lo que era capaz. Para demostrar a los curas del internado que no podrían con él por mucho que le tuvieran horas arrodillado sobre astillas de madera. Y de pronto tomó conciencia de que nunca le había contado eso a Eleni. Se había convencido a sí mismo de que no quería el bebé porque entorpecía su carrera musical, pero eso era una tontería. Cuántos compañeros no recorrían el mundo con sus hijos a la espalda. Otto no le había confesado a Eleni que le daba terror convertirse en un hombre como su padre y acabar llevando una miserable vida fascista, pequeñoburguesa y estrecha de miras. No obstante, cuando el taxista paró y le fue a cobrar, Otto comprendió que no tenía ningún sentido pensar eso.

Eleni era todo lo contrario a una miserable vida pequeñoburguesa y estrecha de miras. Durante los últimos años, era ella quien le daba energía y lo sacaba de su letargo cuando empezaba a convertirse en un paralítico emocional que solo quería sentarse a esperar tiempos mejores, exactamente igual que sus padres.

🌢 🌢 🌢

Eleni suspiró con alivio al comprobar que la llave del piso de Lefti todavía servía. Hacía mucho que no pasaba por allí, la última vez había sido antes del viaje a la India, y entonces Lefti aún estaba en Varitsi. No se habían visto en más de seis meses y ni siquiera se habían despedido.

Nada más abrir la puerta, oyó la respiración acompasada de Lefti, se detuvo junto a la cama y le observó. Estaba tumbado de lado y roncaba suavemente, era casi como el ronroneo de un gato. Solo llevaba puestos los pantalones del pijama, la ventana estaba abierta y las persianas bajadas. Eleni se dio cuenta de lo tranquilo que dormía Lefti. Otto roncaba como una motosierra, no paraba de moverse y de dar vueltas en toda la noche; Lefti estaba quieto, en paz. Lefti sí que sería un buen padre algún día. Lefti parpadeó y se despertó.

—¿Eleni?

—Buenos días.

—¿Qué haces aquí?

—¿Puedo quedarme unos días?

Lefti suspiró, se sentó en la cama y se puso una camiseta. Luego se frotó la cara un rato.

—Eleni, llevo tiempo intentando localizarte. ¿Es que no has recibido ninguna de mis cartas?

—He estado en la India. Y a la vuelta no me ha dado tiempo a leer el correo.

Lefti asintió con la cabeza y fue a la cocina a lavarse la cara con agua fría.

—Eleni, quiero que nos divorciemos. Quiero casarme con mi profesora de alemán. Dentro de unos meses nos mudamos a Austria. Ella es de allí.

Eleni recorrió el piso con la mirada. Ahora había cuadritos en las paredes, y los cojines que adornaban la cama sin duda no los había comprado Lefti.

—Entonces, mejor no me quedo.

—¿Qué pasa con tu músico?

Eleni se concentraba en respirar.

—Pues nos divorciamos. Pero necesito dinero.

—¿Cuánto?

Eleni dudó si contarle la verdad a Lefti. Se hacía cargo de que no habían hablado en tanto tiempo que ya no sabía cómo podía reaccionar, así que mintió.

—Grecia es libre, por fin. Quiero volver, en principio a la ciudad, y hacer carrera en la política. Igual llego a ser la primera presidenta del país o algo así. Pero, por favor, no se lo digas nunca al músico. No es buena persona.

Lefti asintió con la cabeza, se acercó a ella sin decirle nada y la abrazó. Le dio unos toquecitos sobre la cabeza de indómitos rizos, como cuando eran pequeños, y le dijo:

—Estoy orgulloso de ti. Dime cuánto necesitas y ya está.

🍃 🍃 🍃

Antes de subir a la buhardilla, Otto corrió al quiosco de la esquina a comprar champán, aunque acabó llevándose zumo de naranja, que al fin y al cabo también servía para brindar. Además compró un tarro de pepinillos en vinagre, chocolate, salchichas y fruta, porque ya se sabía que las embarazadas tenían antojo de las cosas más insospechadas, y recordó a una *groupie* embarazada de Gotinga que se había zampado un trozo de tarta de arándanos untado de paté en el bufé de los artistas.

Apenas podía cargar la compra y el ramo de flores y subió las escaleras con harto esfuerzo, pero cuando abrió la puerta vio que Eleni no estaba en casa. Es más: todas sus cosas habían desaparecido. Y también se había llevado la partitura original de «Pelo en los ojos», que él había mandado enmarcar para ella. Otto dejó caer la compra, dio media vuelta y bajó corriendo con el ramo en la mano.

Pero Eleni no estaba ni en la taberna de Nikos ni en ninguno de sus locales habituales. Corrió al piso donde ella vivía antes de conocerse y martilleó la puerta hasta que los vecinos llamaron a la policía. Otto volvió a recorrer todos los locales a los que iban y decidió esperar en el portal del edificio hasta que volviera el marido de Eleni. Otto solo conocía a Lefti de vista. Yendo con Eleni, se habían cruzado con él y con su novia alguna vez en el centro, pero solo se habían saludado con la mano, o apenas se habían parado a intercambiar unas pocas frases sin contenido. Agotado y desesperado como estaba, no lo reconoció cuando por fin apareció a muy temprana hora de la mañana, de vuelta del turno de noche. Fue Lefti quien le dirigió la palabra antes de que Otto se diera cuenta de que el hombre del mono de trabajo azul marino era la persona a quien llevaba esperando toda la noche.

—Se lo digo ya de entrada: no sé dónde está Eleni. Lo único que sé es que no quiere volver a saber nada de usted.

Canto V

Que da noticia de cómo el héroe y la heroína
viven la misma experiencia pero a siete mil
quinientos kilómetros de distancia el uno
del otro: llegar a la meta puede resultar
muy duro.

Tocada por la fortuna

Muy raras veces se oía chillar a algún búho, y por más que aguzara el oído, Eleni no había oído a ningún lobo desde su regreso a Varitsi aquel verano. El grueso edredón de invierno pesaba tanto que tenía la sensación de morir asfixiada debajo, pero sin él se sentía desguarnecida ante el silencio de la noche. Se le hacía raro dormir sola en su antigua habitación, sin los roncos jadeos de Foti cuando casi se ahogaba entre los almohadones acostada boca abajo y sin la respiración profunda y acompasada de Christina.

Eleni no podía dormir ni boca arriba ni boca abajo, y en aquel colchón duro le dolía todo el cuerpo en cuanto pasaba más de dos horas tumbada de costado. Y, para colmo, había luna llena. Respiró profundamente, contempló un rato cómo subía y bajaba su oronda barriga y finalmente se levantó.

Se sorprendió al ver que el banco de madera que tenían bajo el saliente del tejado estuviera ocupado ya. Sin mirarla, Spiros, su padre, se movió hacia un lado para hacerle sitio. Llevaba las gruesas botas de invierno sobre los pies desnudos y con los cordones sin atar. Al sentarse Eleni a su lado, Spiros levantó la manta que tenía echada sobre los hombros y envolvió a su hija en ella. Eleni se sorprendió tanto que ni alcanzó a darle las gracias.

—Lo de no dormir cuando hay luna llena lo has heredado de mí —murmuró Spiros al tiempo que echaba mano de la botella de aguardiente que sostenía entre los pies.

—Creí que de Yaya María.

—Yaya María no dormía ninguna noche. —Spiros se enjuagó la boca con el aguardiente y lo escupió—. Yo no duermo cuando hay luna llena, me pasa desde que vine al mundo. Y a ti te pasa igual. Christina y Foti, ningún problema. Pero tú naciste con luna llena y esa misma noche ya no pegaste ojo, aunque acabaras de nacer. Tu madre, tu tía Despina y Yaya María estaban todas agotadas del parto, así que fui yo el que te tuvo en brazos, envuelta en una manta, dando vueltas alrededor de la casa hasta el amanecer. Hasta que no se puso la luna llena, no conciliamos el sueño ninguno de los dos. —El bebé le dio una patada, Eleni respiró con esfuerzo y se llevó la mano a la barriga. Spiros la miró y se aventuró a sonreír—. Ya veo que aquí tenemos al siguiente miembro de la familia que no duerme con luna llena.

Muchas cosas habían sorprendido a Eleni desde su regreso a Varitsi pasados tantos años. En el pueblo apenas quedaba gente de la que ella conocía. Todos los hombres de su edad y la mitad de las mujeres se habían marchado, la iglesia ya no tenía párroco, el pueblo de arriba se había reducido a la mitad después de que las casas abandonadas tras la guerra se derrumbaran por completo y los vecinos mandaran retirar los escombros el verano anterior. Era como si al pueblo le faltaran dientes y se deshilachara por los bordes. Con todo, lo que más sorprendió a Eleni fue ver cómo había envejecido su padre. En realidad no pasaba muchos años de los sesenta, pero tenía la espalda completamente encorvada de cargar peso, agacharse y hacer esfuerzos. El trabajo de tantos años lo había dejado en los huesos, que se le marcaban incluso a través de la ropa, tenía el pelo blanco como la nieve y la piel curtida por el sol, la lluvia y el viento como si fuera un cuero áspero, agrietado y lleno de cicatrices. Pero lo más cambiado era su mirada. Eleni se estremecía cada vez que su padre la miraba; la severidad, la fuerza y el gesto amenazante de antaño habían desaparecido por completo.

El bebé le dio otra patada, Eleni se encogió de dolor y, al darse cuenta de cómo la miraba Spiros, le tomó una mano y se la puso sobre la barriga. El bebé, como si hubiera recibido una señal, se puso a dar patadas como loco, y Spiros de entrada se echó a reír y luego miró a Eleni con gesto incrédulo; finalmente, un velo de tristeza ensombreció todos sus rasgos.

Aún no habían caído las primeras nieves. Olía como si fuera a nevar pronto, pero en toda la zona no había aún más que escarcha y hielo en los caminos. Los pájaros habrían llegado al sur hacía tiempo. El cielo se veía casi sucio de la cantidad de estrellas de distinta intensidad que lo poblaban, y todo lo dominaba la luna enorme, de un blanco plateado. Spiros retiró la mano de la barriga de Eleni, agarró la botella de aguardiente y dio un buen trago.

—Creo que debería volver a la cama —dijo Eleni, pero Spiros la retuvo poniéndole su manaza de oso sobre el hombro.

—Quédate un poco, que quiero contarte una cosa —dijo y encendió un cigarrillo.

En el mismo instante, el último lobo que pasaba el invierno en las montañas, muy lejos de Varitsi, dio un aullido, como si supiera qué historia venía a continuación. Estaba tan lejos que ni el padre ni la hija fueron capaces de diferenciar si quizá no había sido un perro. Pero los perros no tienen memoria. Olvidan incluso las historias trágicas.

—¿Sabes, Eleni? Tú ni te lo imaginas, pero la vida en Varitsi no siempre fue tan dura. Los ancianos aún recuerdan la edad de oro, cuando todavía se transportaba sal a través de estas montañas, a lomos de mulas o incluso cargándola las personas; cuando, varias veces a la semana, paraban aquí las caravanas para pagar los impuestos de aduana, descansar y regatear. Los niños del pueblo llevaban ropa de seda, los marcos de las ventanas de estas casas de piedra se pintaban de colores claros todos los veranos, y los perros callejeros estaban bien lustrosos. Pero todo cambió, Eleni, todo cambió. Cuando yo era pequeño, ya no se veían más que los últimos restos de aquel esplendor. Tu Yaya María también era como una reliquia de otro tiempo. Siempre fue la mujer mejor vestida del pueblo, siempre iba envuelta en lujo y riquezas. De niño, me asomaba a la ventana a verla pasar, y me imaginaba qué servirían cada noche en la mesa de aquella familia tan espléndida. Cierto es que la fortuna era de tu abuelo, pero fue tu abuela quien supo hacerla lucir. Ya sabes que procedía de una familia muy acomodada de la alta burguesía de Asia Menor. Cómo se recogía el pelo, sus maneras tan refinadas, lo bien que hablaba…, a los niños del pueblo nos resultaba exótico y fascinante al mismo tiempo. Yaya María no tenía hijos varones, pero todos los jóvenes de Varitsi querían casarse con sus gemelas. Guapas no eran, la verdad sea dicha, pero sí muy educadas, trabajadoras, venían de una familia respetable… y cocinaban de maravilla. Yaya María siempre concedió una enorme importancia a eso. Cuando preparaban comida para las fiestas del pueblo, durante la misa nadie rezaba al santo patrón, sino por llegar a probar lo que habían traído Despina y Pagona. Claro que tu belleza, mi querida Eleni, no la has heredado de ella, sino de mi madre. Eres igualita a mis hermanas, el Señor las tenga en su gloria.

»Tu Yaya María siempre fue más lista que un zorro. Todos los jóvenes del pueblo tuvieron que presentarse ante ella, detallarle sus haberes y pronunciar un discurso sobre lo que harían en el futuro para preservar el legado de la familia. Ya sabes, hija, que aquí en Varitsi nunca hemos sido grandes oradores. Tu abuelo, sí: me acuerdo yo de mi infancia y sí que era un gran orador. Cuando hablaba, todo el mundo le escuchaba como hechizado, no se querían apartar de él. Venía de una familia de comerciantes de sal, se había pasado la vida recorriendo las estepas y los llanos y las tierras extranjeras, y sabía contar las mejores historias. Los niños nos colábamos en el *kafenion* por las noches sin que nos vieran y nos escondíamos debajo de los bancos solo para escuchar las cosas tan extraordinarias que relataba. Pero los hombres de este pueblo, desde luego que no éramos grandes oradores. Nos presentábamos a tu Yaya, medio tartamudeábamos cuatro cosas sin pensar y ella nos echaba de una patada. El único distinto fue Eleftherios, el padre de Lefti.

»Eleftherios era uno de los pocos que habían estudiado una carrera, sabía manejar las palabras y, más aún: no estaba dispuesto a plegarse a las reglas del juego de Yaya María. Así que por el día le decía a tu yaya lo que ella quería oír, pero por la noche se plantaba bajo la ventana de Despina y le recitaba los poemas de amor más bonitos. Creo que Despina aún conserva la caja donde guardaba todas las cartas que él le hacía llegar en secreto. Eleftherios sí que era un zorro listísimo, y Despina se enamoró de él hasta tal extremo que amenazó a tus abuelos con traer la vergüenza a la familia si no la dejaban casarse con él..., bueno, y ya sabes cómo era tu yaya. Y así fue que Despina y Eleftherios se casaron, pero Yaya María tenía miedo de que su joven yerno hiciera demasiado lo que le viniera en gana, sobre todo teniendo en cuenta que su propio esposo viajaba mucho y estaba delicado del corazón. Y hete ahí que esa fue mi suerte. Yo me quedé muerto el día en que tu yaya me mandó llamar, solo poner el pie en su casa ya era todo un honor para mí, y entonces me dijo: "Mira, Spiros, ya sé que no tienes mucho, y sobre todo no tienes ni idea de cómo hacer crecer una fortuna, pero eres muy trabajador, además de un hombre de palabra. Me consta que se puede confiar ciegamente en ti. Te entregaré a mi hija Pagona como esposa si me prometes por lo que más quieras en este mundo que me obedecerás siempre. Quiero que me lo jures por todo lo que consideres sagrado. Porque si no, Spiros, te echaré una maldición para que tu cadáver no halle el descanso jamás".

»Y, claro, yo le juré a tu yaya que la obedecería siempre y que haría cumplir su voluntad. Me casé con tu madre y fuimos bendecidos con vosotras tres.

»Luego llegó la guerra. Si hay alguna cosa por la que rezo, Eleni, es por que tu bebé no viva nunca una guerra. Me da igual que sea niño o niña, que salga guapo o feo o, mira, como si sale pelirrojo, rezo por que nunca tenga que vivir una guerra. Primero, los italianos, después los alemanes, después los comunistas, después los fascistas... En Varitsi, todo el que fue capaz de sostener un arma arremetió contra alguien.

»Eleftherios, para que lo sepas, se interesaba mucho por la política. Leía mucho y entendía las cosas mucho mejor que yo. A mí me daba igual quién gobernara cuándo y cómo, con tal de que mi familia estuviera bien. Pero Eleftherios no era de los que se quedan mirando. Cuando llegaron los alemanes, se echó al bosque con los comunistas. Vivían en cuevas, no paraban quietos, saboteaban a los alemanes en cuanto podían. Yo los admiraba de verdad, Eleftherios era mucho más valiente y más fuerte que yo, y cuando vino al mundo Lefti, me dijo: "Vente conmigo al bosque, Spiros, hermano, echemos de aquí a los alemanes antes de que deshonren a nuestras mujeres e hijas". Y yo me iba a ir con él, a defender a mi familia, pero Yaya María intuyó mis planes, me fulminó con la mirada y me dijo que no podía irme, que mi obligación era quedarme en el pueblo donde podría defender a mi familia mucho mejor. Así que me quedé, puesto que le había hecho un juramento. Eleftherios y sus amigos, sin embargo, expulsaron a los alemanes. Entonces, regresó como gran héroe y yo me moría de la vergüenza. Sentía casi tanta vergüenza como Mavrotidis y los que habían colaborado con los alemanes. Créeme, Eleni, hija, yo jamás denuncié a nadie a los alemanes. ¡Jamás! Pero me moría de vergüenza al lado de mi cuñado, el héroe.

»Claro que la guerra no había quedado atrás, solo nos había concedido una tregua, como una bestia que se retira a dormir a su cueva para lamerse las heridas y esperar el momento de atacar de nuevo. Y había gente como Mavrotidis, políticos que tenían miedo a una Grecia comunista, y luego estaba el extranjero, pues a los comunistas no los quería nadie. En algún momento cambiaron las tornas. En Atenas comenzaron a luchar los rojos y los monárquicos, en Varitsi tomaron las armas Mavrotidis y compañía, tu tío empezó a ponerse nervioso, tu tía también se puso nerviosa, todos se pusieron nerviosos y, de pronto, Eleftherios desapareció. Habían dado orden de que todos los comunistas entregaran sus armas, lo cual no era del todo justo, puesto que habían sido ellos quienes habían expulsado a los alemanes. Al menos eso fue lo que dijo tu tío antes de echarse a las montañas.

»Y la bestia salió reptando de su cueva, ahora con mucha más virulencia y crueldad que nunca, pues ya no quedaban enemigos de fuera, todos eran enemigos de la propia tierra. Hermanos contra hermanos. Padres contra hijos. El pueblo de arriba contra el pueblo de abajo. Eleftherios en el bosque contra los monárquicos. Yo intentaba mantenerme al margen de todo. Mavrotidis venía a mi puerta a diario a decirme: "Vente a luchar, cobardón", y un día me encontré un arma en la puerta. Sabía que si no la tomaba, la dirigirían contra mí. Un año entero estuve errando los disparos a propósito, pero un día, en un momento de tregua en Varitsi, muy entrada la noche, vino a despertarme tu yaya. Todavía me acuerdo de cómo me miró. "Spiros", me dijo, y yo supe que ocurriría una desgracia y que habría de ser culpa mía. "Spiros", repitió tu abuela, "Eleftherios se esconde en el pinar que hay detrás del pueblo de arriba. Despina está recogiendo sus cosas y al crío y se quieren marchar todos a Albania, cruzando las montañas, y tú tienes que impedirlo". Yo le dije que no, pero tu abuela me dio un puñetazo en la cara. ¿Ves esta cicatriz? Es del anillo de tu abuela, de la piedra. Aquella noche no me hizo más que un rasguño, pero escupió sobre la herida y dijo que se convertiría en una cicatriz horrenda si no la obedecía.

»Para tu abuela no había nada más importante que la familia y que conservar su legado. Su más ardiente deseo era que el nombre y el prestigio de nuestra familia perdurasen en Varitsi hasta el fin de los tiempos. Y para eso era esencial que el cabeza de la familia, el hijo de Eleftherios, se quedara en el pueblo.

»Yo me vestí, tomé la escopeta y recé por que no lograra encontrar a Eleftherios. Recé por que mi búsqueda fuera en vano, pero apenas llegué al bosque, salió él a mi encuentro. "Spiros", susurró, "soy yo, tu cuñado". Y yo rezaba por que fuese armado, por que me venciera él, en aquel momento no tenía miedo de morir. Pero Eleftherios no iba armado, y además me abrazó como a un hermano cuando le dije: "Eleftherios, acompáñame, estás detenido". Él se rio: "¡Menuda broma!", y yo temblaba: "Eleftherios, estás detenido", le repetí y él dejó de reír. "Júrame que dejarás aquí a Despina y al crío y te dejaré marchar". Y él meneó la cabeza, pues jamás abandonaría el país sin su familia, porque quería a su hijo, ¿o acaso yo era incapaz de entenderlo? ¿No me daba cuenta de que los comunistas perdían la guerra y de que, si se quedaba en Grecia, en el mejor caso iría a la cárcel para no ver crecer a su hijo? A mí se me rompió el corazón, así que le dije: "Ve a buscar a Despina corriendo esta misma noche, llévate al crío y hazme saber en algún momento que estáis bien". Pensé que, si desaparecían de inmediato, podría decirle a la abuela que no lo había encontrado en el bosque.

»Pero tu Yaya María era mucho más lista que yo. Y al final también fue más lista que Eleftherios. Sabía que yo le dejaría en libertad. Sabía que él confiaría en mí. Así que cuando Eleftherios entró en su dormitorio a despertar a Despina, le estaban esperando Mavrotidis y sus hombres. A Despina la habían amordazado y Lefti estaba con Yaya María. Yo mismo le tendí una trampa a Eleftherios. Es culpa mía si Lefti nunca tuvo padre. Es culpa mía si Lefti es como es. Es culpa mía si Lefti no tiene carácter. Es culpa mía y de nadie más si tu hijo no tiene padre. Es culpa mía si Lefti ha dejado en la estacada a su hijo y se va a casar con una alemana en lugar de volver al pueblo contigo. Todo es culpa mía. Pero una cosa te juro, hija mía, lo daré todo por tu criatura. Seré el mejor abuelo del mundo para ese pequeño tesoro. Yo me ocuparé de que nunca le falte de nada.

🍃 🍃 🍃

El embarazo de Eleni había transcurrido sin ninguna complicación, al margen de las náuseas del principio y los dolores de espalda del final. Pasaba mucho tiempo con Pagona, quien con admiración y orgullo constataba a diario lo fácil de trato que era su hija Eleni en comparación con Foti y Christina, que habían pasado los respectivos nueve meses de sus embarazos lloriqueando sin pausa. A Eleni le gustaba estar embarazada. Nunca se sentía sola y parecía que aquel bebé tuviera poderes mágicos, porque había dejado de sufrir pesadillas por las noches. Por el día, en cambio, solía sentarse con las manos sobre la barriga para sentir las pataditas del bebé, y pensaba en Otto. Hasta el octavo mes, cada tres semanas tomaba el autobús para bajar a la ciudad más próxima, donde había una tiendecita de prensa en la estación, y compraba una revista ilustrada alemana y un periódico semanal. Había hojeado cuanto había podido encontrar, pero no había visto publicada ni una sola noticia sobre Otto. Eleni estaba preocupada, pues el nuevo disco de Otto tenía que haber salido hacía tiempo. Algo pasaba, pero no estaba dispuesta a tolerar ni un ápice de compasión. Le escribía dos veces a la semana, por lo general ocho o diez páginas llenas de rabia, de quejas, de dolor, luego las doblaba con mucho esmero, las metía en un sobre, compraba los sellos correspondientes, franqueaba el sobre... y guardaba la carta en una caja de madera que luego escondía en la caseta de los perros.

Eleni no se había despedido de nadie de Alemania. Lefti era el único que sabía de su intención de volver a Grecia. Pero como la familia entera estaba plenamente convencida —y tampoco habría querido creer nunca otra cosa— de que Lefti era el padre del niño, todos habían roto el contacto con él.

Si algo había aprendido Eleni de su familia en veinticinco años era que no les importaba en demasía la verdad. Al volver al pueblo, se extrañó mucho de que nadie dudara siquiera de su versión de lo ocurrido. Pasados unos meses, lo que Eleni imaginaba era que su familia prefería no saber lo que había ocurrido en Alemania en realidad. Lo único que contaba para ellos era que Eleni había vuelto a Varitsi. Y Lefti no.

🍂 🍂 🍂

Las tormentas del mes de diciembre de mil novecientos setenta y cuatro fueron especialmente fuertes. Las temperaturas superaron los diez grados bajo cero, todos los riachuelos y torrentes de los alrededores de Varitsi se helaron, las carreteras y los pasos de montaña se volvieron intransitables. Eleni pasaba mucho tiempo junto a la ventana, contemplando los pesados copos de nieve. Cuando la vecina, Spiroula, se acercaba a por leche, iba envuelta en una gruesa bufanda de punto que le tapaba la cara entera menos los ojos. Y traía cristales de nieve en las pestañas al entrar en la cocina. Eleni tenía la esperanza de que su bebé no naciera hasta que cesaran aquellas nevadas tan terribles y al menos se pudieran limpiar de nieve los caminos para que acudiera a Varitsi un médico o una matrona, pero el momento llegó justo en el culmen de la tormenta, en una noche de un frío helador en la que el viento silbaba tan fuerte que no dejaba dormir a nadie en todo el pueblo y se llevaba por delante cuanto no estuviera bien clavado para estamparlo contra las paredes de piedra de las casas. Ya durante la cena se había notado sin apetito y cualquier mínimo ruido la hacía estremecer: el maullido lastimero de algún gato, una silla que se caía al suelo, la vecina llamando a la puerta, el silbido del viento... No lograba conciliar el sueño, no paraba de dar vueltas en la cama, maldecía a la luna, trataba de pensar en cosas bonitas, pero solo le venían a la cabeza los cuentos de miedo de Yaya María. Y al poco empezaron los dolores del parto.

Eleni chillaba, pero el viento chillaba más fuerte. Spiros fue a buscar a la vecina, pero cuando quiso ponerse en camino para llamar a la comadrona, que vivía en el pueblo de al lado, Yorgos lo retuvo bajo amenaza de matarlo de una paliza antes de permitir que el anciano caminara tan lejos en plena nevada y a veinticinco grados bajo cero. Spiroula intentaba tranquilizar a Eleni, Despina le sostenía la cabeza, Pagona le acariciaba los hombros; le dieron un pañuelo doblado para que lo mordiera entre respiración y respiración, pero Eleni no conseguía concentrarse en empujar porque las contraventanas se estampaban contra la casa una y otra vez.

—Tranquila, Eleni, tú respira tranquila, concéntrate —susurraba Spiroula. Y de nuevo se estrellaba contra la casa una contraventana y Eleni se estremecía.

—Cálmate, te late el corazón demasiado deprisa.

—Eleni, tienes que respirar.

En Varitsi reinaba la noche más oscura, Eleni sentía a los espíritus y fantasmas, que se atrevían a salir de sus escondites en tanto que el viento se llevaba por delante cuanto había con vida y las calles pertenecían a los lobos.

Eleni luchó durante horas y, con el último silbido del viento en las primeras horas del amanecer, nació el bebé. Pero no lloraba.

Atónitas, Despina, Pagona y Spiroula contuvieron la respiración un instante, luego se santiguaron las tres, y Eleni, bañada en sudor y casi sin resuello, preguntó:

—¿Por qué no llora? —Se incorporó como pudo, y vio que lo que Spiroula sostenía en brazos no era un bebé sino un huevo: un huevo blanco y brillante.

—¡¿Dios de los Cielos, qué es eso?!

Pero Pagona tomó unas tijeras que tenían preparadas para cortar el cordón umbilical, rozó suavemente el huevo y con un «chof» se rompió el saco amniótico y de él salió una bebita con la cabeza cubierta de suave pelusa de color castaño claro, se estiró y, por fin, rompió a llorar a pleno pulmón.

Todos rieron, Despina cortó el cordón umbilical con dedos temblorosos y Spiroula se apresuró a formular una oración:

—Dios de los Cielos, te damos gracias por que hayas bendecido a esta niña, concediéndole fortuna eterna.

Lo único que sentía Eleni eran los latidos de su corazón; era incapaz de pensar con claridad, no sentía dolores ni preocupaciones, y hasta que no le colocaron al bebé sobre el pecho no comprendió que lo que pasaba era que su niña había nacido enmantillada, es decir: con el saco amniótico intacto. En Varitsi consideraban un milagro que sucediera eso. Es más: se decía que los niños enmantillados estaban tocados por los dioses y que les sonreiría la fortuna de por vida.

Eleni apretó a la pequeñita contra su pecho y le susurró su nombre: Aspasia. Aspasia como la compañera de Pericles. En su día, Aspasia le susurraba al oído todas las decisiones importantes al gran jefe del Estado. Había sido la primera gran dama de la política de la historia. A eso —como mínimo— habría de llegar su niña, pensaba Eleni en aquel momento. Sí, su niña habría de conquistar el mundo entero. Y ella, Eleni, la apoyaría.

No se cansaba de mirarla, hasta que Spiroula le quitó el bebé de los brazos para lavarlo. Tumbada boca arriba, sin aliento, Eleni decidió que jamás dejaría sola a su hija. A pesar de ello, un año más tarde habría de marcharse muy lejos, dejando a la pequeña en el pueblo. Pero no podía ni imaginar nada parecido cuando cerró los ojos, sintiendo que nunca antes había hecho nada tan grande y tan hermoso.

Solos pero al menos los dos

Cuando Trudi y Lefti, recién casados y llenos de ilusión por comenzar una nueva vida, se mudaron a St. Pölten en mil novecientos setenta y cuatro, estaban tan eufóricos que se veían capaces de volar hasta la luna si no se agarraban bien de la mano. Y también St. Pölten se abría a una nueva vida. Mientras que, diez años atrás, apenas era una pequeña localidad de las afueras del bosque vienés, región que a su vez tampoco era mucho más que el pulmón verde de la capital de Austria, el cambio de década trajo a los habitantes de la pequeña ciudad de provincias una nueva visión de sí mismos. Cada vez más gente exigía que el estado federal de la Baja Austria tuviera su propia capital, como también el resto de estados federales de Austria, para así dejar de depender de Viena. Con el fin de arrebatar la capitalidad a otras ciudades de la Baja Austria, pues, los eficientes políticos de St. Pölten se afanaron por ir incorporando a la ciudad todos los pueblos y localidades rurales de los alrededores, de modo que pronto surgieron las bromas sobre que St. Pölten era la única ciudad de Austria con más tractores que automóviles.

Cuando Lefti y Trudi llegaron allí, oyeron que la ciudad ya tenía casi cincuenta mil habitantes. Por otro lado, cuanto más la conocían, más pequeña les parecía. Lefti se asombraba de que pertenecieran a la ciudad algunos pueblos todavía más rurales que Varitsi. Pues, con todo, Varitsi tenía su *kafenion* y la memoria de unos tiempos de esplendor. En pueblos como Pottenbrunn o Ratzersdorf, por el contrario, había más gallinas que personas.

Lefti y Trudi se habían mudado allí porque la tía de Trudi había muerto, dejándoles en herencia una gran casa en el centro de la ciudad y una cuenta bancaria muy bien provista.

La casa en sí estaba en un estado ruinoso y el local de la planta baja llevaba vacío desde la Segunda Guerra Mundial, pero para enorme alegría de ambos, se encontraba en una parte de la ciudad que también había sido su favorita en Hildesheim: la zona peatonal. Con respecto a la extensión de esta zona peatonal, las cifras estaban tan infladas como las del número de habitantes. Los dos kilómetros y medio de zona peatonal que documentaba el registro oficial se quedaban en poco más de un kilómetro real, como no tardaron en comprobar Lefti y Trudi en sus primeros paseos. Sin embargo, el joven matrimonio prefirió tomarlo a broma y llamar a su nuevo hogar «Megalomanópölten».

A pesar de la sustanciosa herencia, Lefti quiso ponerse a trabajar. Gracias a los sólidos conocimientos y años de experiencia con los productos químicos y la manipulación del caucho que había adquirido en la fábrica de Hildesheim, confiaba en conseguir un puesto en la célebre fábrica de tejidos sintéticos del norte de la ciudad, donde se confeccionaban textiles tan en auge como la viscosa o el rayón. Cuando había baja presión y soplaba el viento de verdad, los gases tóxicos que emitía aquella fábrica se olían en la ciudad entera; de hecho, el olor a azufre les dio la bienvenida el mismo día en que llegaron a St. Pölten.

—Sí, ya olía así cuando yo era niña, como si el diablo se tirase pedos —comentó Trudi en tono lapidario, provocando a Lefti un ataque de risa de diez minutos, pues jamás había oído una palabra como «pedo» de labios de Trudi.

Según atravesaba por primera vez el patio de aquella fábrica, Lefti iba convencido de haber hallado el puesto de trabajo ideal. Conocía perfectamente todos los materiales y sabía manejar todas las máquinas que alcanzaba a ver a través de los portones abiertos.

Así mismo se lo explicó al hombrecillo paliducho que le entrevistó desde el otro lado de un escritorio, pero este se limitó a menear la cabeza y a enviar a Lefti de vuelta a su casa. A Lefti no le cabía en la cabeza. Y por primera vez desde que abandonara su Grecia natal, no hizo lo que estaba mandado, sino que se recolocó la corbata y manifestó su opinión en contra:

—Comete usted un error. Soy perfecto para este trabajo.

El ingeniero responsable, un hombre rechoncho y de cabello tan fino que se le transparentaba el cuero cabelludo, mordisqueaba el extremo del lápiz.

—Es griego. Aparte de los trabajadores locales, aquí solo tenemos contratados a turcos.

—¿Y qué?

—Pues eso mismo. No quiero que se monte aquí otra como la de Chipre —dijo, señalando la puerta por segunda vez. Lefti abandonó el recinto de la fábrica sin mirar ni a derecha ni a izquierda. En casa, se tumbó en el sofá, aún embalado en plástico, y se puso a contar las pompas que hacía el papel de la pared de lo mal pegado que estaba.

Aquel verano, el norte de Chipre había sido ocupado por tropas de combate turcas, después de que los oficiales griegos, con el apoyo de la junta militar, dieran un golpe de Estado contra el gobierno chipriota. Tras la invasión de los turcos, la junta había caído, pues había sobreestimado sus fuerzas en aquella maniobra, pero en lugar de alegrarse la gente, había resurgido el odio visceral que griegos y turcos se profesaban desde hacía siglos. Una vez más, Lefti había de sufrir las consecuencias de un enfrentamiento político, precisamente él, que siempre se mantenía lo más lejos que podía de todos esos asuntos.

—Dos mil cuarenta y siete —había dicho al entrar en casa.

—¿Qué? —preguntó Trudi.

—Dos mil cuarenta y siete adoquines son los que hay entre la fábrica de poliamidas y esta casa —le explicó Lefti, pues, del disgusto, se había pasado todo el camino de vuelta con la vista clavada en el suelo.

🍃 🍃 🍃

La vivienda del primer piso ofrecía aún el mismo aspecto con que la había dejado la tía de Trudi. Estaba abarrotada de cosas y cada mueble tocaba ya con el siguiente, pues como, en su última etapa, la tía no podía caminar sin bastón, para no sentirse limitada dentro de su propia casa, se desplazaba agarrándose a los muebles dispuestos en hilera. Trudi fue a sacar de la maleta la botella de *tsipouro* que Lefti había traído de su reciente viaje a Varitsi. Lefti y Trudi apenas bebían alcohol. Un vasito de ponche si hacía mucho frío. Un poco de té con ron si se notaban resfriados. Un traguito de *tsipouro* cuando Lefti añoraba su tierra... Lefti olió el licor transparente durante un buen rato, inhaló el aroma de aquel orujo fuerte, cerró los ojos y, de pronto, creyó estar oyendo la pegadiza música del *kafenion* de su infancia, las acaloradas discusiones de los trabajadores de la construcción. Olió el tomillo fresco que florecía en las laderas de la montaña orientadas al sur, el delicioso aroma del asado de cordero cuando la piel se tostaba en las brasas. Trudi dio un pequeño trago de *tsipouro,* servido en copita de abuela austríaca, pues no habían podido encontrar otra alternativa en el aparador de la tía de Trudi.

—¡Ay, Lefti! —suspiró Trudi, acariciándole la espalda, y luego murmuró—: Ojála supiera yo prepararte un cordero asado al romero de ese tan rico que dices que hace tu madre.

Lefti miraba al vacío y contaba los puntos de un pañito de ganchillo.

—O esas berenjenas ahumadas de las que tanto me has hablado.

—Trudi, ahora no necesito comida. ¡Lo que necesito es un trabajo!

Y en tanto que Lefti despotricaba sobre la política mundial, Trudi daba vueltas a todos los posibles trabajos en los que se podía permanecer al margen de esta. Y así fue como, tras la tercera copita de *tsipouro,* se le ocurrió de pronto que, para ser completamente independiente, tenía que ser uno su propio jefe.

—¡Abramos un restaurante griego! —dijo con la cabeza caliente por el *tsipouro.*

Y Trudi rio, y a continuación rio Lefti, y luego Trudi se puso a imitar los exagerados gestos de una cocinera italiana de Hildesheim, que siempre salía de la cocina blandiendo el cucharón cuando algún cliente se quejaba de la pasta, y bromeó con que ella haría exactamente lo mismo. Y siguieron bebiendo y soñando, y pensaron que el local de la planta baja, justo debajo de la vivienda, que había albergado una peletería hasta los años cuarenta, en realidad era perfecto para un restaurante: y la zona peatonal era el lugar perfecto y, para colmo de perfecciones, la herencia de la tía de Trudi alcanzaba de sobra para las obras que tendrían que realizar. Y rieron y bebieron y aquella noche se amaron con un poquitín más de desenfreno de lo habitual y, cuando a la mañana siguiente despertaron con dolor de cabeza, vieron claro que la víspera había surgido la mejor idea de su vida: sí, Megalomanópölten tendría su primer restaurante griego. Y, en vista de cómo aquella pequeña ciudad soñaba constantemente con el ancho mundo, todo apuntaba a que sería un éxito llevar una parte del ancho mundo a la pequeña ciudad.

En las semanas que siguieron, Lefti no alcanzó a dormir más de cuatro horas ningún día y, aun así, no bostezó ni una vez ni necesitó más café que la taza de moca que se tomaba cada mañana con la excusa de que era bueno para la digestión. Su cabeza en movimiento constante no tenía nada que envidiar a la maquinaria de su fábrica de Hildesheim. Él mismo estaba sorprendido de la cantidad de ideas que se le ocurrían y de cómo el afán por llevarlas a la práctica no tenía fin.

Trudi se ocupó de las cuestiones burocráticas mientras Lefti vació el local de trastos, retiró los escombros, construyó una cocina y hasta decoró el gran espacio que habría de ser el salón con columnas griegas encastradas en las paredes a modo de coquetos nichos que, si bien al principio le salían fatal, pasadas unas semanas, en cuanto le pilló el punto al estuco, resultaban casi suntuosas.

Lefti escribía a Varitsi una vez a la semana para contarles a su madre y a su familia, muy orgulloso, los progresos que hacía su local, y siempre concluía rogando a Despina y Pagona que le enviasen sus mejores recetas.

De entrada, no le preocupó que no le respondieran en meses. Spiros solo sabía leer en voz alta, escribir no; y Despina y Pagona tampoco dominaban la escritura lo suficiente como para redactar una carta larga. Antes lo hacía Foti, pero se había ido a vivir a la ciudad portuaria, y seguro que Christina no daba abasto con sus niños. Lefti no estaba seguro de si Eleni seguía en Alemania o ya había iniciado su gran carrera política en Atenas. Desde que habían firmado el divorcio, no había vuelto a saber nada de ella. Lefti le había dado casi todos sus ahorros y ella había prometido escribirle, pero ya la conocía. No se le daba bien mantener el contacto con los que estaban lejos. Ojos que no veían, corazón que no sentía. Lefti intentó localizar a Spiros llamando al *kafenion* alguna vez, pero siempre le decían que no estaba y colgaban. En aquellos meses, estuvo tan ocupado con su proyecto y con su propia vida que no tuvo momento de extrañarse del comportamiento de su familia.

Tanto más le afectaría entonces la carta que, junto con un catálogo de ensaladeras para hostelería y un comunicado público acerca de unas obras de canalización de la ciudad, por fin encontró en el buzón un día de enero de mil novecientos setenta y cinco. No sabía quién la había escrito. Por el lenguaje anticuado y la caligrafía rígida y llena de aristas dedujo que habría sido el antiguo maestro del pueblo, ahora jubilado. Lefti leyó la carta siete veces, luego se metió en la cama y no volvió a levantarse.

🌿 🌿 🌿

Cuando Trudi llegó a casa esa noche, se sorprendió al no encontrarlo, como de costumbre, en el futuro restaurante, donde solía pasarse hasta la medianoche trajinando aquí y allá y retocando hasta el último detalle, sino metido en la cama completamente apático. Vestido. Y con la ropa sucia de trabajo.

—¿Lefti, estás enfermo? —preguntó—. Di algo, cariño.

Al ir a buscar un vaso de agua, descubrió la carta de varios folios sobre la mesa de la cocina.

—¿Qué dice esa carta, Lefti?

En un primer momento, Trudi pensó que tal vez le había sucedido algo a su querida madre. Se tumbó al lado de Lefti y se apretó contra su espalda, pero él siguió rígido, como si ella no estuviera allí.

Como el estado de Lefti no mejorara tampoco al día siguiente, Trudi decidió actuar por su cuenta. Agarró la carta, se puso un traje de chaqueta muy elegante pero muy cerrado que, además, se abotonó hasta el cuello como quien se pone una armadura, y emprendió la marcha hacia su antiguo colegio. Había pasado ocho años en el internado de St. Pölten, a pesar de que su tía vivía a pocas calles. Al verse frente a la fachada de estuco rosado y blanco, con aquellas pesadas rejas en las ventanas que hacían impensable cualquier intento de fuga, se le puso la carne de gallina. Le había resultado tan insufrible su etapa allí que se había jurado no volver a poner un pie en el edificio, pero ahora quería recuperar a su marido. Así que entró en el colegio y solicitó entrevistarse con la reverenda hermana directora.

—Se lo ruego, hermana, usted que es capaz de leer la Biblia en la lengua original, hágame el favor de traducirme lo que dice esta carta —suplicó.

Para suerte de Trudi, la hermana directora no era la misma que la de sus tiempos, la que azotaba con una vara de avellano hasta hacer sangre en la espalda. Trudi no conocía de nada a la nueva, si bien el comentario cínico con que la recibió enseguida la devolvió a sus años de escuela.

—Con la educación tan exquisita que recibió aquí y al final se casa con un extranjero. Qué vergüenza.

Trudi habría deseado ponerse de pie, agarrar el crucifijo de hierro que había en un extremo del escritorio y clavárselo en la cabeza a la monja, pero conservó la calma y no se movió de su silla, sino que le pidió ayuda en el nombre de Jesús.

Y así, la hermana directora, que, siendo por su amado Señor Jesús, hacía lo que fuera, la ayudó. Tuvo que recurrir al diccionario unas cuantas veces, pero afortunadamente para Trudi sí que era el viejo maestro quien había redactado la carta y estaba escrita con la grafía antigua y no con la del griego moderno.

Hicieron falta casi dos horas hasta que Trudi logró entender el contenido de aquella carta y entonces, sin una sola palabra de agradecimiento a la hermana, se levantó de un salto y se marchó corriendo a su casa.

—¡Desagradecida! —le gritó la monja a la espalda.

Trudi salió del edificio como un huracán y, para liberarse de la angustia que le habían producido aquel lugar, aquella mujer y, sobre todo, el contenido de aquella carta, Trudi Haselbacher-Zifkos hizo algo de lo que jamás se había creído capaz: gritar. A voz en cuello, sin recato alguno y en medio de la gente. Se paró en la Linzer Straße y se puso a dar voces al universo, sin importarle en absoluto lo que pensara de ella la gente que pasaba. No gritaba palabras, ni significados, era puro sonido: el sonido de una rabia tremenda y terrible. Tras las rejas de las ventanas se agolparon las novicias del colegio santiguándose, temiendo que a la mujer de la calle la hubiera poseído el diablo, aunque de preguntarle a la propia Trudi les habría explicado que lo que pasaba era precisamente que acababa de conocer al diablo en persona:

A la prima de su marido.

A la exmujer de su marido.

A Eleni.

Eleni había dicho en Varitsi que el hijo del músico era de Lefti. Con lo cual, la familia lo había repudiado. Y en aquella carta le llamaban de todo, lo desheredaban y poco más o menos que lo consideraban muerto para siempre. Le cerraban todas las puertas. Su tío, su tía. Hasta su propia madre. En aquel momento, Trudi Haselbacher-Zifkos se juró que le sacaría los ojos a Eleni y los colgaría del revés de la rama de un árbol, los untaría de miel y lanzaría sobre ellos toda una colonia de hormigas de fuego. O, en el caso de que aquello no pudiera ser, ya ajustaría las cuentas con ella como fuera. Costara lo que costara.

En casa, Lefti seguía tirado en la cama y apático.

—Lo sé todo —dijo Trudi, sosteniendo una de sus manos—. No hace falta que hablemos de ello. Me imagino perfectamente lo triste que estás. Yo me ocuparé de todo. Buscaré a ese músico y lo arrastraré de las orejas hasta Varitsi. Esto no se puede quedar así. Aunque sea lo último que haga.

A los ojos de Trudi asomaban lágrimas de rabia. Lefti la miró. Nunca antes se había sentido tan desesperado. Pero, al mismo tiempo, tampoco se había sentido nunca tan querido como en aquel instante en que su tímida y discretísima Trudi, durante unos minutos, se tornó una auténtica furia por amor hacia él.

—No pasa nada, palomita —musitó y la atrajo hacia él—. Yo he hecho cuanto estaba en mi mano para que Eleni no perdiera a su familia. Si su respuesta es esta, no necesito a Eleni. No necesito a esa familia. Te tengo a ti.

Y, pocos años más tarde, Lefti no solo tendría a Trudi sino también una pequeña familia propia. Y ya fuera con sus hijos a volar la cometa, o les enseñara a guisar, de rodillas frente a la cocinita de juguete, o les llevara a montar en trineo arrastrándolos por la nieve durante horas, Lefti siempre les haría saber y sentir que les quería, y que daba igual si de mayores llegaban a ser príncipes con olor a rosas o si alguna bruja los transformaba en apestosas moscas carroñeras.

Pero hasta llegar a eso, Lefti se acurrucó junto a su Trudi y dio gracias a los dioses por cada pedo que a tan dulce criatura se le pudiera escapar en su presencia, pues, a fin de cuentas, eso era la mayor muestra de confianza y sinceridad que se podía tener: no guardar ningún secreto, compartirlo todo y no sentir vergüenza de nada estando con el otro.

Trajes de novia en Greektown

Aunque el antiguo barrio griego de Chicago había sido derruido en su práctica totalidad, la comunidad griega de finales de los setenta no había perdido nada de su viveza. Veinte años atrás, no solo los emigrantes griegos y sus descendientes sino la ciudad entera se había preocupado por lo que sería de la comunidad helena cuando desmantelaran por completo un barrio que había ido creciendo durante décadas con el fin de construir una autovía y un campus universitario. Pero los emigrantes griegos se habían adaptado. Sus locales y sus tiendas se habían trasladado y todo seguía igual que antes. Y estaban orgullosos: ellos mismos o sus antepasados habían salido de sus pueblos y sus islas griegas con poco más que unos cuantos dólares para labrarse un futuro en el extranjero. Habían empezado de vendedores, limpiabotas, obreros de fábrica, floristas o cocineros y habían llegado lejos, construido hogares para sus familias, comprado coches y llevado a sus hijos a un buen colegio para que estos tuvieran más fácil el abrirse camino en la vida. Muchos habían huido de los turcos, de los italianos, de los alemanes o de los británicos, de la mala situación económica o del hambre..., no iban a dejarse amilanar allí por una medida urbanística. Así pues, orgullosos e impasibles, habían trasladado su centro geográfico a otra zona para seguir cultivando sus costumbres y tradiciones, no pocas veces a costa de otros barrios de emigrantes más afectados por el paso de las décadas. Y cada vez que surgía el tema de la destrucción del Delta, el primer barrio griego de Chicago, el barrio original, se limitaban a encogerse de hombros y a burlarse de los polacos o de los checos, que habían echado a correr en todas las direcciones del globo, dejando abandonado su barrio, su Pilsen, en cuanto los primeros latinoamericanos habían asomado por allí.

Cuando Eleni llegó a Greektown en mil novecientos setenta y seis, la zona griega de la ciudad estaba ubicada en el Nearer Westside, entre la avenida Van Buren y Madison Street, justo a lo largo de Halsted Street, que era como una gran arteria que desbordaba energía y bullicio con sus incontables comercios, restaurantes, panaderías y tiendas de productos de importación griegos, peluquerías y escuelas, iglesias y asociaciones.

A Eleni no se le habría ocurrido emigrar a los Estados Unidos en la vida, de no haber sido porque, en junio de mil novecientos setenta y cinco, Spiros perdió una pierna ayudando a un primo lejano con unas faenas del campo. Un trágico accidente. El primo había pedido prestada la fresadora a un gran agricultor acomodado del pueblo vecino; a los ojos de los pequeños campesinos del valle, aquella máquina era todo un prodigio porque permitía remover y airear el suelo endurecido como la piedra por la sequía y el monocultivo, pero ni Spiros ni su primo tenían mucha experiencia en trabajar el campo con ese tipo de maquinaria pesada. Ninguno de los dos sabría explicar después por qué, aquel día, Spiros no iba en el tractor, sino en la fresadora enganchada detrás del tractor. Y nunca se recuperarían del shock que sufrieron cuando Spiros, sin saber ni cómo, de pronto resbaló con tan mala suerte que la pierna izquierda le quedó atrapada entre las afiladas hojas que se la cercenaron justo por mitad del muslo. Eleni no pudo evitar sentirse culpable, porque, al fin y al cabo, Spiros aprovechaba cualquier ocasión de ganar un poco de dinero extra desde que ella había vuelto a Varitsi embarazada. No le importaba lo duro ni lo peligroso que fuera el trabajo. Y el accidente habría de costarle semanas de hospital. Si ya no era fácil encontrar trabajo en Varitsi y los alrededores, en adelante le resultaría imposible. De los ahorros de Lefti no le quedaba casi nada. Foti se había mudado con su familia a Atenas y, entretanto, la relativa prosperidad se le había subido a la cabeza y prácticamente había roto todo contacto con la familia. El marido de Christina había ganado su buen dinero en Alemania de joven, pero ahora que tenían seis niños su mujer no quería dejarlo marchar de nuevo. Sentada junto a Eleni mientras esta daba de mamar al bebé, Christina repetía como una letanía que no estaba dispuesta a que sus niños crecieran sin padre y que bastante tiempo había pasado ya su marido lejos de ella. Ante tales indirectas, a Eleni le habría gustado darle un buen codazo en la cara a su hermana, pero por suerte tenía el codo ocupado, sosteniendo a su preciosa hijita. En lugar de replicar, Eleni comprendió que, en aquellos momentos, a quien le tocaba sacrificarse por la familia era a ella, pero sobre todo porque tenía que mantener a su hija.

El plan de Eleni al regresar a Grecia había sido dar a luz al bebé en Varitsi, buscar trabajo en la ciudad e intentar hacer carrera en la política en la Grecia libre, dejando a la niña con sus padres en cuanto terminase de darle el pecho, y llevársela con ella en cuanto consiguiera establecerse. Pero en la ciudad no había trabajo para una mujer joven que no contaba con ninguna formación especializada y, además, tenía que mantener a su familia. Un día, los vecinos, Yorgos y Spiroula, fueron de visita y le sugirieron marcharse a los Estados Unidos. Lo primero que le vino a la cabeza a Eleni fue la cantidad de manifestaciones antiamericanas a las que había arrastrado a Otto. Otto amaba Norteamérica, que para él era la tierra de Bob Dylan sin más, pero Eleni, quien con los años cada vez estaba más convencida de que la dictadura militar griega había recibido el apoyo directo de los servicios secretos norteamericanos y de que los grandes inversores de allí hacían sus mejores negocios en Grecia, despreciaba los Estados Unidos con toda su alma.

—Tengo una tía lejana allí —dijo Yorgos—. En realidad no la he visto nunca, sus padres emigraron en un barco de vapor en mil novecientos dos. Durante la guerra me escribió que, si alguna vez me veía en un apuro, no dudara en irme para allá, que hay trabajo para todo el mundo.

Eleni, de entrada, se indignó tanto que se despertó el bebé, que también se excitó mucho. Eleni hervía de rabia pero para no alterar más a la pequeña, que poco a poco volvió a calmarse en brazos de Pagona, tan solo cruzó los brazos sobre el pecho mientras su abuela canturreaba por lo bajo:

—Y tú tampoco despotriques así de los Coroneles. Después de todo, hicieron mucho por la gente sencilla como nosotros.

Desde que Lefti, Eleni, Foti y Christina no estaban en casa, los mayores parecían perder el sentido de la realidad cada vez más. Como si el mundo girase demasiado deprisa para asimilarlo ellos. Eleni conocía la interpretación que hacía Pagona de los acontecimientos. No le llevaba la contraria porque sabía que no tenía sentido intentar hacer cambiar de opinión a una mujer que llevaba media vida amoldando la realidad a una versión que no le causara dolor. Eleni se calló la boca y relegó la idea de irse a Estados Unidos al terreno de lo ridículo. No obstante, se vio obligada a hacer de tripas corazón unas semanas más tarde, cuando una teja que se desprendió del tejado estuvo a punto de caer encima del cochecito de su bebé y Yorgos constató que urgía repararlo pues no le faltaba mucho para derrumbarse y sepultar a la familia entera debajo. La casa la había construido el bisabuelo de Eleni en su época de máximo esplendor. Por aquel entonces, a nadie se le habría ocurrido pensar que algún día cesaría el comercio de sal o que se consumiría la herencia. Menos todavía que mantener una casa así sería una carga excesiva para una familia campesina cuya más valiosa posesión era el recuerdo de tiempos mejores. Christina no podía aportar nada para ayudar, Foti no quería hacerlo, Lefti no estaría para ayudarles. Eleni preguntó aquí y allá, pero nadie sabía de ningún trabajo por la zona que le hubiera permitido ganar lo suficiente. Y por primera vez desde que abandonara Hildesheim coqueteó con la idea de recuperar a Otto como parte de su vida. Siete veces intentó escribirle para pedirle ayuda. Pero todas ellas terminó arrugando el papel antes de firmar la carta.

—¿Y ahora qué? —preguntó a los posos de su taza de café. Eleni buscaba una señal que le revelara la solución, volcó la taza sobre la palma de la mano y, de pronto, levantó la cabeza. No había encontrado ninguna señal, sino que se había dado cuenta de que estaba cayendo en las mismas supercherías que tanto había despreciado en su abuela. «Soy demasiado joven para convertirme en una vieja», musitó, decidió tomar las riendas de su destino en lugar de dejarlo en manos de ninguna señal de los cielos y, menos aún, de ningún hombre, y empleó los últimos restos de los ahorros de Lefti en comprar un billete de avión para los Estados Unidos.

Al llegar, Eleni no sabía si de verdad estaba ya en Norteamérica o seguía en Grecia. Las casas eran de ladrillo en su mayoría, la típica arquitectura industrial americana que tantas veces había visto en el cine; sin embargo, los escaparates eran iguales que los de su tierra: había tiendas de velas, panaderías, restaurantes y comercios donde no vendían más que productos griegos… y había iconos por todas partes. Y una librería donde no tenían ni un solo libro escrito en caracteres latinos. Y cafés llenos de humo donde iban los hombres a hablar de política. Eso sí, en cada esquina había también alguna heladería, la más famosa era una que ofrecía polos de vainilla bañados en chocolate. Al levantar la cabeza, los rascacielos dibujaban su magnífico *skyline* por encima de todos, y al mismo tiempo se escuchaba música de *bozouki* a través de las ventanas abiertas. En su primer paseo por Greektown, Eleni se sintió como fulminada por un rayo. Caminando en silencio, como una autómata junto a la tía abuela de Yorgos: la señora Lina, comprendió que aquella era la imagen que tenían de Grecia los alemanes que tanto soñaban con Grecia desde Hildesheim: una Grecia tan artificial que volvía a resultar auténtica.

✿ ✿ ✿

A los dos años de llegar a Chicago, Eleni había salido a la calle por la puerta trasera de la tienda de trajes de novia de la tía abuela de Yorgos; dio una fuerte calada al cigarrillo y tuvo que apoyarse en la pared de ladrillo para no caerse al suelo del mareo. El aire era muy pegajoso entre aquellos edificios tan altos, daba la sensación de que el barrio entero estuviera dentro de una quesera donde todo el bochorno se concentraba en la parte más baja. Hacía demasiado calor para fumar, pero desde que Eleni vivía en Chicago, siempre hacía demasiado calor o demasiado frío o demasiado viento. En verano, te asfixiabas, en invierno se te congelaban las puntas de los dedos y, en el breve intervalo entre uno y otro, soplaban unos vientos que enseñaban a volar a los perros pequeños. Eleni había fumado algún cigarrillo de jovencita y, con Otto, fumaba porros con regularidad, pero había sido en Chicago donde se había convertido en una fumadora empedernida. Ya había empezado en el avión, cuando el amable caballero que iba sentado a su lado no paraba de ofrecerle un cigarrillo tras otro para que se tranquilizara. Ella le explicó que era una chica de la alta montaña, que no estaba hecha para meterse en una jaula y volar más alto que los pájaros. Pasado el aterrizaje, las que pidieron a gritos el cigarrito para tranquilizarse fueron las incontables noches de soledad en una ciudad que, más allá de Greektown, no le inspiraba nada bueno. Rascacielos tan altos y tan puntiagudos como si quisieran ensartar a los mismos dioses. Gente atropellándose y dándose codazos. Un idioma que no le entraba en la cabeza. Un lago que se extendía hasta el infinito como si fuera un mar... Eleni no solía salir del barrio. A veces ni siquiera se daba cuenta de que estaba en América. Hablaban griego hasta los cuatro filipinos que, por lo que fuera, habían ido a parar allí. Solo cuando levantaba la cabeza y veía las torres, aquellos negros símbolos de la superioridad, volvía a tomar conciencia de lo lejos que estaba de su hija. Y entonces se fumaba un cigarrillo. Y así se fumaba también las lágrimas y la añoranza. Se fumaba la desesperación y el anhelo. Eleni echaba mucho de menos a Aspasia. Echaba de menos el sentimiento de hogar. Pero las heroínas no lloraban. Las heroínas, a lo sumo, fumaban.

Apagó la colilla con el zapato y volvió al trabajo.

La señora Lina, tía lejana de Yorgos en sentido literal, pues en el fondo no se sabía bien qué grado de parentesco tenían, le lanzó una mirada bien severa mientras Eleni se ataba el alfiletero alrededor de la muñeca y se ponía un pañuelo a la cabeza para retirarse el pelo de la frente.

—Se te van a pudrir todos los dientes, ya verás, y a ver así quién se casa contigo... —gruñó, tendiéndole un caramelo de menta. A Eleni le daban un asco horrible los caramelos de menta. Desde que estaba en Estados Unidos, no había visto ni una hoja de menta fresca y estaba convencida de que, para los norteamericanos, la menta debía de ser una especie de jarabe espeso susceptible de ser convertido en pasta de dientes, colutorio, caramelos o chicle. Suspirando, se metió el caramelo en la boca con un gesto de repugnancia. La señora Lina no conocía la misericordia: «Si no quieres perder tu trabajo, ven oliendo bien, limpia y guapa».

La señora Lina y Yorgos no se conocían, puesto que los padres de la señora Lina habían tomado el vapor a principios del siglo veinte, pero ella había accedido de inmediato a acoger a Eleni. La edad de la señora Lina era un misterio. Eleni sabía que era viuda, pero era incapaz de adivinar la cantidad de arrugas que ocultaban los tres kilos de maquillaje o el color que tenía su pelo antes de teñírselo de un negro azulado y cardárselo después hasta formar una especie de gran bola-casco.

Para la señora Lina solo existían dos temas de conversación: los hombres y las bodas. Obviamente, el objetivo solía ser que los dos temas confluyeran en uno solo. Eleni estaba convencida de que el éxito de su tienda de trajes de novia no se debía a que vendiera unos modelos muy bonitos, sino a que también la mayoría de las bodas para las que vestía al personal las había organizado ella. En los años que llevaba allí Eleni, la señora Lina le había enseñado cómo llevar el negocio de los trajes de novia.

—Yo ya tengo muchos años y quiero centrarme más en el amor —le dijo el primer día de todos.

Eleni se ocupaba de la contabilidad, hacía los pedidos, vestía a los maniquíes, cepillaba los trajes, arreglaba los vestidos para adaptarlos al cuerpo y gusto de la correspondiente novia y limpiaba el local. Las clientas se probaban encima de una especie de peana rodeada de espejos que formaban un trapecio por tres lados. En el cuarto lado había un sillón mullido desde el que se tenía la panorámica completa... mas ¡ay de la madre acompañante, dama de honor o futura testigo de la boda que osara tomar asiento allí! El sillón era el sitio de la señora Lina. El trono de la reina de los tules y los encajes, de la seda y el terciopelo, de los bordados, las florecitas, del blanco puro, el blanco roto, el blanco nacarado, el blanco crema y el blanco antiguo. Desde allí, daba consejos a las novias para convertirse en buenas esposas, y desde allí sacaba de quicio a Eleni en cuanto no había ninguna clienta en el establecimiento.

Al volver del aseo, de lavarse las manos y ponerse más perfume, Eleni vio a la señora Lina sentada en su trono pasando revista a una joven algo regordeta y con una permanente negra exageradísima que, sobre la peana de pruebas, esperaba el veredicto acerca de un vestido que claramente le quedaba muy estrecho.

—No es tu traje, cielo. Tu futuro esposo espera una novia y no una morcilla.

Justo a frases como aquella se debía el cariño que Eleni había tomado a la señora Lina a pesar de todo. Era estrafalaria y vaga, una mandona y una loca de las bodas, pero también hacía gala de una sinceridad sin concesiones que Eleni valoraba mucho.

La muchacha se bajó de su peana y se dispuso a desenfundarse el traje.

—Espera, espera, ya te ayudo yo... —dijo Eleni, que veía el modelo de seda artificial reventando en cualquier momento, como la muchacha siguiera dando semejantes tirones—. Tú recógete el pelo en alto con la mano izquierda y contén la respiración.

—Es que estoy tan nerviosa por la boda... Nuestras familias no se llevan bien. Va a ser una catástrofe si viene todo el mundo.

Eleni fue desabrochando todos los botones y abriendo las cremalleras escondidas entre la tela y empezó a tirar de la tela hacia arriba para sacarle el vestido por la cabeza, con mucho cuidado, centímetro a centímetro. Por desgracia, la muchacha estaba sudando y el tejido sintético se le pegaba a las caderas sin compasión.

—Todo es culpa de la maldita política, porque mi padre es demócrata y el padre de mi novio, republicano. En nuestra fiesta de compromiso, se echaron cerveza por la cabeza hasta que no quedó más. ¿Qué va a pasar cuando, además, se junten con mis tíos y tías y primos y primas? Es que somos como Romeo y Juli… ¡aaaay! ¡Ay, qué daño!

La muchacha se puso a chillar porque Eleni le había clavado las uñas en los michelines.

—Romeo y Julieta —repitió Eleni.

—¡Ayayayay! ¡Que me hace mucho daño! —lloriqueó la muchacha.

—Eleni —intervino la señora Lina, pero Eleni no la soltaba, sino que le subía el vestido cada vez más—, ¿no ves que le haces daño a la clienta?

Eleni dio un paso atrás y la fulminó con la mirada.

—Problemas de lujo son lo que tienes tú. Vete a un país en guerra. Mira bien lo que la guerra les hace a las familias. ¡Mira lo que pasa cuando los hermanos se enfrentan a los hermanos, o pregúntale a tu familia cómo es que acabaron aquí! ¡Sus motivos tendrán! ¡Más te valdría pensar un poquito antes de abrir la boca! Necesito un cigarrillo.

Y Eleni dejó a la novia allí plantada, perpleja, a medio desnudar… o a medio vestir. Había conseguido subirle la falda hasta por encima de las caderas y, en la parte de arriba, le colgaba el corpiño abierto. Mientras salía a la calle, oyó a la señora Lina consolando a la clienta:

—La tiene que disculpar, es que a Eleni no se le puede ni mentar la política. Sepa usted que estuvo en la cárcel una vez, tuvo que huir de Grecia a Alemania, pero, en Alemania, su marido se enamoró de otra y dejó plantada a la pobre chica, embarazada de cuatro meses. Tiene a la niña en Grecia con los padres, y ella intenta ganar dinero aquí, es muy buena chica... Solo que con el tema de la política, pierde los papeles.

Eleni se fumó cuatro cigarrillos seguidos, hasta que le entraron náuseas. Era consciente de haber sido injusta con la otra chica. Las jóvenes de allí, aunque fueran griegas, crecían en un ambiente muy distinto al de Varitsi. Allí nadie había oído hablar de dotes. Tener estudios superiores era algo que se daba por hecho, y Eleni solía sentarse en el campus de la universidad cercana únicamente a observar con envidia a las estudiantes. Cada pocas semanas, se proponía implicarse de nuevo en la lucha política, pero daba igual a qué manifestaciones, reuniones de los demócratas o actos feministas fuera: en cuanto llegaba, la invadía el remordimiento de estar perdiendo el tiempo con las falsas ilusiones de que una joven de la montaña griega podría ser capaz de cambiar el mundo en el extranjero, cuando lo que tenía que hacer era ocuparse de su hija y ser una buena madre para Aspasia. Lo que tenía que hacer era ahorrar todo lo que pudiera para poder reunirse con ella en los Estados Unidos en cuanto la niña cumpliese la edad escolar y así ofrecerle un futuro mejor que el propio. Eleni no se dio cuenta de que se abría la puerta del patio, y se asustó cuando la señora Lina le quitó el mechero de las manos.

—Ya has fumado bastante —le dijo, encendiéndose ella misma un pitillo en la boquilla. Las dos mujeres pasaron un rato allí de pie, una junto a la otra, escuchando el zumbido de la autovía cercana, que acompañaba el estrépito del barrio por si ya resultaba poco ruidoso—. ¿Qué? ¿Has vuelto a hablar con tu casa?

Eleni asintió con la cabeza.

—Mi propia hija no ha querido hablar conmigo esta mañana.

La señora Lina le acarició el hombro para consolarla.

—Ya sabes lo que digo siempre: búscate un marido, tráete la niña para acá y problema resuelto.

La señora Lina volvió a la tienda taconeando y Eleni se quedó un rato más apoyada en la pared, con la mirada fija en la Sears

Tower, el imponente rascacielos negro que, a sus ojos, no representaba ninguna maravilla de la arquitectura sino que le recordaba una y otra vez lo lejos que se encontraba de todo.

🍃 🍃 🍃

Sobre la puerta de la tienda de la señora Lina había colgadas tres campanitas que imitaban las campanas de boda. Las clientas que entraban enseguida quedaban encantadas con la melodía, mientras que los contados clientes del género masculino tragaban saliva y nervios al tiempo que solían agarrar fuertemente, con ambas manos, el ala del sombrero. Era viernes por la tarde y Eleni levantó la vista de la agenda donde anotaba las citas para las pruebas de los vestidos de la semana siguiente. El hombre que acababa de entrar se quedó mirándola desde detrás de los gruesos cristales de las gafas. Eleni suspiró. Era muy raro que entraran hombres solos en la tienda de la señora Lina, más bien imperaba allí la ley no escrita de que los hombres no tenían nada que hacer en semejante lugar..., excepto tal vez invitar a salir a la misteriosa mujer de las montañas.

La cosa había empezado muy pronto: a las dos semanas de llegar Eleni a Chicago. Ya fuera paseando por las calles del barrio o se sentara en el banco del parque frente a la iglesia ortodoxa griega o en la peluquería, no pasaba mucho rato hasta que se le colgaba del brazo alguna señora mayor que primero la enredaba en una conversación y luego, a la primera ocasión, le sacaba una foto de su amado hijo, nieto, sobrino o sobrino nieto. Un excelente partido. Las madres querían a Eleni por nuera porque era griega de verdad y no americana. Los hijos la querían por esposa, porque además de guapa tenía el visto bueno de sus madres. Claro que, luego, a los hombres a los que conocía ella les encontraba algún pero: Peter (en realidad, Petros), el hijo del pastelero preferido de Eleni, gruñía como un cerdito cada vez que respiraba por la nariz. Jason (en realidad, Iason), el encargado de la droguería, tenía la piel tan seca que, cada vez que se rascaba —y se rascaba mucho y en cualquier parte—, caía al suelo una lluvia de copos de caspa blanca. Tim (en realidad, Timotheos), un mecánico de automóviles especialmente bien parecido, solo había sido capaz de articular seis palabras durante la cena de la cita: Sí. No. Batido de fresa. Cheeseburger. Sin. Pepinillos. Por otra parte, la mayoría hacía décadas que se había cambiado el nombre, americanizando sus respectivos Petros, Omeros, Stephanos o Charalampos a Peter, Homer, Stephen o Harry. En otras palabras: la mayoría de pretendientes de Eleni tenían edad suficiente como para ser su padre. Habían llegado a Chicago muy jóvenes, se habían pasado la vida trabajando muchísimo, habían vivido sus correrías de juventud con las alocadas norteamericanas, se habían enamorado de alguna italiana o alguna polaca cuya familia católica se había opuesto al casamiento con un ortodoxo, habían seguido trabajando con más ahínco todavía para olvidar sus penas de amor, se habían labrado un nombre en el barrio, en algún momento se habían traído a los padres de Grecia y, ahora, cruzado el cénit de su existencia, por fin decidían casarse...; eso sí: casarse como Dios manda, con una mujer joven y guapa y, a ser posible, con una griega de Grecia de las de verdad. Eleni había pasado tantas veladas cenando con tipos absolutamente descartables que un buen día le dio tal ataque de ira en mitad de Halsted Street que tiró un cubo de basura de una patada y les echó una bronca monumental a las monjitas de la tienda de velas que intentaban endosarle a un sobrino del que todo el barrio sabía que en realidad estaba enamorado de un muchacho ucraniano, y les gritó que se habían acabado para siempre las citas a ciegas y que más les valía a los hombres agarrarse bien los huevos y pedirle salir en persona, pues estaba harta de que la tratasen como pura mercancía.

Por su voluntad no habría quedado con ninguno más. Después de las experiencias con Lefti y Otto, Eleni no sentía la más mínima necesidad de compañía masculina, pero la señora Lina no la dejaba en paz. Y Eleni dependía de la señora Lina. Vivía en el piso de arriba de su casa y recibía un sueldo bastante más alto que el de cualquier dependienta. Eleni sabía que a la señora Lina le encantaba que después le diera el parte detallado de la cita de turno, pues, en cierto modo, eso le servía a la señora Lina para saber de los solteros del barrio mucho más de lo que le contaban sus madres. Las madres describían a sus hijos cual auténticos príncipes, como poco; Eleni contaba la verdad sin tapujos. Y no pocas veces se daba el caso de que un pretendiente de Eleni encontraba a quién llevar al altar gracias a la señora Lina tan solo unas semanas más tarde. De hecho, llegó a establecerse un dicho entre los solteros del barrio que, cuando llegaban a las últimas copas de la noche, auguraban: «A peor cita con la mariposa arco iris, más feliz matrimonio con el ratón gris».

Aquella noche, para disgusto de Eleni, el brillante y dulce mundo de tul ilusión todo blanco de la tienda de trajes de novia de la señora Lina se vio perturbado por las penetrantes notas del bálsamo para después del afeitado en cantidad industrial que se había echado el caballero que, armado de valor, osó personarse allí mismo para pedirle una cita.

—¿Qué desea? —preguntó esta de mala gana, sin apenas levantar la vista de la agenda.

—Muy buenísimas tardes.

El hombre tendría cuarenta y tantos años, calculó Eleni, apenas tenía pelo y la mandíbula superior mucho más grande que la inferior, con muy poca barbilla, y por los ojillos que se veían detrás de las gafas le recordó a un topo.

—¿Y usted quién es?

—Al contemplarla a usted me parece estar viendo a mi madre de joven. Aun mayor, sigue siendo muy atractiva... —dijo el topo, mordiéndose el labio inferior con unos incisivos cuadrados muy grandes. Eleni agradeció el cumplido sin saber qué pensar y esperó a que el tipo dijera algo más, pero se quedó de pie frente a ella, como un pasmarote, sacando la cabeza como un buitre, y guiñando los ojillos con gesto nervioso. Eleni dio un paso a un lado y él la siguió con la mirada.

—¿Le puedo ayudar en algo?

El topo avanzó un paso en su dirección. A Eleni empezaba a resultarle inquietante.

—¿Me permite tocarle el pelo? —le preguntó entonces, muy directo, estirando ya el brazo para hacerlo.

—No —replicó Eleni, apartándose.

Se le ocurrió pensar dónde tendría las tijeras, con un paso atrás se giró lentamente hacia la mesita de costura, y el topo iba detrás cuando de pronto sonaron las campanitas de boda de la puerta.

—Lina... Hola. ¿Sigues ahí?

Eleni respiró aliviada, era la voz de bajo de Milton, el hombre que tenía una pastelería a la izquierda de la tienda de novias y un restaurante dos casas a la derecha. La señora Lina y él eran viejos amigos, él solía ocuparse de la comida (que llevaba del restaurante de la derecha) y de las tartas (de la pastelería de la izquierda) en casi todas las bodas organizadas por ella. Y como pasaba por su puerta cada vez que iba de un negocio a otro, solía llevarles algún resto de dulce o algo rico de comer y se tomaba un café con la señora Lina. A Eleni no le hacía ninguna gracia, pues su visita implicaba que la señora Lina se tomaba un descanso mínimo de una hora, con lo cual ella tenía mucho más trabajo del que ya le daba su jefa, aunque en aquel preciso momento se alegró infinitamente de que apareciera Milton.

—¿Lina? ¿Eleni?

—Aquí, junto a la mesita de costura.

El topo se quedó mirándose una mano, como si esta fuera a decirle qué hacer a continuación. En cuanto Milton pasó a la parte de la tienda donde estaban, el otro se puso el sombrero y se escabulló sin despedirse lo más deprisa que pudo.

—¿Quién era ese? —preguntó Milton con gesto de sorpresa, depositó una caja de cartón llena de dulces sobre la mesita y se asomó a la calle por detrás de un maniquí con un vestido de chiffon.

—Un chiflado. Empiezo a creer que mi solución es irme a un convento —dijo Eleni, encendiéndose un cigarrillo incluso dentro de la tienda. Se apresuró a entreabrir las ventanas, que estaban orientadas al este; la señora Lina la mataría si se enteraba de que había fumado en el interior de la tienda. Pero era fin de semana.

El humo tenía dos días para irse. Llovía a cántaros, o como decían en inglés: llovían perros y gatos y de todo, tanto que se desbordaban las alcantarillas. Eleni se acordó de lo que la señora Lina le había dicho una vez: «No te pongas tiquismiquis, que a ti también te pueden poner un pero y bien gordo: estás divorciada y tienes una hija sin padre».

—Mucho te ibas a aburrir tú en un convento —dijo Milton al tiempo que abría la caja, y Eleni aplaudió de alegría: ¡pruebas de tartas de boda! Siempre le alegraba la semana cuando Milton preparaba una degustación de tartas para alguna pareja de novios caprichosos que querían probar varias antes de decidirse, y como luego nunca se las comían todas, ellas se hacían cargo de los restos en la tienda. La de frambuesa se deshacía sola en la lengua. La «creación de chocolate y nuez» era un puro pecado.

—No me explico cómo puedes estar tan delgada con el buen apetito que tienes… —dijo Milton, mordisqueando una pajita que llevaba siempre en el bolsillo de la chaqueta desde que el médico le había dicho que tenía que dejar de fumar de inmediato. Milton tenía cincuenta y tres años, las piernas delgadas y los hombros estrechos, aunque entre una cosa y otra estaba más que orondo: como una embarazada, había dicho Eleni la primera vez que lo vio. Conservaba un cabello espeso y fuerte, ya entrecano, y su piel revelaba que había fumado demasiado, trabajaba demasiado y no bebía suficiente agua. Algunos días, hasta se le veía la tez amarillenta.

En el exterior se sucedían los relámpagos y, de pronto, se oyó un trueno tan fuerte que a Eleni se le cayó el bocado de tarta de fresa y crema mantecada. Dejó mancha en el traje de novia y en la alfombra, y Eleni soltó una palabrota.

—No te preocupes, que si pregunta la señora Lina yo no sé nada —bromeó Milton, ayudando a quitar la mancha, en tanto que rugía el siguiente trueno—. No me digas que te dan miedo las tormentas —siguió tomándole el pelo.

—¿Miedo? ¡Pánico!

—¿Miedo, tú? Pues si yo creía que no le tenías miedo a nada…

—Pues sí, desde que nació mi hija justo en mitad de una tormenta terrible.

Se hizo un breve silencio en el que Milton parecía pensar y pensar.

—¿Cómo se llama tu hija, por cierto?

—Aspasia.

—¿Como la consejera de Pericles?

—Exacto, la primera gran política de la historia universal, si prefieres decirlo así.

Eleni y Milton se quedaron en la tienda de novias hasta que dejó de llover. Eleni se atiborró de pasteles y le contó cosas de su hija. Lo guapa y lo mayor que estaba, y lo que le gustaban los caballos, y lo rápida que era a la hora de calar el carácter de las personas, y que su primera palabra había sido «té».

Una vez en casa, en la cama, Eleni se dio cuenta de que casi todo lo que le había contado a Milton lo sabía porque a su vez se lo habían contado a ella. No estaba presente cuando Aspasia dijo «té». Tampoco había visto nunca cómo le brillaban los ojos cuando la subían a un caballo manso. Aquella noche, Eleni no pudo pegar ojo. Y en algún momento, entre las cuatro y las cinco de la madrugada, en la hora más oscura, cuando el remordimiento y la añoranza le pesaban sobre el pecho como una horrible nube negra y de plomo, se juró volver a Grecia en cuanto le fuera posible.

Eleni redescubre a Eleni

Sentada a la mesita de costura, Eleni cortaba una finísima tela de encaje que una novia se había empeñado en añadir a su vestido a toda costa. El vestido de por sí ya era una de las piezas más elaboradas y barrocas que Eleni había visto jamás en la tienda. El día en que lo trajeron, envuelto en plástico, se había echado a reír: cantidades industriales de tul, un corpiño adornado con pedrería, cintas de pasamanería y rositas de tela, por encima de todo ello un chal que apenas dejaba un centímetro de tela sin bordados, y por todas partes cintas, lazadas, más pedrería, más rosas de tela…, en suma, el modelo ideal para todas aquellas novias que, incapaces de decidirse por un estilo, optaban por ponerse todo a la vez. A Eleni le había parecido ridículo y, sin embargo, casi todas las clientas que pisaban la tienda se sentían mágicamente atraídas por el traje, hasta que, hacía poco, una morenita bastante joven pero muy decidida, de caderas anchas y silueta de diosa de la fertilidad lo había señalado con el dedo diciendo:

—Quiero ese.

Y por si el vestido no era ya el puro paradigma de la opulencia, aún había expresado el deseo de añadirle toda suerte de extras: que si mejor con hombreras, que si más encaje aquí, que si más pedrería allá. Entretanto, la señora Lina taconeaba por la tienda contemplando su propio género como si necesitara recordar que su profesión consistía en vender trajes de novias y no en arreglar casamientos.

—Te digo una cosa: si yo fuera el novio, saldría corriendo con solo ver este traje —farfulló Eleni mientras cosía los añadidos correspondientes. La señora Lina respiró profundamente por la nariz y se acercó a la mesita de costura donde trabajaba Eleni.

—Pues yo en tu lugar mantendría el pico cerrado, que a ver cuándo encuentras tú a alguno que no salga corriendo al verte.

La señora Lina seguía furiosa con Eleni por el numerito que esta había montado días atrás en Halsted Street, para colmo contra el hijo de su callista.

Y eso que la velada había empezado bien. Eleni iba de buen humor después de que Milton le llevara un buen surtido de tartas que ella se había zampado delante de las novias de la tienda. Hartarse de dulce delante de las clientas le provocaba un placer casi rayano en lo perverso, pues todas las novias estaban a dieta y la miraban con los ojos del que, muerto de sed, contempla un espejismo en mitad del desierto. El joven que la había invitado a cenar era guapo, elocuente, iba bien vestido y bien duchado, no parecía tener ningún defecto físico demasiado notorio y hasta había tenido la decencia de llegar veinticinco minutos tarde. Eleni era la impuntualidad personificada y consideraba una enorme falta de respeto hacia una mujer llegar a la hora, privándola así del margen fundamental para tomarse un respiro, fumarse un cigarrillo y empolvarse un poco la nariz. El motivo por el cual Eleni le arrojó la copa de vino a la cara no fue, con todo, que el caballero osara tomarle la mano un instante, sino que, a los postres, salió a colación el tema de la junta militar. «Hijos-de-puta fascistas», había dicho Eleni, tan fina como de costumbre, a lo que él había replicado: «El gobierno militar fue lo mejor que le podía haber pasado a Grecia. No solo salvaron el país de una conspiración comunista, sino que construyeron un sistema escolar en condiciones e hicieron mucho por la gente sencilla». Eleni no pudo contenerse: «Pero ¡si fueron unos torturadores! Pegaban a las mujeres en las plantas de los pies desnudos con tubos de metal y enviaron a miles de opositores al régimen a una isla donde los encarcelaron sin darles de beber!». Y después, en algún momento, los dos habían acabado con la cara colorada como el vino: Eleni de pura rabia y el hijo de la callista porque Eleni le había echado el vino por encima.

—Ay, Eleni, cariño, si yo entiendo tu justo encono por lo de tu exmarido... Pero mírate: estás hecha una pena. Ya llevas dos años aquí, llegas antes de la hora todas las mañanas, sigues en la tienda después de cerrar, vuelves a tu casa y te quedas como un mueble viendo las noticias en la televisión y leyendo esos libros tuyos tan raros. ¡Y ese cinismo, por Dios! Te estás volviendo una amargada, te portas como una arpía burlándote de todas las pobres novias jovencitas ilusionadas mientras tú misma te haces vieja, y mira lo que te digo: dentro de unos años no vas a estar más guapa que ahora, ni mucho menos...

Y con las palabras finales, la señora Lina resopló como un potrillo, se dio media vuelta y se marchó a la trastienda a prepararse un café. El café fuerte y dulce la tranquilizaba.

Eleni volvió a tomar las tijeras. Quiso creer que la señora Lina solo le había dicho eso porque la callista le echaba la culpa de que ella hubiera dejado en evidencia a su hijo, y ahora ya no quería tratarle los pies, lo cual era una auténtica catástrofe para la señora Lina, que veía los callos como uno de los peores castigos de los dioses.

Pero, en el fondo, Eleni tenía que reconocer que la señora Lina no iba desencaminada en absoluto. Eleni llevaba tres años sintiéndose desgraciada y no había movido un dedo para cambiarlo. Se había gustado en su papel de bella abandonada sentada en la escalera de incendios con la mirada perdida, el gesto melancólico y el cigarrillo entre los dedos. ¿Cuándo había empezado a disfrutar de su propio dolor?

Eleni había ido a Chicago para hacer algo con su vida. Ganar dinero, independizarse, tal vez conocer a un hombre al que le gustara Bob Dylan y que protestara contra la guerra de Vietnam. Y, sobre todo, para ayudar a su familia y traer a su hija con ella lo antes posible.

Y, como salido de la nada, el recuerdo de Otto se adueñó de ella en otro de esos momentos en los que sentía que desaparecía el suelo bajo sus pies. Otto y Eleni en la India. Mucho calor. Demasiado calor para hacer nada. Ya no están en Ashram sino que viajan sin rumbo. Desde hace meses, Eleni solo se pone pantalones de yoga, muy sueltos y sin botones, atados a la cintura con cintas. A Otto le gustan mucho esos pantalones porque se prestan muy fácilmente a esconder la mano en ellos. Deslizar un dedo entre su vello púbico. Juguetear un poco. Un poco nada más, por supuesto... Los dos juntos en una hamaca, uno encima del otro o más bien entrelazados, charlando sobre el monito que se columpia en los árboles por encima de ellos. Charlando sobre el cielo, tan distinto al de su hogar. Hogar que en realidad no existe. Sobre Hildesheim, de donde quieren marcharse. Sobre Hamburgo, adonde se quieren mudar. Sobre Berlín, que también sería una posibilidad a tener en cuenta. Sobre que Eleni no quiere volver a Grecia bajo ningún concepto. Otto nunca ha estado en Grecia. Otto siente un gran amor por Grecia. Estudió griego clásico en la escuela. Eleni se ríe de él cuando cita a Homero. ¡Que no se pronuncia así, hombre! Otto sí que quiere ir a Grecia. Con Eleni. Otto acaricia el bajo vientre de Eleni, Otto adora a Eleni así porque para él es una diosa griega. Antígona, la que es consciente de que sus actos tan solo contribuyen a hacerle la vida difícil. Pero que actúa así de todas formas porque tiene principios. No como Electra, que se queda sentada lloriqueando, dice Otto, y besa a Eleni como únicamente Otto es capaz de besar a Eleni.

«Antígona, esto no puede seguir así», se dijo Eleni, respiró profundamente hasta que se sintió mejor y puso todo su esmero en terminar de coser el traje de novia lo mejor posible. Cuando, al día siguiente, vino la novia a probárselo, la recibió con una sonrisa y le dijo:

—Te sienta de maravilla, estás guapísima.

Tal fue así que la señora Lina se atragantó con el café y le entró un ataque de tos. Cuando se hubo marchado la novia, miró a Eleni a los ojos y le dijo:

—Mira, si estás mala, te quedas en la cama. A mí no me vayas a contagiar algo.

🌿 🌿 🌿

Una semana más tarde, Eleni se miraba al espejo, nerviosa. Había ido a la peluquería y, por primera vez en su vida, le había permitido a la peluquera ponerle un tratamiento suavizante para que los rizos le quedaran más definidos y fáciles de peinar en lugar de crespos y disparados en todas direcciones. Se había puesto un vestido por primera vez desde que saliera de Grecia y le había pedido prestados a la señora Lina unos tacones y productos de maquillaje. Se encendió un cigarrillo, lo fumó ansiosamente y se puso en camino hacia el centro de la ciudad.

Cierto es que ya en el autobús dirección *downtown* habría preferido bajarse y dar media vuelta. El inglés de Eleni no era demasiado bueno, las novias de la tienda hablaban griego todas, como también los comerciantes de Halsted Street. Al principio de estar en Chicago, solía ir al lago y se sentaba en alguno de los embarcaderos a mirar el horizonte. Sin embargo, cuanto más tiempo transcurría, menos salía de su barrio. En Hildesheim no soportaba pasar la velada en casa ni un solo día de la semana. Siempre tenía algún plan de salir que proponerle a Otto, y si él estaba demasiado cansado o de viaje, ella iba la taberna de Nikos hasta que echaban el cierre. En Hildesheim tampoco había otros lugares en los que pasar la velada. Chicago, por el contrario, ofrecía una aventura distinta en cada esquina. Eleni se preguntaba qué había pasado con ella. Aunque lo cierto es que, en el fondo de su corazón, lo sabía perfectamente: era la mala conciencia lo que la tenía bloqueada. Cómo iba a divertirse mientras su hija la esperaba al otro lado del océano.

El autobús al centro de Chicago olía a perro mojado mezclado con cebolla, y la mayoría de las personas que viajaban en él le daban miedo, pero Eleni permaneció sentada. En Alemania tenía la sensación de ser muy morena, mientras que en aquel autobús se sentía blanquísima. A pesar del cambio de perspectiva, el sentimiento de base era el mismo: Eleni sentía que no formaba parte de aquel mundo.

Subió una mujer mayor, visiblemente ebria, y empezó a vocear sin sentido. Un hombre se puso a gritarle, tras lo cual rompió a llorar un bebé que una mamá llevaba atado al cuerpo con una pañoleta, y a continuación se sumó al vocerío el conductor del autobús. Era una de aquellas noches de frío como de cristal en las que, entre las casas, soplaban cuchillos del gélido viento del desierto de Canadá, pero Eleni notaba que iba sudando. Luego se asomó a la ventanilla y vio cómo los edificios cada vez eran más altos. «Es que uno no se puede imaginar», le decía su vecina, Spiroula, antes de que Eleni abandonara Varitsi, «eso de que los edificios lleguen hasta el cielo». La familia entera se había quedado con la boca abierta con las primeras postales de los rascacielos que les había mandado. Al parecer, Eleni era la única que no compartía la fascinación por aquellas torres. A ella le gustaban las montañas, los árboles, los lagos…, lugares en los que moraban monstruos y elfos, hadas, dioses y magos. Aquellos rascacielos, en cambio, eran humanos en el sentido más abominable del término.

En el primer local en el que entró por recomendación de una clienta bastante extrovertida y simpática, la gente brillaba por su ausencia. De los cuatro gatos sentados en la barra o en algún silloncito no se antojaba medio interesante ni uno solo. Por suerte era viernes y la velada no había hecho más que empezar. Eleni dio media vuelta y salió sin llegar a quitarse el abrigo. El segundo local, cuatro calles más allá, estaba bastante concurrido. Tocaba una banda de jazz, y allí Eleni sí se quitó el abrigo, pero, al buscar un sitio para sentarse, se dio cuenta de que todo eran parejitas. Todo parejitas más o menos acarameladas que bien se hacían los mimos que el lugar permitía o bien se miraban a los ojos con gesto ensoñado. Así que volvió a ponerse el abrigo. Otro poco más abajo de la calle encontró el tercer bar. Había tanto ruido y hacía tanto calor que prácticamente se arrancó el abrigo del cuerpo…, sudor, bochorno, humo…, casi no podía respirar entre todos aquellos cuerpos que, de excelente humor, bailaban, se movían, frotaban culos contra muslos… Eleni tuvo que pasar casi agazapada entre los brazos que no paraban de agitarse alocadamente en el aire, al parecer al compás de la música, si bien costaba mucho identificar ningún compás con tanto jaleo. Esperó un rato junto a la barra, pero ninguno de los camareros le hizo ningún caso. Pasados unos minutos, decidió marcharse.

Una vez en la calle, miró el reloj de la torre de una pequeña iglesia. No podía decirse que hubiera sido una excursión larga y, desde luego, nada provechosa, pero más adelante podría contarle a su hija que, una noche, se había aventurado a salir sola por Chicago. Eleni iba de camino a la parada del autobús cuando oyó la suave música de un piano que salía de una ventana entreabierta. Al otro lado de las cortinas, sobre el alféizar de la ventana, se veían una vela y un cartel: «Night long». Eleni se retocó el peinado y abrió la puerta con precaución. La luz no era ni demasiado fuerte ni demasiado tenue, la sala tenía techos altos y las paredes revestidas de madera, los sofás y las sillas eran de cuero oscuro, pero para contrastar aligeraban el ambiente un gran número de cuadros: pintura abstracta. Casi todos los sitios estaban ocupados, la gran mayoría por hombres, y muchos de los presentes estaban solos: justo lo que iba buscando Eleni, un lugar donde se pudiera estar con gente pero sola al mismo tiempo.

—Un vino tinto, por favor.

—¿Qué vino?

—Tinto, por favor.

Eleni se había sentado en un taburete en la barra; a su izquierda había un hombre mayor, a la derecha otro que habría podido ser la versión americana de Otto.

—¿Qué tinto quiere? Tenemos muchos.

Eleni no entendió lo que le decían, y tampoco quería entenderlo, quería un vino tinto sin más.

—Vino tinto, por favor —insistió, y el camarero puso los ojos en blanco en señal de hastío. A los americanos les gustaba poner los ojos en blanco, al parecer. Hacía mucho que Eleni no se inmutaba por ello, como tampoco por lo mucho que les gustaba enseñar los dientes. Le sirvieron una copa enorme con muy poco vino para tanta copa, con una servilletita blanquísima debajo y un cuenco de cacahuetes al lado.

Eleni dio un sorbito al vino y recorrió el bar con la mirada. Los presentes parecían completamente absortos en la música, ninguno se fijó en ella. Se sentó un poco de lado de manera que podía mirar al hombre de la derecha. Tenía el pelo largo, no tan rubio como el de Otto pero algo más ondulado y menos rebelde. Los ojos eran de un azul muy claro en lugar de grises, pero había algo interesante en él. Tenía todo el aspecto de haberse manifestado contra Vietnam y de haber estado en el festival de Woodstock viendo a Bob Dylan en directo. Eleni reunió todo su valor y dijo:

—Hi!

El tipo la miró un momento, su nariz tenía una forma muy rara.

—Hi —respondió y volvió a su cerveza. Eleni se preguntó si sería adecuado preguntarle qué tal estaba, visto que era lo que los americanos se decían para entablar una conversación, pero el tipo clavaba la vista en su cerveza con gesto tan ensimismado que a ella se le atascaron las palabras en la garganta. Esperó unos minutos más sentada de lado hacia él, pero luego se volvió a poner recta, se quedó allí sonriendo, escuchando la música y tomándose el vino, empezó a hacer tiritas con la servilleta de papel sin saber en qué pensar y, por puro aburrimiento, fue al servicio. Cuando volvió, el Otto en potencia versión americana había desaparecido. Eleni espero un rato más a ver si pasaba algo. Pero no pasó nada. Cuando el camarero le trajo la cuenta, constató que aquella noche de la que había esperado que pudiera ser la más emocionante de su nueva vida en Chicago había resultado, con mucho, la más aburrida, amén de la más cara. Tuvo que reunir toda la calderilla que llevaba en el bolso y apenas le alcanzó para pagar aquel vino a precio de usura. Cuando salió al frío de la calle, hubo de asumir que no solo no podía permitirse un taxi, sino que a aquella hora ya no pasaban los autobuses y que los estrechos zapatos de la señora Lina le hacían un daño espantoso.

A pasitos doloridos y desafiando el inmisericorde frío de Chicago, tardó casi una hora en atisbar las luces blancas y azules de Halsted Street. Estaba completamente helada y muerta de hambre y sus pies eran una pura ampolla cuando por fin vio la tienda de novias de la señora Lina. Desde allí aún quedaba un cuarto de hora hasta la casa, así que se puso a rebuscar en el bolso por si de casualidad llevara encima la llave de la tienda. No podía caminar ni un metro más y estaba tan agotada que prefería dormir sobre la mullida alfombra con una estola de piel como almohada antes que continuar quince minutos más a través del frío.

Faltaba poco para las tres de la madrugada y dos casas más allá de la tienda aún había una luz encendida. Eleni se detuvo frente al ventanal del restaurante de Milton y lo vio en el interior, colocando las sillas boca abajo sobre las mesas. No supo explicarse por qué, pero en lugar de seguir buscando su llave, se le ocurrió tocar al cristal, y cuando Milton, asombrado, le hizo un gesto con la mano para que entrara, no pudo evitar sonreír.

—Pero, ¡bueno! ¿Qué haces tú por aquí a estas horas? —preguntó al tiempo que abría la puerta para que Eleni pasara.

—Una noche horrible —dijo Ella, sentándose en la barra.

—La mía tampoco ha sido para dar palmas —respondió Milton y desapareció en el interior de la cocina. Unos minutos más tarde, salió con una bandeja de restos surtidos de cosas ricas y un plato con varias tartas distintas—. Hoy servía el banquete de una boda en el centro de la comunidad. Lo que no sabía era que el memo de mi camarero había tenido una historia con la novia hasta hace unas pocas semanas. Ya me extrañaba a mí que ese pedazo de vago que siempre se escaquea de los turnos de fin de semana tuviera tanto afán por trabajar hoy —le contó Milton mientras barría el suelo—. Y resulta que cuando los recién casados se paran delante de la tarta para hacerle la foto, el muy hijo de su santa madre va y le empotra toda la cabeza en la tarta al novio.

Eleni se empezó a reír.

—No ha tenido ninguna gracia —replicó Milton, pero tampoco pudo evitar reír. Como dos niños chicos, los dos estallaron en carcajadas.

Eleni comió pan tostado con tomate picado, orégano y queso feta. Sardinillas fritas con *saganaki,* todo tipo de verduras a la plancha con aceite de oliva y unos pinchos de carne que Milton le recalentó en el horno. Era una cocinera pésima, pero le encantaba comer. La comida era para ella un pedazo de patria, y sobre todo en un día como el que había pasado.

—¿La comida la has hecho tú o tienes alguien que te ayude? —le preguntó a Milton, mientras él pasaba la fregona.

—No se lo cuentes a nadie: tengo dos cocineras polacas.

—¿Polacas?

—Pues sí, pero guárdame el secreto. Las recetas sí que son todas mías. Es decir, son recetas de mi isla. Pero todos los cocineros griegos que he tenido las hacían a su manera y las cambiaban según conocían ellos el plato de sus respectivas tierras. Ya lo sabes, en cada pueblo se hace el *tzatziki* de otra manera. Pero yo quería que el mío supiera como en mi casa.

Eleni probó el *tzatziki* y constató que, en efecto, sabía a *tzatziki,* pero con bastante más eneldo y menos ajo que el de Varitsi.

—¿De dónde eres exactamente?

—De Makarionissi. Una isla de pescadores muy pequeñita, del oeste. Es preciosa, aunque, por desgracia, también pobre de necesidad.

Masticando un enorme bocado de carne de cerdo, Eleni se sintió mal. Después de la señora Lina, Milton había sido la segunda persona que había conocido en Chicago. Incluso le había regalado una tarta de bienvenida, una tarta de crema mantecada decorada con la bandera de Estados Unidos. Y ella no le había dado las gracias, sino que había hecho un comentario irónico sobre su exagerado orgullo yanqui. Milton pasaba por la tienda de la señora Lina prácticamente a diario, pero ella no le había preguntado ni una sola vez cómo estaba, sino que siempre llamaba a la señora Lina enseguida. Lo había catalogado desde el principio como amigo y socio de la señora Lina y no sabía nada de él a pesar de que él sí parecía saberlo todo de ella. En todos sus cumpleaños y santos le había llevado una tarta. Eso sí, las siguientes sin ningún motivo norteamericano más.

Eleni tragó un bocado de berenjenas y preguntó:

—¿Y cuál es tu historia?

—¿Qué quieres decir?

—Pues eso, que cómo fue que viniste aquí. ¿Emigraron tus padres? ¿Tenías un tío aquí? ¿Es que querías ver la estatua de la Libertad como fuera?

Milton rio y se secó los ojos.

—Eso hace mil años que no me lo pregunta nadie.

—Tampoco hace falta que me contestes.

—Que sí, en realidad me gusta que alguien se interese por mí —rio torpemente. Eleni sabía cómo se sentía—. Salí huyendo. Mi familia era más pobre que las ratas, humildes pescadores que nunca tenían ni para comer. Mi madre bebía, mi padre daba palizas cuando volvía con las redes vacías y, cuando me enteré de que unos cuantos pescadores jóvenes de la otra punta de la isla tenían planeado emigrar, les dije que tenía dieciséis años. El tipo que nos reclutó y nos trajo me cambió el nombre de Militiades Anastasiadis a Milton Aniston para que a los americanos les resultara más fácil pronunciarlo. Siempre me propuse regresar algún día, pero entretanto se han muerto todos mis familiares sin que volviera a ver a ninguno nunca más.

Milton sacó dos pajitas del bolsillo de la chaqueta y se las metió en la boca. Eleni se moría de ganas de fumar, pero como a Milton le costaba mucho dejar el tabaco, no quiso sacar su cajetilla del bolsillo del abrigo.

—Aquí en América, empecé desde abajo del todo. Primero tuve que devolver la deuda del viaje desde Grecia, pero luego fui a mejor poco a poco. Me he pasado la vida trabajando, fumando y leyendo historias de héroes. Y bueno, pues aquí estoy. Viejo y solo, pero contento.

Eleni guardó silencio un instante y, finalmente, repitió:

—¿Historias de héroes?

—Claro, a ser posible de la Antigüedad.

—¿Y a quién prefieres, a Ulises o a Aquiles?

—¡A Aquiles, faltaría más! ¡Ulises es un cobarde al que se le pasea el alma por el cuerpo, hombre! Mucho con que quiere regresar a su hogar con su mujer y su hijo, pero no hace nada para lograrlo. Se deja llevar y a ver cómo lo socorren los dioses... Nada, nada, yo prefiero a los héroes de Troya, que mandan a los dioses a paseo y toman las riendas de su destino ellos.

Todos dicen «sí»

Eleni y Milton se casaron en la primavera del año siguiente, mil novecientos setenta y nueve, y fue la boda más sencilla y menos espectacular de toda la historia del barrio griego. El último jueves de mayo, mientras la señora Lina acudía a su cita semanal en la peluquería, Eleni cerró la tienda y se probó un traje de chaqueta blanco muy sencillo que su jefa había pedido por equivocación y que, desde entonces, tenía por allí abandonado porque el proveedor y ella no lograban ponerse de acuerdo en quién había tenido la culpa. Era un dos piezas de falda recta por la rodilla y chaqueta entallada con grandes hombreras. Las mangas le quedaban cortas, pero se las arremangó, se miró al espejo y asintió con la cabeza en señal de satisfacción. El viernes por la mañana, cuando la señora Lina se disponía a salir para el trabajo, Eleni bajó de su vivienda en el piso de arriba en albornoz.

—Hoy no puedo ir a trabajar. Esta noche te cuento por qué. Nos vemos a las siete y media en el restaurante de Milton. Diles a los vecinos que vengan también.

Antes de que la señora Lina tuviera ocasión de replicar, Eleni había dado media vuelta y desaparecido en el piso de arriba. En cuando oyó que la puerta de la señora Lina se cerraba, se vistió, se pintó un poco los labios, comprobó que llevaba toda la documentación necesaria y tomó un taxi, porque Milton había insistido mucho, a pesar de que al Ayuntamiento también se llegaba muy bien en transporte público. Milton la esperaba en las escaleras de entrada, con su mejor traje y mordisqueando cuatro pajitas a la vez.

—Guapísima —le dijo al bajar Eleni del taxi, le tendió el brazo y la condujo escaleras arriba hasta el primer piso, a la izquierda, donde se colocaron en la fila de parejas que esperaban para lo mismo. Delante de ellos había una pareja asiática, una afroamericana y otra de Latinoamérica.

La pareja asiática se mantenía de pie muy tiesa, ella llevaba una especie de albornoz de color naranja; él, camisa y pantalón. Los afroamericanos de detrás, todo el tiempo abrazados y sin dejar de mirarse a los ojos, vestían sendos pantalones vaqueros y camisetas.

Eleni se mordía los labios de lo nerviosa que estaba.

—Tengo muchas ganas de conocer a Aspasia —susurró Milton.

—Y yo quiero conocer la isla de la que procedes —susurró Eleni.

Para tranquilizarse, Eleni se puso a recordar la cena de un mes atrás, en la que habían hecho planes para después de la boda. En cuanto Eleni tuviera su nuevo pasaporte, tomarían un avión a Grecia, recogerían a Aspasia en Varitsi y harían un largo viaje y visitarían la isla de Milton, Makarionissi, antes de volver a Chicago los tres. Milton ya había empezado a buscar una casa grande. Eleni ya tenía mirado un parvulario para Aspasia. Por fin volvería a estar con su niña y tendría a su lado a un hombre que la respetaba. Y que no solo era su marido, sino, sobre todo, su amigo.

Y cuando se encontraron frente a la puerta, los siguientes para casarse, Eleni apretó el ramo de girasoles que le había traído Milton. Él mordisqueó su pajita por última vez, Eleni lo miró de reojo y pensó que ya conseguiría ella que dejara lo de las pajitas, como también que adelgazara un poco haciendo deporte y alimentándose mejor. Un verano en Grecia y no se le vería tan mal color. El hecho de que tuviera edad como para ser su padre no tenía arreglo, pero a cambio sabía valorar la actitud relajada y paternal que mostraba hacia ella.

—Tú quieres ser feliz. Y yo creo que sabré hacerte feliz. Y no quiero seguir estando solo —le había dicho antes de preguntarle si quería ser su esposa. Lo había hecho de una forma muy serena y sencilla, en el coche, después de llevarla a casa la decimotercera vez que salieron a cenar… y sin anillo, pues opinaba que era mejor que lo eligiera ella. Y fue justo por eso por lo que Eleni le dijo que sí: Milton no la obligaba a nada, no trataba de encorsetarla, la aceptaba tal y como era. Le daba la opción de elegir los anillos que quisiera. Respetaba su voluntad, no trataba de imponerse y no exigía nada.

—Los siguientes, por favor.

Eleni y Milton se miraron y se hicieron un gesto de asentir con la cabeza, Milton tomó la mano de Eleni y avanzaron juntos hacia su ceremonia nupcial de diez minutos de duración. Eleni sabía que estar con Milton sería bueno para ella. Que ella y Aspasia siempre podrían contar con él cuando lo necesitasen, que era su amigo. ¿Llegaría a amarlo? Tal vez, o tal vez no, pensaba Eleni, intentando parecer feliz. Pues por más que llevara cinco años sin hablar con Otto, no había dejado de escribirle dos veces a la semana una carta que iba a parar a una caja de madera que guardaba debajo de la cama. Y cuando Milton la besó, durante una fracción de segundo imaginó que eran los labios de Otto los que rozaban los suyos.

Una obscenidad de automóvil

Mientras que el transcurso de los años iba haciendo más grandes y ruidosas las ciudades de este mundo, cierto pueblecito de la montaña greco-albanesa se tornaba cada vez más pequeño y tranquilo. Los primeros en abandonarlo habían sido los comerciantes, con ellos se había ido la bonanza, y luego, en busca de esta, habían partido todos aquellos que aún estaban en condiciones de trabajar. En mil novecientos setenta y nueve, prácticamente no vivían en Varitsi más que viejos, que ya habían visto demasiado como para marcharse de allí, y niños a cargo de los abuelos en tanto que sus padres se establecían en las ciudades de Grecia o del extranjero a las que habían ido a buscar trabajo. Aspasia no era la única niña que apenas guardaba recuerdo de cómo olía su madre. Por otra parte, a Aspasia, la niña que había nacido enmantillada y, por consiguiente, tocada por la fortuna, no le faltaba de nada. Tenía dos abuelas gemelas que se comunicaban sin necesidad de abrir la boca. Tenía a su abuelo, que cojeaba como un pirata porque le faltaba una pierna, y tenía también a los demás niños, que la admiraban por sus rizos dorados como la miel, si bien a ella le interesaban bastante poco los demás niños. Prefería jugar con los mayores. Y lo que más le gustaba en el mundo eran los caballos.

Aquel día era una princesa, sentada sobre los hombros de su fiel corcel Loukas, quien la paseaba por el pueblo, varita mágica en mano, jugando a que podía convertir el mundo en lo que le viniera en gana. Agitando en el aire la varita de madera que su abuelo le había tallado, Aspasia decía:

—Cuando vuelva mi mamá, se casará contigo.

Loukas brincaba y Aspasia chillaba de alegría, sin ver casi nada porque, con tanta agitación, los rubios tirabuzones le cubrían toda la cara.

—A vuestras órdenes, princesa mía. —Y Loukas se puso a galopar y a hacer cabriolas en el aire, y Aspasia no paraba de reír.

—¡Loukas, Aspasia, no hagáis el bruto así! —les regañó Despina, y Loukas dejó de correr para entrar calmadamente en el patio.

Aspasia contempló cómo sus abuelas barrían la arena que habían esparcido previamente por la casa para abrillantar el piso. Una nube de polvo envolvía la puerta de entrada. La tía Christina estaba en la cocina guisando, el abuelo Spiros sacaba brillo a sus herramientas. Todos preparaban la llegada de Eleni con gran excitación, tan solo Aspasia mostraba sus reservas. Casi todo lo que sabía de su madre procedía de lo que los mayores le habían contado. El abuelo le había dicho que, en América, mamá vivía en un edificio tan alto que en último piso se podían acariciar las nubes. Las abuelas le habían contado que confeccionaba los vestidos más maravillosos para las reinas americanas. El fiel corcel le hablaba a veces de lo rebelde que había sido su mamá de pequeña y de las aventuras que habían vivido juntos. Y si Aspasia se lo pedía por favor, por favor, entonces incluso le mostraba la cicatriz del mordisco que le había dado su mamá Eleni en tiempos. Uno de los pocos detalles que Aspasia sabía por experiencia propia era que la voz de su mamá sonaba igual que la de la señora del televisor del *kafenion*. El *kafenion* era como el castillo de su abuelo, y ella era la única niña a la que dejaban entrar, pues por algo era una princesa.

Aspasia estaba acostumbrada a ser siempre el centro de atención. Hasta los desconocidos que pasaban por Varitsi de excursión o de camino hacia alguna otra parte se quedaban atónitos al ver a aquella niña tan extraordinariamente bonita, con la piel aceitunada, los ojos de un color gris como el hielo y unos rizos como sacacorchos del mismo tono que la miel. En los pueblos vecinos se decía que Aspasia era hija del mismísimo Zeus, una hermana de

Helena de Troya, la griega más bella de todos los tiempos, por quien hasta se había iniciado una terrible guerra y destruido una ciudad: al parecer, las dos habían nacido de un huevo.

—¿Adónde desea Su Majestad ser conducida ahora? —preguntó el fiel corcel Loukas, y Aspasia se paró a pensar si le apetecía más ir al bosque o con las ovejas, pero entonces apareció Pagona en el patio:

—Aspasia, entra en casa, que te tienes que lavar.

El fiel corcel se arrodilló, la princesa bajó a tierra, se abrazó a su particular caballo y le susurró al oído:

—Le voy a decir a mamá que se case contigo.

Muy contento, el fiel corcel le dio un beso en la cabeza y dijo:

—Y yo estaré eternamente en deuda con Su Majestad.

🍃 🍃 🍃

Loukas siguió a la pequeña con la mirada hasta que hubo desaparecido. Pagona se quedó parada en el patio, meneando la cabeza. Sus miradas se cruzaron, la de la anciana estaba cargada de preocupación, como si quisiera decir: «Mejor no lo hagas, niña».

Tras volver Eleni de Alemania, Loukas y ella pasaban mucho tiempo juntos. Eleni no soportaba estar en casa, pues las gemelas no paraban de darle consejos sobre cómo criar a su niña. Loukas le hacía compañía en sus paseos, escuchaba sus historias sobre Alemania y la ayudaba con el carrito del bebé cada vez que el camino era difícil. Una vez que se sentaron los dos sobre un murete de piedra, sus caderas y sus brazos estuvieron rozándose durante minutos. Loukas había perdido la cuenta de las veces que, en los últimos años, se había parado delante de una agencia de viajes dispuesto a sacar un billete de avión con destino Chicago para, una vez allí, reservar una habitación en un buen hotel, comprarse un traje nuevo y presentarse una tarde en la tienda de trajes de novia con un imponente ramo de rosas y arrodillarse a los pies de Eleni... Estaba seguro de que el anillo de su abuela le gustaría, pero no se había atrevido a hacer aquello nunca. Ahora, sin embargo...

Loukas estaba convencido de que Eleni y él estaban unidos por un vínculo muy fuerte: eran los únicos que quedaban. Ellos dos eran el futuro de Varitsi. El pueblo se extinguía, pero ellos dos podrían insuflarle vida de nuevo. Y eso era lo que Yaya María había querido siempre. Solo que había sobreestimado a Lefti, pues él, Loukas, era la mejor versión de Lefti.

🍃 🍃 🍃

Lo cierto es que nadie esperaba el regreso de Eleni Stefanidis con tanta ilusión como Loukas Mavrotidis. Y nadie habría de sentirse más descorazonado que él al ver que quien regresaba no era Eleni Stefanidis sino Eleni Aniston, y además lo hacía en un gigantesco vehículo de color burdeos, un Lincoln Continental tan largo como tres de los coches de dos puertas que había aparcados en el pueblo al borde de la carretera. El motor rugía como un ciervo en celo, y hasta el último vecino se asomó a la ventana para verlo. Algunos de los ancianos veteranos de guerra se escondieron bajo la mesa de la cocina, creyendo que aquella maravilla de doce cilindros era un tanque. El Lincoln iba tocando la bocina, Eleni sacaba los brazos por la ventanilla para saludar con la mano, y el sol hacía brillar su anillo de casada. En el asiento del conductor, según alcanzaron a vislumbrar los curiosos, iba un caballero alto y corpulento. De edad suficiente como para ser su padre, pero guapo de cara y con muy buen pelo canoso. Traje caro, gafas de sol de marca buena, sin duda: un caballero con clase. Un hombre con prestancia. El marido de Eleni.

Despina y Pagona se tomaron de las manos, Aspasia se agarró al muñón de la pierna de su abuelo y Loukas se volvió hacia otro lado sin decir nada mientras el Lincoln Continental aparcaba como un transatlántico llegando a puerto.

La familia esperaba a la entrada de la casa, sin moverse, como anclada al suelo.

Loukas fue el único que se metió en la suya y ya no presenció cómo Eleni bajaba del automóvil para abrazar y cubrir de besos a

Aspasia, hasta que la pequeña se quejó de que no la dejaba respirar. Y también se perdió las primeras palabras que Aspasia dijo a su mamá:

—Te he encontrado un marido, ya está todo manso y te lleva de paseo a caballito.

Eleni rio, la familia a su alrededor también, y Eleni aupó a Aspasia en brazos.

—¡Bájame, bájame! —protestó la niña.

—Pero, cariño, es que ya he encontrado un marido yo por mi cuenta, un nuevo papá para ti.

En cuanto Eleni la dejó en el suelo, Aspasia dio un paso atrás.

—¿Lleva a caballito?

Milton, en toda su corpulencia, permanecía de pie junto al coche y, apurado, sacó una pajita del bolsillo de la pechera. Aspasia se soltó de los brazos de Eleni y fue a esconderse detrás de Spiros.

—No es un caballito, es tu nuevo papá —dijo Eleni. Aspasia se agarraba a la pernera del pantalón de Spiros y apretaba la barbilla contra el pecho, gesto que hacía siempre que algo le inspiraba recelo.

—Yo no tengo papá.

—Pues claro que tienes papá, tesoro. Míralo, aquí está, se llama Militiades —dijo Eleni señalando a Milton. Aspasia no hacía además alguno de soltar el pantalón de Spiros.

—No, no. A mí me trajo la cigüeña. —Los adultos se echaron a reír, también Milton lo hizo. La única que seguía seria y hasta se veía ofuscada era Aspasia.

—No es nada gracioso. A mí me trajo la cigüeña y el abuelo tuvo que pelear por mí. ¡Que sí, que lo sé yo! Segurísimo. Allí, en la plaza del pueblo. La cigüeña trajo a todos los bebés. Pero yo era el bebé más bonito de todos. Todas las yayas del pueblo querían quedarse conmigo. Pero acudió corriendo el abuelo y los apartó a todos a empujones y me llevó en brazos, porque quería que estuviera con él. ¿Es que tú no sabes cómo fue?

Eleni tragó saliva y miró a su padre con gesto interrogante. Spiros sonrió como para disculparse, se apresuró a eludir la mirada penetrante de su hija y acarició los rizos dorados de Aspasia. Entonces, Milton se puso de rodillas para que sus ojos quedaran a la misma altura que los de la niña.

—¡Pues cómo no iba yo a saber enseguida que te había traído la cigüeña! A las niñas más guapas siempre las trae la cigüeña. —Aspasia sonrió con recelo—. ¿Tú quieres que te cuente yo un secreto de las cigüeñas? —La niña asintió con la cabeza—. Pero entonces tienes que acercarte un poco, porque te voy a enseñar una fotografía muy, pero que muy secreta y no la pueden ver los demás.

A Aspasia le encantaban los secretos, soltó el pantalón de Spiros, que, muy sorprendido, se puso a recolocarse la tela sobre el muñón, y la pequeña avanzó hacia Milton con mucha cautela. A medio metro de distancia se detuvo, lo miró bien de arriba abajo y, sin embargo, no dudó en sentársele sobre el muslo y rodearle el cuello con el brazo para contemplar la foto que él acababa de extraer del bolsillo superior de la chaqueta. Era una foto suya en un avión. De joven, había trabajado un tiempo en una fábrica de hidroaviones en el lago Michigan. Y estaba muy orgulloso de haber logrado convencer a un fotógrafo profesional que documentaba los últimos modelos para que lo retratase también a él y así poder comparar el tamaño humano con el de la máquina.

—Sabed, princesa mía, que hay cigüeñas con plumas y cigüeñas de metal. Las cigüeñas con plumas traen a las niñas de bebés. Y las cigüeñas de metal les traen los papás a las niñas.

—¿Cigüeñas de metal?

—¡Pues, claro! Mira qué barrigota más gorda tengo... ¿Cómo crees que iba a poder conmigo una cigüeña de las de plumas?

Milton colocó la manita gordezuela de Aspasia sobre su barriga. Con el dedo índice, Aspasia comprobó la consistencia de la tripa y luego se puso a tamborilear sobre ella, muy divertida.

Aliviada, Eleni abrazó a su madre, que dio un pequeño respingo porque tan inesperado gesto la tomó por sorpresa. Al observar a Milton con Aspasia, Eleni tuvo la sensación de haber hecho algo realmente bien por una vez en mucho tiempo.

La familia estaba tan contenta de tener a Eleni y Milton en Varitsi que esta llegó a pensar en cerrar la despensa con un candado. No paraban de servirles más y más viandas ricas. Ella había aprendido a decir que no en Alemania y no le daba ningún apuro hacerlo, pero Aspasia terminaba quejándose de que le dolía la barriga todas las noches, y Milton se pasaba dos horas diarias en el excusado. Con todo, Eleni no fue capaz de prohibirles a su madre y a su tía Despina que cebaran a su marido y a su hija de aquel modo. A fin de cuentas, había viajado al pueblo para llevarse a Aspasia de allí para siempre. No podía privarlas del gusto de darles bien de comer, era lo menos que podía hacer. En Varitsi no se hablaba de sentimientos. Nadie. No tenían palabras para la pena, la alegría, el miedo o el afecto. En lugar de ello, Eleni observaba cómo la mesa se veía cada vez más opulenta a medida que se acercaba el día de su partida.

La mañana en la que Eleni y Milton finalmente abandonaban Varitsi, Despina se levantó con el primer canto del gallo y, con mucho sigilo, se coló en el antiguo cuarto de las chicas, donde ahora dormía Aspasia. Milton y Eleni se alojaban en una habitación en el pueblo de arriba, donde hacía poco habían construido un hotel para los excursionistas y la gente que venía de la ciudad buscando la tranquilidad y el aire puro de las montañas. Ahora se consideraba un lujo viajar por placer a sitios donde no había nadie. Una noche en aquel hotel costaba un equivalente al jornal de toda una semana de Varitsi. Aspasia, en contra de su voluntad, había pasado algunas noches allí con sus padres, pero, de despedida, Eleni le había permitido quedarse a dormir en casa de sus yayas. Despina se sentó en la cama de la pequeña y, con ternura, le apartó los indómitos rizos de la cara. Eleni se había ido a América cuando Aspasia tenía poco más de un año; Despina recordaba cómo le había dado un beso en la frente y luego se había subido a la camioneta de la tienda del pueblo, pues el dueño se había ofrecido a llevarla hasta el valle. Eleni no había querido alargar la despedida. Aspasia había llorado hasta quedarse dormida y, al despertarse en su cuarto, había seguido llorando y llamando a su mamá. Despina se había levantado para volver a acostar a la niña en la cama de Eleni, pues aún conservaba su olor. Y, desde entonces, había pasado casi todas las noches allí con ella. A Despina se le partía el corazón al pensar que Milton y Eleni se llevaban a su nieta a miles de kilómetros de distancia, al otro lado del océano. Muy suavemente, acarició la cabecita de la niña dormida. Cuando Aspasia se fuera, no le quedaría nada que le recordara a su hijo. Lefti le escribía una carta cada dos semanas. Al principio, ella las arrojaba todas al fuego sin leerlas, pero en algún momento la había vencido el sentimiento de añoranza. Lefti y su señorita alemana llevaban cuatro años casados. Ella estaba esperando un niño que nacería un mes o dos más tarde. Lefti concluía todas sus cartas con un dibujo de la barriga donde marcaba los puntos en los que notaba las patadas del bebé. Lefti y su mujer (Despina no sería capaz de aprenderse su nombre jamás) habían dejado Alemania y se habían establecido en Austria. Un día en que había ido a la ciudad al médico, Despina puso el pie en una librería por primera vez en su vida para pedirle al joven librero que le hiciera el favor de mostrarle en un atlas dónde estaba St. Pölten. El librero no supo encontrarlo. Lefti y su mujer habían abierto un restaurante allí. Cocina griega. Despina no terminaba de hacerse a la idea de cómo podía funcionar aquello, pues Lefti nunca había sido precisamente buen cocinero, y seguro que esa alemana o austríaca o lo que fuera tampoco sabía preparar los platos griegos. Cada noche, antes de irse a dormir, Despina miraba las fotografías que le enviaba Lefti. Fotos de la boda, fotos de él con su señorita en las montañas, con una ropa muy rara frente a unas casas con entramado de madera. Y en todas se le veía riendo, en todas parecía feliz.

Despina dio un beso a Aspasia en el pelo y buscó rasgos de Lefti en su rostro, pero lo cierto era que no le encontraba ningún parecido con él. Estaba convencida de que la culpa la tenía ese invento del demonio de la fotografía, pues no acertaba a captar a su hijo como era de verdad. Despina acarició a la niña dormida, se levantó y se fue a la cocina.

En la penumbra del amanecer, se sentó a la enorme y antigua mesa. La madera crujió bajo el peso de la soledad mientras Despina pensaba a quién podría pedirle que le escribiera una carta a su hijo. La primera carta dirigida a Lefti desde que Aspasia viniera al mundo.

—¿Te has despertado, mi amor? —Aspasia asintió con la cabeza, trepó al banco de la cocina y se puso a mordisquearse el pulgar. Aspasia no se había chupado el dedo en la vida, pero ahora de pronto mordisqueaba cosas. Igual que su nuevo papá, Militiades, pensó Despina—. ¿Quieres que te lleve a la cama otra vez?

Aspasia bostezó.

—No. Es que no puedo dormir.

—¿Estás nerviosa?

—Mucho, muchísimo.

—Ay, sí, tesoro mío, vas a hacer un viaje muy largo y ver muchas cosas muy bonitas, y a lo mejor tu nuevo papá te compra un caballo de verdad.

Despina tragó saliva un instante, cerró el puño y dijo entonces con voz temblorosa:

—Pues tu abuela también va a hacer un viaje. A un país de montañas muy altas y puntiagudas. Allí no hay dioses porque no encuentran donde sentarse en las alturas. El país se llama Austria.

—¿Y cuándo volverás?

—Cuando vuelvas tú.

Abuela y nieta se abrazaron largo rato. Y ninguna imaginaba que no volverían a verse nunca más.

🍃 🍃 🍃

Tras una despedida llena de lágrimas, la familia Aniston subió al Lincoln y emprendieron el viaje en dirección al sur. Milton estaba enteramente en su elemento al volante de aquel coche. Le había costado una semana de llamadas telefónicas, aparte de un dineral, encontrar a alguien de Atenas que les alquilara aquel vehículo. Eleni nunca llegó a saber cómo había logrado hacerse con él para la luna de miel, únicamente conocía su poder de convicción. Aspasia retozaba en el asiento de atrás y estaba encantada con su nueva carroza, de una potencia que sus caballos de Varitsi nunca habrían igualado. A Eleni le parecía que el Lincoln era una obscenidad de automóvil, le daba apuro que la gente se les quedara mirando por el mero hecho de ir en un coche más grande que un tractor. Sin embargo, en este punto, Milton era igual que los norteamericanos. Podía pasarse horas perorando sobre lo glorioso de la libertad del movimiento individual. Y el aroma a asfalto... La promesa de una puesta de sol al fondo de una larga carretera... La pura encarnación del arte de la ingeniería humana. Para Eleni, el automóvil olía a gasolina y a metal, como también era demasiado grande y demasiado ostentoso, pero, cada vez que iba a protestar, pensaba en la historia de cómo Milton había llegado a los Estados Unidos. Con trece años, demasiado joven para viajar solo en un transatlántico. Y, sin embargo, siempre había sido muy valiente y muy listo. Alguien con quien no hacía falta fingir ser lo que uno no era.

Milton había emigrado con un pequeño grupo de pescadores a los que habían reclutado en condiciones peores que abusivas para llevarlos derechos a una fábrica de automóviles, y había sufrido horriblemente durante el viaje. Él, que era un hijo del mar; que, a los cuatro años, ya buceaba a ocho metros de profundidad y, a los siete, sabía manejar un barco de vela con vientos huracanados, había tenido que viajar encerrado bajo cubierta en un camarote, apretujado como el ganado en un vagón de tren, luego igual en un autobús y en un segundo autobús, previo desembarco en una zona industrial... Se había sentido atrapado como una dorada: pescado, transportado en un barco dentro de un cajón, luego facturado hacia otro sitio y descargado como una mercancía. Tardó tres semanas de trabajo en entender lo que estaba haciendo siquiera, tres semanas en descubrir qué eran aquellas varas de metal amorfas que le mandaban ensamblar en una cinta de montaje. En un descanso de la jornada, Milton se equivocó de camino y, en lugar de salir al patio, fue a parar a una especie de terminal de carga donde subían los automóviles terminados a grandes vagones de tren de dos pisos. Y, de pronto, su vida cobró un sentido nuevo. Vio la elegancia con que los conductores atravesaban el recinto con aquellos automóviles relucientes, recién salidos de la fábrica y aún con olor a pintura fresca, el motor rugiendo..., y supo que, algún día, también él conduciría un automóvil así. Entonces volvió a su tarea. Se entregó a fondo y así había pasado casi cuarenta años trabajando con más diligencia, entrega y espíritu de ahorro que nadie que conociera, y ahora, a mitad de la cincuentena, por fin tenía el gusto de ir al volante de un Lincoln Continental.

Recorrieron el país hasta llegar a la costa, desde donde, a través de un largo puente, llegaron a la isla más grande de la región y la cruzaron de norte a sur para tomar un transbordador hacia la isla natal de Milton: Makarionissi.

La exaltación de Aspasia no tuvo límite cuando vio el mar por primera vez. Milton tuvo que meterse hasta las rodillas en el agua con ella y probar primero él un poquito de agua hasta que también la pequeña se atrevió a comprobar que tenía un sabor salado. Milton compró una hogaza de pan para dar de comer a las gaviotas. Aspasia les ponía nombre a todas, y Eleni se temía que la niña realmente fuera capaz de distinguirlas una por una. En los últimos días, había despertado en ella una especial pasión por las aves. Después de todo, no solo a ella la había traído un pájaro muy grande, sino también a su nuevo papá.

Aspasia adoraba a Milton. Por supuesto, Eleni era su madre y a quien se le acurrucaba en el regazo cuando tenía sueño, pero Milton era su héroe. Milton no tenía un pelo de tonto, la llevaba en brazos o se dejaba arrastrar adonde ella quería, se ensuciaba si hacía falta, le compraba todos los caprichos y no perdía ocasión de hacerla reír. A Eleni le había preocupado mucho cómo reaccionaría Aspasia al arrancarla así de su ambiente, al apartarla de sus amados abuelos y de los vecinos de Varitsi. Pero Aspasia era generosa con su amor. Enseguida le tomaba cariño a todo el que le hiciera un poco de caso. Y, por supuesto, nadie le había hecho nunca tanto caso como Milton ni la había tratado como una princesa hasta tal extremo. Milton acertaba con todo sin necesidad de hacerlo a propósito ni de pensarlo siquiera.

Habían tardado tres horas en llegar a la estación del transbordador. Como les sobraban cuarenta minutos hasta zarpar, se pusieron a caminar a lo largo del paseo marítimo, que estaba lleno de tiendecillas tipo bazar, heladerías y puestos de *souvenirs*. Milton iba del lado de las tiendas; Eleni, del lado del mar. Aspasia, en medio de los dos, de la mano de ambos, se divertía encogiendo las piernas para quedarse colgando como un monito. Después de andar treinta metros, a Eleni le dolía el hombro:

—Aspasia, hija, ya está bien, camina como todo el mundo —dijo, y estuvo a punto de darle un azote, pero el resultado fue la primera gran pelea del matrimonio recién casado. Milton se enfadó por que Eleni regañaba a la niña, cuando Aspasia solo quería jugar. Eleni, a su vez, le echó en cara que la estaba malcriando y le consentía todo. A los quince minutos de competición a ver quién gritaba más fuerte, Milton se calló y, sin prestar atención alguna a la vehemente protesta de Eleni, le compró a la niña un osito de peluche casi tan grande como ella.

Aparcaron el Lincoln Continental en el transbordador, y Milton sacó jerséis para los tres del maletero. Era un cálido día de principios de verano, Aspasia brincaba de aquí para allá, emocionada con todo; incontables gaviotas planeaban sobre sus cabezas con fuertes chillidos.

—Nunca hay que subestimar el mar abierto —dijo Milton, tendiéndole un jersey a Eleni, que lo agarró con gesto malhumorado y sin una palabra de agradecimiento. Por un lado, seguía furiosa porque Milton la había desautorizado en el paseo marítimo; por otro, sabía bien que ahora tenía razón y que no hay que subestimar el mar abierto. Las noches pasadas había tenido pesadillas, y en todas ellas aparecían islas que representaban alguna amenaza. Esto último no lo sabía Milton cuando entró en la cabina con Aspasia para explorar el interior del transbordador.

Habían pasado trece años desde que los militares se llevaran a Eleni de la gendarmería de Varitsi para encerrarla en la cárcel colectiva de la ciudad más próxima, en el valle. A nadie de Varitsi le había contado nunca aquel episodio. El único que lo sabía era Otto. Hasta compuso dos canciones sobre ello, y aunque trataban de la peor experiencia que Eleni había vivido jamás, la habían ayudado a distanciarse de sus recuerdos. A percibir los olores, los ruidos y el dolor como si los hubiera vivido otra persona. No solía acordarse mucho, pero después de que Milton pasara toda una velada hablando de su isla natal, Eleni se despertó en mitad de la noche creyendo que volvía a estar tirada en el suelo de una celda maloliente y atestada de presos, sin ver la luz del día. Creyó oír gritos y se apretó contra su marido, alegrándose por primera vez de que fuera tan corpulento: al menos no faltaba dónde agarrarse. Había soñado que la deportaban a una isla. A una roca desnuda en mitad del mar donde solo crecían cardos y moraban ratas. No había ni un solo árbol, en ninguna parte del suelo crecía nada, pues los fuertes vientos se llevaban por delante cuanta vida pudiera surgir sobre aquella roca. Ya desde la Antigüedad se decía allí que los ratones del lugar comían hierro. De hecho, cuando sugirieron al emperador romano Tiberio que mandara allí al exilio a un enemigo del Estado, el soberano había hecho un gesto con la mano, diciendo que condenar a alguien a aquella isla del diablo era demasiado inhumano. No obstante, lo que resultara demasiado cruel a los antiguos romanos se hizo realidad en mil novecientos sesenta y siete, para horror de Eleni, detenida y presa.

Sonó la bocina del transbordador. Aspasia, que había dado por terminado su recorrido de exploración por el interior, tomó la mano de su madre y señaló la enorme chimenea. Una columna de humo ascendió hasta el cielo y, con un traqueteo, el transbordador puso rumbo al mar abierto. En el horizonte se veía dibujada la silueta de Makarionissi, una montaña en el centro y, alrededor: mar azul intenso.

—¡El barco se mueve! ¡El barco se mueve! —chilló de alegría Aspasia, con los labios resecos y los ojos, de un color gris como el hielo, abiertos como platos. Milton rio hasta que advirtió la mirada petrificada de Eleni.

—¿Es que te mareas? —le preguntó.

—Un poco —respondió ella, agarrándose a la barandilla. Como quien no pierde de vista a un enemigo que se acerca, mantenía la mirada clavada en la isla. Milton y Aspasia entraron a por bebidas. A Eleni le lloraban los ojos del viento que le daba en la cara, pero no podía dejar de mirar fijamente la isla.

Milton le trajo un café en un vaso de papel, con mucho azúcar, justo como sabía que le gustaba. Aspasia llevaba en la mano un helado enorme.

—¿Ya estás mejor? —preguntó Milton a Eleni, acariciándole la espalda.

—Más o menos. Ya sabes que soy una chica de la alta montaña, no de mar.

—Makarionissi te gustará. Es el lugar más bonito que hayas visto nunca. La isla tiene la misma forma que un ciervo volador que tuviera entre las pinzas la localidad principal: Politouranou. En el centro hay un volcán ya extinguido que impide que los habitantes de una mitad de la isla vean los fuegos artificiales de Nochevieja que lanza la otra mitad. Makarionissi es extraordinariamente fértil, en todas partes hay olivares, crecen hierbas silvestres... y la gente es sumamente amable y servicial. No tienen nada que ver con los habitantes de las montañas, son mucho más abiertos, ven el mar a diario y sienten la libertad. Eso es lo más maravilloso de todo: en todas partes hueles el aire fresco del mar. Nunca llega a hacer frío en serio, no nieva, el año entero hace sol. ¿No sería estupendo envejecer allí algún día?

Y mientras Milton seguía soñando despierto, Eleni intentó unir la idea que tenía ella de una isla con la idea de libertad. Porque, por mucho que las montañas estuvieran llenas de barreras naturales, siempre ofrecían protección y algún lugar donde guarecerse. Las islas, por el contrario, estaban expuestas, todo quedaba a la vista, y, sobre todo: quien no contara con su propio bote no tenía modo de escapar de allí tan deprisa...

Aspasia se había terminado el helado. Milton le limpió las manos con un pañuelo de papel y la aupó en brazos. La pequeña de cuatro años estiró el dedo índice para señalar:

—¡Macarron-isli!

Miltón rio.

—Makarionissi. Prestad atención a lo que se cuenta de esta isla, princesas: mucho antes de que todos nosotros viniéramos al mundo, se permitía instalarse allí a los grandes héroes cuando se cansaban de serlo. En la isla había praderas paradisíacas sembradas de rosas, así como una fuente de la que manaba el néctar. Ahora, que no era un néctar corriente, pues estaba mezclado con el agua del río del mundo de los Muertos. Y quien lo bebía olvidaba todos los males que pudieran haberle sucedido en su vida y ya solo se acordaba de las cosas bonitas. Allí vivió Menelao con su esposa Helena... Menelao fue el gran rey que destruyó Troya. Y junto a él vivieron también Aquiles y su padre, Peleo, el que en su día conquistara a una diosa del mar. Y Cadmo, el constructor de Tebas, y se pasaban el largo y bello día tan a gusto todos, jugando a los dados o tocando la lira, y tomaban el sol, que jamás se antojaba demasiado ardiente sino que siempre daba un calor ideal.

Canto VI

Que trata de cómo la heroína llega a la isla
de los héroes felices, donde —por lo menos,
al principio— puede tomarse un respiro hasta
que, a finales de los ochenta, sucede algo terrible,
seguido de algo maravilloso a principios de
los noventa..., como suele ocurrir en la vida,
pues para los héroes rige lo mismo que para
los comunes mortales: todos somos juguetes
de los dioses.

El ciervo volador

Makarionissi tenía ciento treinta y siete con ocho kilómetros cuadrados, estaba situada en el Mediterráneo occidental, y cuantos la sobrevolaban —pilotos, pasajeros de aviones pequeños, dioses y bandadas de aves varias— habían de reconocer que tenía la forma de un ciervo volador. Al norte tenía una llanura desde la cual, a derecha e izquierda, salían dos brazos que parecían querer abrazar la bahía natural. Desde el aire se habría dicho que el gran insecto quería atrapar entre sus pinzas la localidad principal de Politouranou. Dos calas alargadas daban a la isla la forma del cuerpo del escarabajo y los bordes del volcán del centro se asemejaban a las alas plegadas.

La isla era demasiado grande como para que todos los habitantes se conocieran. Al mismo tiempo, era demasiado pequeña como para que sucedieran cosas sin que todo el mundo se enterase.

Así pues, cuando en mil novecientos setenta y nueve, una familia norteamericana decidió instalarse en Makarionissi por tiempo indefinido, la isla entera sintió gran curiosidad. Nunca antes se había visto allí una familia como aquella. El marido parecía tener la suficiente edad como para ser el padre de la mujer, aunque mordisqueaba pajitas como un adolescente. La mujer era guapísima, pero tenía un carácter que los lugareños, en sus habituales charlas bajo los olivos, se preguntaban si a Milton le bastaría con una fusta para dominarla o si también necesitaría riendas, bozal y correas. Claro que de quien más se hablaba era de la hija, que poseía una belleza espectacular... Así debía de haber sido de niña la mismísima Helena de Troya, la mujer más bella de la Historia, la que había llevado a griegos y troyanos a enfrentarse en la guerra más terrible de todos los tiempos.

Aquella familia llamaba la atención, y pronto corrieron los rumores más disparatados sobre cómo el hombre había llegado a amasar una fortuna tan grande como para construir un hotel en la punta sur de la isla, donde a diferencia de las costas oriental y occidental, todas de pequeñas calas muy escarpadas, la tierra desembocaba en el mar en bellas playas de arena. Construir allí un hotel..., y no un hotel cualquiera, sino todo un complejo imponente de verdad, con más de trescientas camas repartidas en cuatro pisos, con un edificio principal y dos anexos.

Al principio, los lugareños iban al sur de la isla a primera hora de la mañana o al anochecer únicamente a curiosear las obras. Los obreros locales se mostraban escépticos, pues los materiales que habían mandado traer de lejísimos en grandes contenedores no tenían mucho que ver con el estilo de construcción de la isla. Sin embargo, un día, el americano convocó a todos a una reunión informativa.

Para los lugareños, que acudieron llenos de curiosidad y escepticismo a partes iguales, también aquello se antojaba una costumbre norteamericana muy rara; al fin y al cabo, nunca les habían consultado si querían tener en la isla la fábrica de cortes de goma espuma, ni si consideraban oportuno que hubiera una nueva estación de transbordador. Estaban acostumbrados a que los poderosos decidieran sin contar con ellos en absoluto. Tanto más les sorprendía que un particular que había adquirido un terreno particular con su propio dinero quisiera exponer al público lo que pretendía construir en él. Pero cuando Milton les explicó que él mismo había nacido en la isla, que había emigrado a los trece años y que ahora regresaba con su familia para hacer algo bueno por Makarionissi, todos le hicieron un lugar especial en su corazón. Después de todo, aprovechó los materiales que sobraron para remozar la escuela y darle un repaso a la iglesia. La isla celebró el regreso de su hijo pródigo sin sospechar que había sido su mujer quien le había instado a todo aquello. De hecho, al principio, Milton estaba en pie de guerra con la tierra que lo había visto nacer.

El día de su llegada, Milton dejó que los niños de la isla le lavaran el Lincoln Continental, dispuesto a impresionar a sus pocos conocidos en calidad de hombre de éxito que vuelve de hacer las Américas. Había sacado el automóvil del transbordador todo ufano, pero luego no había sabido qué dirección tomar. El antaño diminuto puerto había crecido y, en lugar de las casitas encaladas de los pescadores, ahora había un paseo marítimo con edificios de dos plantas que albergaban tabernas, cafés y toda suerte de comercios. La panadería a la que iba de niño a mendigar pan había sido sustituida por una tienda de lencería. Milton no reconocía la isla que en su día dejara atrás; el antiguo pueblo de pescadores se había convertido en una pintoresca ciudad de trabajadores y servicios, mientras que al este de la isla había una fábrica estatal de cortes de goma espuma. Casi todos los hombres que en otro tiempo fueran pescadores o campesinos habían encontrado allí un trabajo que no dependía de los caprichos de la naturaleza. Politouranou tenía tres veces más habitantes que cuando el Milton niño jugaba al escondite con sus amigos entre las casas medio derruidas. Unas cuantas viudas y mujeres sin respaldo masculino alquilaban habitaciones; por lo demás, a excepción de dos pequeñas colonias de casitas, el resto de la isla estaba como muerto. Milton no fue capaz de encontrar la tumba de sus padres y hubo de asumir con mucha pena que es imposible regresar a un lugar que ya no existe.

—¿Es así el lugar al que van a morir los caballos? —había preguntado Aspasia, después de un rato recorriendo la isla, pero Milton no le había respondido.

Se quedaron dos semanas. Eleni se pasaba el día en la playa con un libro o con su colchoneta de yoga; después de una semana, Milton ya había enseñado a nadar a Aspasia, y cuando, poco antes de la fecha planeada para regresar a América, se puso a hacer la maleta, Eleni empezó a carraspear a su lado y no se calló hasta que él no paró y se sentó a la mesa junto a ella. Aspasia mantenía los brazos cruzados sobre el pecho, y Milton intuyó que sus dos princesas se habían aliado en su contra.

—Queremos quedarnos aquí —dijo Eleni.

—Si yo creía que odiabas las islas... —replicó Milton sin saber qué pensar.

—En realidad sí. Pero esta no.

Milton no entendía el cambio de opinión de su esposa, así que no le prestó mayor atención e hizo las maletas de los tres. Al menos Eleni subió al coche voluntariamente, porque a Aspasia tuvo que llevarla en brazos, cosa que le resultó harto trabajosa, pues la pequeña se iba agarrando a cuanto encontraban a su paso sus manitas.

De vuelta a Chicago, en cambio, también Milton empezó a echar de menos el sol, la comida, el mar, el calor..., y a las tres semanas de estar en América, cuando Aspasia estuvo a punto de ser atropellada por un camión porque se soltó de su mano para atrapar una paloma, Milton tomó la determinación de volver a Makarionissi. Vendió la pastelería y el restaurante, retiró todo el dinero que llevaba décadas depositando en el banco y que, gracias a sus inteligentes inversiones, se había multiplicado, y se decidió a dar el siguiente paso en el mundo de la hostelería, un paso con el que ya había coqueteado en su cabeza. A pesar de su holgada situación, aquel proyecto nunca habría sido posible en Chicago; en Grecia, sin embargo, y más viniendo del dólar, no era difícil hacerlo realidad: un hotel.

🍃 🍃 🍃

Y así fue como, dos años después de su primera visita a Makarionissi, justo para cuando Aspasia tenía que empezar la escuela obligatoria, la familia comenzó también su nueva vida: en ochenta mil metros cuadrados, con doscientas ochenta y siete habitaciones, una gran piscina de agua dulce, dos piscinas infantiles, un edificio principal, algunos bungalós independientes y servicio de habitaciones veinticuatro horas como en los establecimientos más finos de los Estados Unidos que Milton conocía de los congresos de la asociación de hosteleros de Chicago a los que, ambicioso como él era, nunca había dejado de asistir.

—No me lo puedo creer, está terminado —murmuraba Eleni para sí como un mantra, mientras que Aspasia permanecía muy callada para como solía ser ella. Milton había bautizado el hotel en su honor: «Hotel Aspasia-Sunshine-Beach-Paradise».

Eleni había tratado de explicarle a la pequeña que bastaba solo con «Beach», con «Sunshine» o con «Paradise», porque así no había manera de aprenderse el nombre del hotel, pero Milton y Aspasia habían defendido el argumento de que, con ese nombre, todos los huéspedes que descubrieran el hotel en los prospectos turísticos sabrían de inmediato que allí les esperaban incontables cosas maravillosas.

La fachada olía a la pintura aún fresca, de un amarillo limón escogido por Eleni. Los balcones que rodeaban el hotel, orientados bien al mar, bien al interior, estaban pintados de un blanco brillante. Cierto era que los setos de oleandros, las palmeras y plataneras que bordeaban la entrada y resguardaban la gran terraza solárium de la parte que daba a la isla aún tendrían que crecer, pero el verde intenso de sus hojas ya anunciaba que llegarían a ser el «jardín paradisíaco» que Milton había concebido entre las piscinas y un regio camino de losetas de mármol que bajaba hasta la playa. No menos admiración merecían las luminosas habitaciones, el gran vestíbulo de techos altísimos que, al igual que la entrada, se antojaba un templo griego, o la terraza con vistas al mar. Y, por supuesto: la playa.

—En el fondo, es demasiado bonito para compartirlo —dijo Aspasia. Eleni y Milton rieron.

Eleni tenía la esperanza de que, al abrir el hotel, Makarionissi despertase de su letargo, que la isla se llenase de vida y que así los lugareños recuperasen el contacto con el mundo. Porque el mundo viajaría a Makarionissi en lugar de dejarla en la estacada, como había sucedido con Varitsi, donde ya nadie quería vivir. De donde habían salido todos los que habían podido. Entretanto, también lo habían hecho Christina y su familia. Despina se había marchado a Austria con su hijo y le había partido el corazón a su hermana Pagona, que ahora solo decía y hacía cosas raras. Como Spiros, que apenas podía moverse. Christina sugirió llevarse a los dos a la ciudad con ella, pero ellos se habían negado. Alguien tendrá que quedarse en Varitsi, decían siempre que hablaban con Eleni, y no eran capaces de ver que la gente no quería seguir viviendo en un lugar donde no había futuro.

—Bueno, y ahora tenemos que ensayarlo una vez más —dijo Milton, apretando las manos de su mujer y su niña—. Una, dos y tres —contó, y los tres entonaron a coro:

—¡Bienvenidos al Hotel Aspasia-Sunshine-Beach-Paradise!

Un castillo de arena para la eternidad

En un caluroso día de la primavera de mil novecientos ochenta y nueve, Eleni escogía tomates llevándoselos a la nariz para olerlos con los ojos cerrados. Los tallos de un verde intenso y cubiertos de pelusilla olían a sol.

—Medio kilo, por favor —pidió, y la señora Ouranakis colocó cuidadosamente sus dos mejores ramas de tomates sobre las demás verduras.

—Gracias.

—¿Algo más?

Eleni pescó un papel azul del fondo de la cesta de su bicicleta y comprobó si llevaba todo lo que Milton le había apuntado esa mañana.

—Póngame también una cabeza de ajos.

Sentadas en las escaleras del monumento a Eleftherios Venizelos, a pocos metros de la verdulería, algunas viejas del pueblo se tomaban su descanso del mediodía y observaban a Eleni: la americana, como la llamaban en la isla desde que la familia Aniston llegara para quedarse.

—Mira qué pelos, parece que se acabe de levantar de la cama.

—Y siempre con esos pantalones tan raros.

—Dice la Petroulis, la que les limpia, que ni siquiera hace la colada ella, que no tiene ni idea de cocinar y que no mueve un dedo. El que guisa es él. Es que es para verlo: ¡El que guisa es él!

Eleni saludó a las viejas del monumento con especial amabilidad, colocó la compra en la cesta de la bicicleta y se montó en ella.

Le resultaba difícil dominar las ganas de darse la vuelta y lanzarles un comentario bien aderezado a aquellas cotillas. Las palabras de inquina se agolpaban solas en la boca de Eleni, esperando que los dientes dejaran de frenarlas... No obstante, al principio de aquel curso, Eleni había vuelto a leer la *Odisea* después de mucho tiempo. Le habían mandando la lectura a Aspasia como tarea, y como la única forma de que la niña hiciera algo para el colegio era tenerla vigilada muy de cerca, Eleni había releído la obra desde detrás de su hombro.

Y por eso, en situaciones como la de aquella mañana, se acordaba de cuando Ulises, tras décadas de peripecias, vuelve a su palacio de Ítaca disfrazado de mendigo y tiene que soportar las burlas de los pretendientes y de las malas mujeres de la corte. Y en lugar de echar mano al arco y las flechas para matarlos, dice a su corazón: «¡Sopórtalo, corazón! Ya antes soportaste otro ultraje aún más desgarrador». Eso era lo que hacía Eleni. Y daba resultado. Milton atribuía esta nueva actitud relajada de su mujer a la llegada de la madurez; después de todo, al año siguiente celebraría su cuarenta cumpleaños. Lo que sucedía en realidad era que Eleni había encontrado la manera de controlar su fuerte temperamento. Porque si Ulises se contiene a su llegada a Ítaca, es porque al final se le brinda una ocasión de venganza mucho mejor, y manda ahorcar con deshonor a todas las mujeres que se habían reído de él para que sus cadáveres se pudran al sol sin recibir sepultura.

Su hija, a la que adoraba, se había convertido en una princesa mimada, aunque a los ojos de los lugareños era la niña más guapa y más elegante de todos los tiempos. Y Milton recorría la isla en alguno de sus ostentosos automóviles americanos (ya había hecho llegar hasta Makarionissi tres: uno por cada dos cumpleaños), hacía alarde de la cantidad de cosas que se podía permitir en cuanto tenía ocasión y, con todo, seguía siendo considerado por Makarionissi en pleno como un hombre de negocios generoso y brillante. Eleni iba en bicicleta y gastaba poco en ropa, se mostraba amable con todo el mundo y, en cambio, la tenían por una bruja vaga y desordenada. Todo porque quien cocinaba en su casa era Milton.

Si, además, a él le encantaba cocinar. Trabajaba muchísimo y, aunque el hotel marchaba de maravilla y estaba completo en temporada alta, le daban siete ataques de rabia por hora porque, a sus ojos, siempre había alguien metiendo la pata con algo. Cuando llegaba a casa por las noches, lo que más le relajaba era meterse en la cocina junto a Aspasia, que ya tenía catorce años, y hacer la cena. Eleni amaba aquella isla, pero no entendía los esquemas de pensamiento de sus habitantes.

Con su bicicleta, recorrió las callejuelas de Politouranou, donde las viejas casitas de pescadores coexistían con los imperdonables edificios de hormigón de dos plantas que se habían construido a principios de los setenta. Cruzó la plaza principal del barrio del puerto, pasó por delante de la tienda de regalos y caramelos, cuyo dueño le dio recuerdos para Milton a voces, y finalmente tomó el paseo del puerto en dirección al sur de la isla. Como todos los días, los más ancianos del barrio charlaban sentados a la sombra de un olivo del que se decía que ya había extendido sus ramas sobre el banco de debajo en los tiempos en que el volcán del centro de la isla aún borboteaba lava al rojo.

Eleni les saludó, los viejecillos le devolvieron el saludo con la cabeza, y ella siguió pedaleando con la espalda recta.

El mar brillaba, no hacía nada de viento, y el aire, que únicamente se agitaba un poco al pasar algún coche, parecía una mano calentita que acariciara las calles. Tan solo la nueva capa de asfalto de la calzada olía a animales disecados, como siempre que la temperatura pasaba de los veinte grados, porque el obrero responsable en su día estaba borracho perdido al hacer la mezcla y se había concentrado más en cantar viejas canciones pastoriles que en los productos químicos de su trabajo.

De cuando en cuando, Eleni se cruzaba con algunos veraneantes que también iban en bicicleta al pueblo. Lugareños sobrios en bicicleta no había visto todavía en los años que llevaba allí. Después de que el jefe de la policía local pusiera una jugosa multa a dos conductores ebrios, Eleni sí que había observado que los borrachos volvían a casa en bicicleta a última hora de la noche, pero como uno de ellos fue a embestir de frente a un borrico, el jefe de la policía comprendió que los ciclistas borrachos constituían un peligro aún mayor para Makarionissi que los conductores borrachos y había dejado de poner multas. Los habitantes de la isla desconfiaban de los medios de locomoción basados en la propia fuerza muscular, y aquel incidente del borrico no hacía sino corroborarlo.

Eleni y Milton habían concebido el hotel entre los dos. Milton había insistido en ofrecer el máximo de confort al mejor estilo norteamericano, y Eleni se había empeñado en que los empleados cobraran algo más que la media, en que solo se plantaran plantas autóctonas y en que no se lavaran sábanas y toallas todos los días.

—Es que tú tienes unos delirios de grandeza como los americanos —protestó Eleni cuando a Milton se le ocurrió instalar teléfonos junto a la taza del inodoro, pensando en todos aquellos clientes que, como él, se veían obligados a pasar en el trono más horas de lo normal.

—¿Y tú acaso crees que vas a arreglar el mundo con tus pedanterías? —replicaba Milton, señalando las hojas de reclamaciones, donde las más frecuentes eran relativas a la irritación que causaba en las veraneantes posaderas el papel higiénico reciclado que, por iniciativa de Eleni, había sustituido al de siempre, a pesar de que se disolvía fatal y no daba más que disgustos a todo el mundo..., excepto al fontanero local, que estaba encantado, pues se habían doblado sus ganancias del mes.

—¡Pues claro! —exclamaba Eleni, cuya convicción siempre acababa llevando a Milton a decirle que sí a todo. En el fondo, tenía razón ella: de algo tenía que vivir el fontanero.

«La guardiana de mi conciencia», la apodaba cariñosamente, y en cierto momento accedió incluso a separar la basura para el reciclaje, aunque luego los basureros volvían a mezclar el contenido de todos los cubos al verterlos en el mismo contenedor.

Después de media hora, Eleni llegó al recinto del hotel, aparcó la bicicleta y tomó el camino a la derecha, pasando por el jardín de la piscina, hacia el bungaló más alejado, donde los Aniston vivían provisionalmente mientras se terminaba de construir la villa del director del hotel en el terreno aledaño. A Milton le había costado años de negociaciones con los hijos del propietario de aquel terreno. Durante mucho tiempo, el viejo propietario no había querido vendérselo porque una noche se le había aparecido Asclepio, el dios de la medicina, para decirle que en la Antigüedad hubo un templo en su honor sobre aquella tierra sagrada. El viejo sufría de gota y lo llevaba tan mal que, siempre que hacía bueno, pasaba la noche al raso en aquel terreno, y no había manera de convencerlo, por más que los científicos certificasen que la zona del sur de la isla había surgido mil doscientos años atrás como consecuencia de una erupción del volcán, es decir: que era del todo imposible que allí hubiera existido jamás ningún templo de la Antigüedad, a no ser que el gran Asclepio pertrechara a sus sacerdotes con escafandras para que le rindieran culto bajo el agua.

Los cimientos de la villa del director del hotel ya estaban echados, y Aspasia dibujaba cada día planos nuevos de cómo quería que fuera su cuarto. Eleni había insistido en que la casa no fuera demasiado grande y se construyera teniendo en cuenta los recursos naturales para ahorrar energía además de los principios del *feng-shui*. Para habitual mofa de Milton y Aspasia, Eleni echaba pestes de la Iglesia, de las viejas supersticiones e incluso del amuleto contra el mal de ojo que Milton llevaba en el llavero; sin embargo, creía con una firmeza rayana en el fundamentalismo en los principios del *feng-shui* y en los siete chacras, además de bajar a la playa todas las tardes a hacer sus ejercicios de yoga. Cuando entró en el bungaló, Milton ya estaba en la pequeña cocina, dispuesto a pasarlo en grande entre sus pucheros una velada más.

—Hortalizas rellenas de carne picada, arroz y salsa de tomate —anunció.

Eleni le dio un beso primero a él, y luego a Aspasia, que simulaba hacer los deberes sentada a la mesa de la cocina. Por la profusión de estrellitas, florecitas y corazones dibujados en los márgenes del cuaderno, Eleni dedujo que su hija no había avanzado nada de nada con la tarea.

—¡Qué bien huelen estos tomates! —constató Milton. Aspasia se puso a silbar una canción y enmarcó la fecha del cuaderno con una cadena de flores. Aspasia amaba la música sobre todas las cosas. Apenas tenía amigas y no parecía interesarle en absoluto la gente de su edad; en cambio, pasaba horas bailando sola en su habitación, oyendo música pop a todo volumen y cantando. Siempre que había músicos en el hotel, se sentaba en primera fila a escucharlos tocar.

No se podía negar que era hija de Otto. No era solo que se le pareciera muchísimo de cara, tuviera su cabello dorado como la miel y sus ojos de un gris como el del hielo; es que a Otto le pasaba igual: teniendo su música, podía estarse horas, tardes y días enteros sin ver a nadie. Obviamente, Aspasia no lo sabía. Creía que su padre biológico vivía en alguna parte de Austria, que había abandonado a su madre por una alemana y no sentía ni el más mínimo interés por él. Se sentía hija de Milton en todo y había insistido mucho en que nadie de la isla supiera nunca que no era su verdadero padre.

La dificultad para concentrarse y para recordar los detalles más simples también las había heredado de Otto, pensó Eleni, sentándose al lado de su hija, que ahora mordisqueaba el extremo del lápiz.

—Deja eso, que es venenoso —le dijo, quitándole el lápiz de la boca.

—Es que es la tarea más difícil que nos han puesto nunca…

Como todos sus compañeros de clase, Aspasia recibía clases particulares de refuerzo porque los profesores del liceo de la isla principal no eran capaces de dar los programas completos en clase, y menos aún de explicarlos de tal manera que los alumnos entendieran la materia. A Eleni ya la habían invitado varias veces, bajo amenaza de dar noticia al consejo escolar, a abandonar la escuela por lanzarles prendas de ropa a los profesores…; una vez, incluso le había dado al director sin querer. Pero, claro, también era fundamental tener una buena nota media para conseguir una plaza en la universidad. Y no había nada que Eleni deseara más que ver a Aspasia en la universidad, ya que ella nunca había podido estudiar. Cierto era que, en Hildesheim, en la época de Otto, había asistido a tertulias sobre teoría marxista y se había juntado con estudiantes para cantar o manifestarse, pero ahí terminaba su relación con la carrera académica.

—Aspasia, hija, que no es tan difícil: solo tienes que leer un mito traducido y relacionarlo con los mitos originales que habéis leído en griego antiguo durante las semanas pasadas. Mira, es como tender puentes entre la historia moderna y la otra. Piénsalo así: los antiguos mitos son como una gran telaraña en la que todo está relacionado. Y tú tienes que ser la araña que explica dónde hay nudos y dónde se cruzan qué motivos.

—Huy, arañas, qué asco... —dijo Aspasia, y Eleni puso los ojos en blanco.

Milton cortaba daditos de tomate para convertirlos en salsa. Ya olía intensamente a orégano fresco.

—A ver, leedlo en alto —intervino al tiempo que se ataba un mandil para no mancharse la oronda barriga. Más que caminar, danzaba entre el fogón y la encimera. Brincaba, se giraba, daba pasitos con la punta del pie como los que Eleni recordaba de los bailes tradicionales de su juventud. Ante sus fogones, Milton se movía como un héroe que expresara sus aventuras en pasos de danza acompañándose de una lira. Eso sí, el sudor le bañaba la cara. Siempre tenía el pulso un poco acelerado y la tensión alta. Se alteraba mucho por todo, pensaba Eleni, y como siempre dijera su Yaya María: la excitación es el mayor peligro que puede correr una persona.

—Milton, Milton..., frena —le advirtió Eleni, y Aspasia leyó en voz alta:

—«Relaciona el siguiente texto con la constelación de mitos que ya has estudiado»:

Érase una vez una joven reina que reinaba en un reino donde todas eran mujeres. Aquellas mujeres se habían dado cuenta de que, sin hombres, eran mucho más fuertes y no las oprimía nadie. Eran las mejores con el arco y las flechas, cabalgaban mucho más rápidas que otros pueblos, construían imponentes fortalezas y cazaban sus presas ellas mismas. Para poder sujetar el arco mejor, hasta se amputaban el pecho izquierdo.

Nuestra historia se desarrolla en la misma época en que los griegos asediaban Troya y llevaban años intentando tomar la ciudad fortificada. Pero las murallas de Troya las habían edificado los dioses, y ningún mortal podía hacerlas caer. Atenea, la diosa protectora de los griegos, estaba furiosa de que la batalla se hubiera estancado así. Así que decidió recurrir a una estratagema: le envió un sueño a la joven reina de las guerreras. En aquel sueño, la reina se encontraba con Aquiles, el héroe más fuerte de los griegos, y Atenea le prometía a la reina que aquel héroe habría de ser suyo.

El sueño llenó de confusión el corazón de la reina, pues aquellas mujeres habían hecho juramento de no enamorarse de ningún hombre jamás. Los hombres con los que tenían trato a fin de reproducirse eran compartidos por todas. Cuando necesitaban descendencia, pues, mandaban llamar a algunos hombres y yacían con ellos hasta que se quedaban encintas.

En aquel punto, Milton golpeó con el cucharón el canto del puchero donde estaba rehogando la carne picada con cebolla, ajo y hierbas.

—¿Eso es lo que aprendéis en la escuela? —interrumpió con estupor fingido, y Eleni le lanzó una mirada muy seria que quería decir que no interrumpiera mientras Aspasia trataba de concentrarse.

—*Las niñas se las quedaban, pero los bebés varones se los devolvían a sus padres y luego no volvían a tener ningún contacto con ellos. La joven reina se sintió muy confundida después de aquel sueño, pues se dio cuenta de que se había enamorado de la imagen de Aquiles que había visto en él. Lo quería para ella sola a toda costa, y desde luego no estaba dispuesta a compartirlo con sus compañeras guerreras.*

Cuando salió de caza, al día siguiente, no era capaz de centrarse porque no hacía más que pensar en Aquiles y en cómo atraparlo para hacerlo suyo.

Y entonces sucedió la desgracia.

La reina apuntó a un jabalí, pero erró el tiro porque una extraña nebulosa envolvía su corazón y su mente y, en lugar de herir al animal, le dio a su propia hermana, que se le había acercado por el otro lado. La joven murió en el acto y todas las compañeras la lloraron.

Entonces la joven reina tomó la determinación de vengarse de Aquiles, quien, según ella, era el culpable de haber llevado sus brazos a tan abominable acto.

Así pues, reunió el ejército de guerreras y marchó furibunda a las puertas de Troya para luchar del lado de los héroes troyanos en contra de los griegos. Y se encontró con Aquiles, que demostró ser más fuerte que ella en la batalla y la hirió de muerte. Y cuando fue a quitarle el casco a la moribunda, se estremeció al ver que sus ojos rebosaban amor. Y entonces abrazó su cuerpo y lamentó su muerte.

—¡Ya sé qué mito es! —exclamó Milton—. La reina es Pentesilea, y la hermana se llama Hipólita, las dos aparecen en el mito de las Amazonas. Y a Hipólita la rapta Teseo, con lo cual las Amazonas arremeten contra Atenas. De ahí viene la enemistad entre las Amazonas y los griegos. ¿A que sí?

Milton, contentísimo, se puso a oler los vapores de la salsa de tomate y danzar en torno al puchero mientras se guisaban las verduras.

—Gracias —dijo Aspasia, divertida, y se apresuró a anotar la repuesta de Milton con todo detalle.

—A ver, Milton, que ayudar con los deberes no significa decirle las respuestas. Luego, en el examen, tiene que saber contestar ella sola —protestó Eleni.

Milton escondió la cara detrás de la tapa del puchero, colocándolo a modo de escudo, como si esperase que su mujer le lanzara una salva de flechas. Como Eleni no le arrojó nada, lo bajó de nuevo.

—Pero, cariño, es que esa historia no me la podía callar. De no ser por mí, tú serías justo una de esas Amazonas. La reina Eleni Aniston, en guerra con el gobierno local de Politouranou..., la reina Eleni contra un ejército de funcionarios. Su reino es un hotel de ensueño donde se dan toda suerte de maravillas. Al parecer, los poderes mágicos del yoga que practica incluso han enseñado a bailar «el perro hecho un cuatro» a los paralíticos.

—La postura se llama «adho mukha svanasana: el perro boca abajo», y no se baila, se está quieto —corrigió Eleni. Pero, a los tres segundos, se echó a reír a carcajadas, tanto que se le escapó un pequeño gruñido de cerdito—. Aún me volveréis loca entre los dos —dijo, secándose las lágrimas de risa.

🌿 🌿 🌿

Cuando Eleni se despertaba por las mañanas, le contaba a Milton, que siempre se levantaba bastante antes que ella, lo que había soñado esa noche. Él, por su parte, no solía soñar. Había trabajado tanto y tan duro durante toda su vida que, por las noches, caía rendido y no alcanzaba a soñar nada. Sin embargo, aquella noche tuvo el sueño más hermoso de su vida. Soñó con sus dos princesas. Con la pequeña, a quien había amado como si fuera su propia hija desde el primer instante en que la vio, y con la grande, la que le hacía reír, le inspiraba con su desbordante energía y sacaba lo mejor de él. La vida con ellas le había enseñado a ser más calmado. A detenerse un instante. A no pensar cuál era la siguiente tarea por resolver, sino a disfrutar el momento. Había tenido que caminar un largo trecho hasta encontrarlas para regresar con ellas al lugar del que, en su día, había salido huyendo. Milton se levantaba todos los días con el alba y cerraba las cortinas para que la claridad no despertase a Eleni. Soñó que se acababa de despertar y que enseguida correría las cortinas, pero aún quería enseñar el hotel a sus padres. Porque estaban allí, de pie en el dormitorio, esperando que comenzase la visita guiada. Milton les mostró la terraza donde desayunaban los huéspedes. Los llevó a las habitaciones más bonitas, al gimnasio, a las piscinas, una tenía incluso un mecanismo de recuperación del agua…, y sus padres estaban maravillados con todo, pero en especial con la bella mujer que hacía ejercicios de yoga en la playa, y con la guapísima hija que cantaba una canción para los huéspedes del hotel. «Eleni da clases de yoga a los huéspedes», explicó Milton a sus padres, «y mi Aspasia llegará a ser una gran música», y entonces guardó silencio. «Hijo mío, tus dos Amazonas saldrán adelante sin ti, las dos son fuertes», le susurró su madre, y Milton comprendió. Había alcanzado su destino.

🍃 🍃 🍃

Cuando Eleni se despertó, la luz del sol que inundaba el cuarto era tan intensa que no pudo ni abrir los ojos. Milton se habría olvidado de cerrar las cortinas, pensó, y esperó unos instantes antes de sentarse en la cama. Seguía con los ojos cerrados, intentando recordar qué había soñado esa noche, pero no lo conseguía. Por fin se volvió, abrió los ojos y vio que Milton se había dormido. Para gastarle una broma, fue a taparle la nariz con dos dedos para que se despertase del susto, pero el susto tremendo se lo llevó ella: tenía la nariz helada. Eleni le buscó el pulso en el cuello, lo sacudió, apoyó la cabeza sobre su pecho. Fuera de la habitación, oyó la voz de Aspasia.

—Mamá, ¿estás despierta? ¿Dónde está papá? Me iba a llevar a la peluquería —preguntó.

—Ya se ha ido a trabajar, te llevo yo, vete subiendo al coche —respondió Eleni. Ausente, sin saber lo que hacía, se puso un pantalón y una camiseta, descolgó el teléfono y marcó el número del médico. Habló todo lo bajo que pudo para que nadie la oyera y, tras presionar la tecla de colgar con los dedos, en lugar de la señal de la línea telefónica lo que oyó fue la voz de Yaya María: «La excitación es el mayor peligro que puede correr una persona».

Camisetas interiores... y cosas peores

—¡Trudi! —se oyó gritar desde la cocina—. ¡Trudi! —repitió Despina llamando a su nuera, y esta bajó corriendo por la escaleras desde la vivienda familiar, en el piso de encima del restaurante. Los niños estaban en la cocina con su abuela y, por la histeria con que chillaba la anciana, Trudi se temió que le hubiera pasado algo a alguno de sus dos hijos. Pero, al abrir la puerta de golpe, vio que Hubert-Spiros sostenía un balón de fútbol bajo el brazo, Josef-Stavros llevaba rodilleras y los dos parecían sencillamente dos chicos sanos que iban a jugar al fútbol. Despina, por el contrario, estaba pálida de horror.

—¡Trudi! ¿Cómo es que los niños no llevan camiseta interior? —gritó, como si la dicha familiar en su conjunto se viera amenazada. Trudi miró a la calle.

—Porque hace más de treinta grados. Estamos en pleno verano, incluso en St. Pölten —respondió sin saber qué hacer, tras lo cual Despina dio una palmada, empezó a entonar una de sus habituales letanías de lamentos y pellizcó a sus nietos en la mejilla.

Trudi nunca dejaba de sorprenderse del dulce aguante que mostraban sus hijos ante la profusión de carantoñas, mimos y achuchones de su abuela griega. A la propia Trudi seguía costándole acostumbrarse a que, a pesar de lo distante que era la relación con su suegra, esta no reparase en abrazarla, achucharla o pellizcarla constantemente. Daba igual que fuera con cariño o con mala idea, Despina la tocaba cien veces al día.

—Los chicos van a salir a jugar, sudarán, y luego entrarán en casa y aquí hace corriente, mucha corriente por todas partes, y se pondrán malos. ¡No pueden ir sin camiseta interior!

Trudi volvió a mirar a la calle, donde un tropel de niños con el torso desnudo corría hacia la fuente de la plaza del Ayuntamiento. En el fondo le habría gustado preguntarle a Despina si no le estaba tomando el pelo, pero Trudi sabía por experiencia que su suegra siempre lo decía todo muy en serio. No entendía el motivo, pero mientras que en St. Pölten se pensaba que, para mantenerse sanos, los niños tenían que jugar al aire libre todo lo que pudieran, en Grecia parecían estar convencidos de que la naturaleza no era sino una fuente de peligros y enfermedades. Trudi sospechaba que Despina, si la dejaran, aparcaría a los niños frente al televisor el día entero, y los mantendría bien envueltos en mantas para darles agua azucarada todo el rato. Más aún con treinta grados en la calle.

Aquella corriente de aire tan terrible que Despina descubría siempre y en todo lugar parecía proceder directamente del infierno. La corriente de aire tenía la culpa de que no se encontrara bien y, según advertía cuatro veces diarias, aún habría de llevarse a Lefti a la tumba antes de tiempo. Cuando Hubert-Spiros, con dos años y medio, pasó su primera gripe seria, Trudi descubrió a su suegra intentando precintar todas las ventanas con cinta aislante y algodón.

—Ay, sí, sí, ahora mismo les pongo otra camiseta debajo. Vamos, chicos, para arriba —mandó Trudi a los dos.

—Mamá…, ¿de verdad que tenemos que ponernos otra camiseta debajo? —preguntó el mayor en el descansillo de las escaleras del piso de arriba. Trudi se llevó un dedo a los labios.

—Pues claro que no, pero prometedme que no dejaréis que os vea la abuela —les susurró; los chicos asintieron con la cabeza muy contentos y echaron a correr todo lo deprisa que pudieron para salir a la calle.

Desde que, un buen día, Despina había escrito que quería mudarse a St. Pölten y Lefti la había acogido sin decir palabra sobre lo del niño de Eleni y sobre las terribles acusaciones a las que había tenido que hacer frente, Trudi tenía la sensación de haber perdido la libertad que sintiera al comenzar su relación con Lefti. Despina veía, oía y olía cuanto tenía lugar en la casa. Al poco de llegar, había planteado —y, desde entonces, defendido a ultranza— una condición: la casa de la callecita transversal entre la plaza del Ayuntamiento y la Kremser Gasse, en cuya planta baja estaba ubicado el restaurante griego más popular de toda la ciudad y en cuyos dos pisos superiores residía la familia Haselbacher-Zifkos, sería su isla griega. Allí se hablaría griego y se prepararían platos griegos, se escupiría tres veces cada vez que hiciera falta ahuyentar el mal de ojo, se haría café de puchero con mucho azúcar y la máxima autoridad no sería el presidente de la República sino el Concilio Ecuménico de la Iglesia ortodoxa griega.

A pesar de que la sacaba de quicio, Trudi sabía que Despina era insustituible. A finales de los años ochenta, la comida griega ya no era algo tan especial ni tan exótico como antaño, en mil novecientos setenta y cinco, cuando Lefti y ella habían abierto El rincón de Zeus, pero a diferencia de tantos otros locales y localuchos de comida griega, allí se cocinaba con productos frescos y con mucho amor, y quien lo hacía era una gran cocinera que en verdad dominaba su arte: Despina. La madre de esta, sobre cuyo carácter manipulador había oído muchas historias Trudi, al parecer había sido una mujer culta y de educación refinada, si bien a sus hijas gemelas apenas las había enseñado a escribir en condiciones; eso sí, en las artes culinarias las había instruido hasta rayar la perfección. Lefti había construido un pequeño invernadero en el patio de atrás donde Despina cultivaba todo tipo de hierbas aromáticas. Se negaba en rotundo a utilizar ninguna hierba desecada o congelada, tenían que ser todas frescas siempre. Trudi se maravillaba de los platos tan ricos que era capaz de preparar con pocos ingredientes muy básicos..., lo único imprescindible eran las hierbas frescas.

Ya se tratara de la cocina, la casa o el corte de pelo de los chicos, Despina tenía que dar su opinión. Unas semanas atrás, Trudi y su suegra habían estado a punto de agarrarse de los pelos en una acalorada discusión sobre cómo presentar un plato de pescado. Trudi había puesto un cuarto de limón a la izquierda del filete de pescado, tras lo cual Despina le había dado con el cucharón en la cabeza, insistiendo en que tenía que ser medio limón y a la derecha del filete. Lefti solía ponerse de parte de Despina y alegaba que todas aquellas manías no eran sino intentos de disimular cuánto echaba de menos a su gemela, Pagona, quien, desde que se había quedado sola en Varitsi, había desarrollado una malsana inclinación hacia todo tipo de supersticiones. Al parecer, Pagona veía malos espíritus, demonios y fantasmas por todas partes. A posteriori, Trudi se enteró de que, el día del golpe con el cucharón y la pelea de los limones, Despina se había enterado de que Pagona se acababa de gastar un dineral en un exorcista porque creía que su oveja estaba poseída. Y lo único que pasaba era que el animal chillaba porque se le había infectado un dedo de una pata, como había descubierto Yorgos, el vecino, después de marcharse el exorcista entre glorias y alharacas y con el sueldo de dos meses en el bolsillo.

Sin embargo, para Trudi, el incidente del limón fue la gota que colmó el vaso. En ningún momento había cuestionado que acogieran a la madre de Lefti en su casa. Tampoco había echado en cara a Lefti que perdonara a Despina sin pestañear, y eso que ella ni siquiera le había pedido perdón por haber creído la mentira de que él era el padre de la hija de Eleni hasta el momento en que Trudi había sacado una vieja fotografía del músico que, en su día, había recortado del periódico y guardado en el cajón de la ropa interior. Pero Trudi ya no podía más. Comunicó a Lefti y a su madre que no estaba dispuesta a volver a mover un dedo mientras su trabajo interfiriera con el de Despina.

En consecuencia, desde hacía algunas semanas, Trudi tan solo se ocupaba de tomar las comandas y hacer la compra y por las tardes ni asomaba por el restaurante.

Lefti le suplicó que se tranquilizara y aseguró que el trabajo le era infinitamente más grato cuando podía avistar su estupendo trasero, pero Trudi se mantuvo firme:

—O tu madre o yo.

Y ambos sabían que Despina era insustituible mientras no les hubiera revelado todos los secretos de su cocina. Y como también Despina lo sabía, guardaba sus recetas con más celo que si de un tesoro se tratase.

—Yo os diré todo cuando llegue el momento. —Era su réplica habitual. De hecho, Lefti y Trudi habían pasado muchas noches maquinando cómo emplear a sus hijos a modo de agentes dobles que espiaran a la abuela, pues de otro modo jamás tendrían un restaurante en el que no manejara todos los hilos Despina.

Trudi disfrutaba de su temporal retiro voluntario. Estaba encantada de que el pelo no le oliera a patatas fritas por las noches y, sobre todo, de tener más tiempo para sus hijos. Pero entonces hizo un descubrimiento que tuvo graves consecuencias.

Todo empezó con un inofensivo aviso de la agencia tributaria, en el que les indicaban que faltaban comprobantes de gastos del año anterior. No era más que una nota en tono amable. Tan solo les pedían que revisaran los libros de cuentas para comprobar esas cantidades, registradas como gastos pero sin ninguna partida de ingresos correspondiente. En su propio interés.

Como la carta estaba escrita en un tono tan amable, a Trudi se le olvidó enseguida. Cuando le vino a la cabeza como un fogonazo fue dos semanas después, viendo la televisión con sus hijos, concretamente un episodio en el que un detective italiano lleno de manías investigaba el asesinato de un funcionario de la agencia tributaria. Trudi supo quién era el asesino desde la primera escena. A diferencia de Lefti, a ella no le entretenía nada aquella serie basada en el largo proceso de investigación del crimen de turno, así que se levantó y se puso a buscar los resguardos que faltaban. Hasta la fecha, los temas de cuentas habían sido negociado de Lefti, pero desde que ella estaba en huelga, el pobre no daba abasto.

Trudi pasó una hora revisando la carpeta donde Lefti solía clasificar todo muy minuciosamente y encontró uno de los papeles que buscaba, aunque el resto no apareció por ninguna parte.

Así, pues, optó por abrir el «armarito de los mil papelotes» de Lefti, como llamaba al pequeño buró donde este guardaba todos los análisis médicos, folletos publicitarios y artículos de prensa que Trudi quería tirar pero que a él se le antojaban dignos de ser conservados por si algún día les hicieran falta. Sin embargo, lo que encontró era más bien lo último que le hacía falta.

A Trudi le entró tal mareo que se cayó de culo. En un sobre había un buen fajo de resguardos del banco.

Transferencias a Spiros y Pagona.

Quinientos chelines al mes. A los padres de la única mujer que probadamente necesitaba un exorcista.

A Trudi se le nubló la vista. Los quinientos chelines por culpa de los cuales nunca iban de vacaciones a Italia sino al Neusiedler See. Los quinientos chelines por culpa de los cuales Lefti seguía con su viejo Fiat Tipo, aunque, cuando montaban los cinco, iban como sardinas en lata. Los quinientos chelines por culpa de los cuales no compraban un sofá nuevo, sino que Despina tenía que remendar el viejo cada vez que se rajaba la funda cuando los chicos hacían el bruto. Lefti administraba la cuenta familiar. Ella jamás había cuestionado el «eso no nos lo podemos permitir» de su marido. Había creído, sin más, que era un hombre ahorrador. Un mentiroso es lo que era.

De no ser porque los chicos seguían despiertos, Trudi Haselbacher-Zifkos habría bajado a por él blandiendo el cuchillo eléctrico para cortar el pan que le había regalado por cumpleaños en lugar de alguna joyita. Y que, para colmo, no cortaba nada bien. En lugar de eso, llamó a una amiga por teléfono. Abrió una maleta, metió las cuatro cosas imprescindibles de los chicos, les dijo que se apartaran de la tele y explicó:

—Hijos, esta noche tenemos que irnos a dormir a casa de Elisabeth, en esta casa hay pulgas.

Alarmados, los chicos se vistieron y, sin chistar, siguieron a su madre por la puerta trasera.

—¿Y papá? —preguntó Hubert-Spiros.

Trudi le exhortó a caminar más deprisa y se limitó a decir:

—Eso es justo lo que pasa. Las pulgas viven en el pelo de papá.

—Pero si papá casi no tiene pelo en la cabeza... —objetó Josef-Stavros al tiempo que se rascaba la cabeza con aire preocupado.

—No, hijo, papá no tendrá pelo en la cabeza, pero en el pecho y en la espalda sí que tiene mucho, y ahí es donde están las pulgas. Se han instalado en vuestro papá y le están chupando la sangre.

El pequeño se echó a llorar.

—No te preocupes, a lo mejor papá se libra de las pulgas, pero ahora tenemos que poner un poco de distancia de por medio o nos chuparán la sangre a nosotros también.

🍃 🍃 🍃

Lefti se había sentido solo muchas veces en su vida. Pero ni en Hildesheim, cuando pasaba noche tras noche en la soledad de aquel cuchitril porque Eleni estaba en algún encuentro político, ni cuando su familia lo vetó creyendo que era el padre del bebé de Eleni, se había sentido tan solo como en el momento de llegar a casa y darse cuenta de que Trudi y los chicos habían desaparecido.

Encima de la cama estaban los resguardos de las transferencias a Spiros y Pagona.

Aquella noche, Lefti aprendió dos cosas:

Cuando más terrible resulta la soledad es cuando uno sabe que se la ha ganado a pulso.

Y más terrible resulta, si cabe, cuando uno sabe que, en el fondo, no tendría por qué estar solo.

🍃 🍃 🍃

También Trudi, a quien había acogido en su casa una vieja amiga de juventud, aprendió algo nuevo en aquellos días de separación, observando a su amiga Elisabeth y al esposo de esta. Ernst era oriundo de St. Pölten y ejercía como tal, tan orgulloso él de haber nacido e ido a la escuela allí y de tener ahora un buen empleo en una fábrica de turbinas muy grande y famosa en la zona. Y estaba orgulloso de su récord en el club de tiro, adonde acudía todos los lunes. Y estaba orgulloso de ser tesorero del club de bolos, que se reunía todos los martes en una taberna. Estaba orgulloso de no haberse perdido las copichuelas de aguardiente con los compañeros del Partido de los Trabajadores ni un solo miércoles de su vida. Estaba orgulloso de la tertulia de amigos de toda la vida en el bar de los jueves. Al ser testigo de todo esto, Trudi, de repente, se sintió orgullosa de tener un marido que pasaba cada minuto que tenía libre con sus hijos. Un marido al que ni se le pasaba por la cabeza irse a jugar a los bolos sin ella. Que incluso en las noches de más ajetreo en el restaurante, con el local a rebosar de clientes, aprovechaba sus escasos tres minutos de descanso antes de seguir sudando de mesa en mesa, para subir a ver cómo estaban sus hijos. Que no era miembro de ninguno de los mil clubes que marcaban la vida social de aquella ciudad. Y que, además, no quería ser otra cosa que un padre que se ponía de rodillas en el suelo para que sus hijos se le subieran a hombros y así alcanzaran las estrellas. Lefti no tenía amigos, no tenía hobbies propios; Lefti tenía a su familia.

Y Trudi comprendió que un hombre así tampoco era capaz de dejar en la estacada a su familia de Grecia. Por injusta que fuera con él.

En casa de los amigos de Trudi, el domingo era el día de reunirse con la familia. La mañana empezó con lágrimas y gritos, porque ni los niños ni el cabeza de familia, Ernst, querían ir al servicio religioso. Elisabeth, sin embargo, insistió y, tras cuatro bofetones, consiguió su objetivo. Mientras Elisabeth se mataba a correr para preparar una elaborada comida de domingo al volver de la iglesia, Ernst fue a la residencia de ancianos a recoger a su madre con el coche. Durante la comida, Trudi y sus hijos pasaron cierto miedo. La anciana permanecía inmóvil en su silla de ruedas, sin articular palabra y con la mirada perdida en el vacío. Y nadie le hacía ni caso, salvo los hijos de Elisabeth, que se divertían lanzándole guisantes. El único comentario de Ernst fue que la carne estaba seca. Como acto de resistencia pasivo-agresiva, Elisabeth metió todo el ruido que pudo al fregar los platos, en tanto que la anciana continuó inmóvil y apática en la silla al tiempo que sus nietos le pintaban con rotulador el trazado de las venas de los brazos.

—Qué bonitos son los domingos, ¿verdad? —preguntó Ernst a Trudi cuando esta le retiró la cuarta botella de cerveza vacía. En lugar de contestarle, Trudi se fue al cuarto de invitados, volvió a hacer la maleta sin decir nada y sin que nadie la viera y llamó a un taxi.

—Chicos, nos volvemos a casa. Ya se han ido las pulgas.

El reino de las Amazonas

El sol no había salido aún, pero sus rayos ya se le adelantaban, iluminando el horizonte sobre el mar. En la playa, frente al «Aspasia-Sunshine-Beach-Paradise», se veían dos peces muertos, una franja de algas, unos cuantos cangrejos a merced de la marea y una bota de goma, ofrenda a Poseidón de algún pescador furioso. Poco después de las seis bajarían los primeros empleados a limpiar la arena con un rastrillo, mientras que los cocineros encargados del desayuno se ocuparían del bufé, aunque, durante aquellas horas tan tempranas de la mañana, en todo el complejo del hotel imperaba el sueño profundo, tanto que un cangrejo ermitaño podía inspeccionar a sus anchas todas las latas de cerveza arrastradas por el agua en busca de un nuevo alojamiento de su agrado.

También en el jardín con las piscinas que se extendía entre la playa y el hotel reinaba la calma. No había ningún niño tirándose a bomba como el más osado, ninguna parejita echándose crema en la espalda, ningún camarero haciendo equilibrios entre las tumbonas con sus bandejas llenas de cócteles con sombrillitas de papel de colores y pinchitos de fruta. Y las tumbonas aún permanecían todas ordenadas en paralelo, tal y como se habían recolocado la noche anterior, después de abandonar la piscina en dirección al bufé los últimos bañistas.

Lo único que hacía ruido era la bomba del filtro de la piscina infantil: un zumbido bien fuerte por culpa de unas gafas de bucear olvidadas que habían sido succionadas por la boquilla.

Así pues, mientras el motor del filtro y las gafas mantenían una encarnizada lucha por cuál de los dos saldría ileso al final, sobre la tumbona más próxima despertó un jubilado neerlandés, funcionario de la administración pública, a quien al parecer se le había hecho demasiado largo el camino de vuelta de la discoteca de Politouranou a su habitación y había sucumbido en los últimos metros para quedarse en una tumbona envuelto en una toalla. Al fresco propio de la mañana, Jan-Henrik de Waart se despertó y tanteó el bolsillo para comprobar con alegría que aún llevaba la llave de la habitación, gracias a que, por lo que pudiera pasar, había tenido la precaución de sujetarla con una goma a la trabilla del cinturón de su pantalón blanco de salir de fiesta. Pero antes de cruzar la verja automática, descubrió los baúles de los que los huéspedes podían tomar las toallas para la playa. No estaban cerrados con llave, así que Jan-Henrik de Waart, en aquella primerísima hora de aquella mañana, aún bajo los influjos de una noche regada por el Bacardi-Cola, vislumbró una oportunidad única de convertirse en héroe haciendo algo bueno por su pueblo. Metió la mano en el baúl, sacó todas las toallas que pudo y las fue distribuyendo por las tumbonas más cercanas a la piscina para que sus compatriotas, quienes como él se pasaban la noche de fiesta y luego dormían hasta tarde, consiguieran un buen sitio al menos un día de las vacaciones sin ser víctimas de la estratégica organización de los alemanes, que ya corrían a la piscina según terminaban de desayunar con el fin de reservar los mejores sitios, confinando así a los más perezosos a los últimos rincones del jardín, donde en las horas de pleno sol olía a orines de gato. En el rostro de Jan-Henrik de Waart se dibujó una sonrisa tonta y tan amplia como la de una rana, y luego se fue a dormir. En la piscina infantil, la bomba emitía sus últimos estertores, se quemó del todo y feneció. Las gafas de bucear flotaron hasta la superficie. David había vencido a Goliat.

✑ ✑ ✑

—Ahora, al soltar el aire, aflojamos la tensión, pero no nos quedamos fláccidas del todo, sino que volvemos muy despacito a la postura de base. Y soltamos aire: fffffuuu —ejemplificó Eleni, relajando la pelvis para retomar la postura base a cuatro patas y, al instante, la imitó sobre sus colchonetas de yoga de color azul turquesa un grupito de mujeres que, de cara al mar, acababan de practicar el «perro boca abajo»—. Y ahora flexionamos las piernas, encogemos los dedos de los pies y nos quedamos a cuatro patas. Respiramos, y ahora hacemos la postura del gato, inspirar..., estirar..., espirar..., la espalda bien redondeada. ¿Cómo hacen los gatos? Bien para arriba la columna. Usted, sí, la de atrás... ¡Para arriba es en dirección al cielo! Eeespiramos... y ¡otro gatito! Iiinspiramos... y estiramos bien.

Eleni se levantó de un salto para pasearse entre las mujeres arrodilladas por el suelo que, con la siguiente inspiración, repitieron la postura, y tuvo que ponerle la mano en el vientre a la mitad de ellas para ayudarlas a redondear la columna. Verano tras verano, Eleni Aniston se asombraba de cómo, al hacerse adulto, se olvidan los movimientos más simples y más naturales para cualquier niño. Ya se había acostumbrado a que algunos turistas fueran incapaces de mantener el equilibrio sobre una pierna, así que ni se planteaba que intentaran colocar un pie sobre el muslo y luego echar el trasero hacia atrás. Eso sí, en días como aquel, viendo que de seis británicas tan solo una era capaz de imitar la postura del gato, llegaba a preguntarse si es que en Gran Bretaña no habría gatos.

—Y, al soltar el aire de nuevo, volvemos a la postura base. Fffffuuu. Muy bien. —Eleni volvió a su colchoneta—. Vamos a respirar y a apretar bien el centro de nuestro cuerpo; el suelo pélvico bien apretado hacia el vientre, y respiramos con el vientre como si fuéramos subiendo por una casa de pisos... Ffffuuu, primer piso, y fffffuuu, segundo..., y fffuuu, tercero. Ffffuuu, cuarto piso, y respiramos bien, que entre el aire en lo alto del todo. Fffffuuuuu. ¡Bien de aire en esa cima del vientre! Fffffuuuuu.

Las notas de una marimba sonaron desde el radiocasete de Eleni, último artículo de importación que Milton había llegado a pedir por correo a Estados Unidos antes de morir. Eleni controlaba de reojo si las participantes en la clase de yoga aún la seguían, pues algunas se quedaban dormidas cuando llegaban a los ejercicios de relajación. Sobre todo las británicas y holandesas creían que el yoga lograría compensar los excesos de la víspera.

Aunque, tras la muerte de Milton, Eleni se ocupaba de todas las tareas de dirección del hotel, no había dejado de impartir su clase de yoga diaria. Lo consideraba importante para demostrar a los empleados que era una de ellos. En los últimos años, todos los trabajadores locales excepto dos recepcionistas se habían despedido. La isla vivía una época de prosperidad, y muchos de los lugareños habían abierto pensiones o tiendas por cuenta propia, aunque lo cierto era que a la mayoría no les había parecido digno someterse a las órdenes de una mujer para realizar tareas inferiores. Entretanto, casi todo el personal del hotel estaba compuesto por albaneses, con quienes Eleni compartía las veladas discutiendo sobre el comunismo.

—Jefa... —susurró Chavet, un joven de Tirana al que ese día le correspondía el turno de piscina.

—Seguimos respirando —indicó Eleni a su clase de yoga—. ¿Qué pasa? —preguntó, susurrando también.

—Tiene que venir. Ha estallado la guerra en la piscina.

Eleni dio por finalizada la clase, dejó el radiocasete encendido y la colchoneta sin recoger del pabellón de actividades y se apresuró a acompañar a Chavet. El pabellón de actividades era una especie de carpa con suelo de madera donde tenían lugar las clases de gimnasia y yoga, así como las conferencias. Estaba en el lugar donde habían echado los cimientos para la villa del director que Milton había empezado a construir y que, para enorme fastidio de Aspasia, Eleni había decidido que no necesitaban, pues su hija y ella podían seguir viviendo en el hotel, lo cual era mucho más fácil, puesto que así no necesitaban ni cocinar ni limpiar ni hacer la colada ellas. Lo que no imaginaba Eleni era que justo eso era lo que anhelaba Aspasia. En general, Eleni tenía la sensación de que no entendía a su hija. Un año antes, había abandonado la escuela y no se le había ocurrido nada mejor que meterse de aprendiza de peluquera. Eleni había hecho cuanto estaba en su mano por impedir que tomara ese camino, pero al final Aspasia se había salido con la suya. En cualquier caso, desde la muerte de Milton, Aspasia no le hacía ni el más mínimo caso a su madre. Eleni era consciente de que no le perdonaba que no hubiera llorado a Milton y que no se hubiera puesto de luto riguroso como las viudas de la isla, sino que se hubiera volcado en el trabajo el mismo día del entierro. Eleni había intentado explicárselo, pero Aspasia era joven y testaruda. No quería entender que, para no hundirse en el presente, hay que mirar al futuro y no llorar por el pasado.

Antes de llegar a la piscina, Eleni ya oyó las voces y la acalorada discusión. Dobló la esquina y descubrió a los maridos de sus alumnas de yoga alemanas y británicas, convertidos en una tropa de basiliscos porque a algún listo se le había ocurrido poner el despertador y reservar todas las tumbonas buenas.

—Hagan el favor de calmarse —trató de serenar los ánimos Eleni, tanto en alemán como en inglés, pero nadie le prestó atención. Los hombres se lanzaban toda suerte de improperios, hirientes acusaciones y muestras de odio. Lo único que los unía era que todos estaban colorados como cangrejos por el sol que habían tomado justo en las horas de más calor.

Mientras respiraba a fondo un instante y se planteaba poner firmes a todos aquellos gallos de pelea recurriendo a la manguera, Chavet susurró:

—En la piscina infantil se ha roto la bomba del filtro, el agua está estancada y no se elimina el pis de los niños.

—Lo que faltaba —farfulló Eleni, y se descubrió a sí misma pensando en Milton. A veces, cuando todo la superaba, cuando tenía la sensación de que aquel hotel le estaba costando la vida y le robaba todo el tiempo de estar con Aspasia, le sobrevenía la tristeza. Y la tristeza traía de la mano los reproches de no haber cuidado mejor de Milton. Eleni odiaba a los médicos, siempre había desaconsejado a Milton que fuese a ver a ninguno, insistiendo en que lo que tenía que hacer era comer sano y practicar algo de deporte. Pero eso no había sido suficiente. Eleni miró al cielo y vio cómo, al norte, en la dirección de la isla principal, se estaba formando una terrible nube de tormenta. A juzgar por la negrura del horizonte, dos horas más tarde —a lo sumo— comenzaría a llover, así que se dirigió a Chavet.

—Nada, déjalos pelearse. En cuanto se ponga a llover, se meterán todos dentro y se hermanarán bebiendo cerveza. Y si de verdad llueve tanto como promete esa nube, la piscina infantil se va a desbordar de todas formas. No hay de qué preocuparse —dijo, volviendo a la playa para poner a cubierto el radiocasete. Lo que no imaginaba siquiera era cuál sería la auténtica nube negra que se preparaba en la isla principal.

🌿 🌿 🌿

Al tiempo que en el sur de Makarionissi tomaban las precauciones necesarias para la tormenta, en la isla principal ya caían del cielo perros, gatos y hasta gorrinos, si bien en el pequeño salón de peluquería del centro de la ciudad, cuyas ventanas estaban cubiertas por gruesas cortinas de terciopelo rojo y donde el zumbido de los secadores eclipsaba la radio, apenas se daban cuenta de que, en el exterior, se estaba acabando el mundo. Eso sí, la señora Stavromanoudis, dueña del establecimiento de peluquería y belleza, notaba una extraña sensación en la barriga. Y el dedo meñique le daba tales latigazos que ni siquiera necesitaba consultar los posos de su café para saber que ese día aún habría de pasar algo. Sentada en el taburete de detrás de la caja, observaba la maña que se daba con la depilación con hilo su empleada más joven, Aspasia, en concreto: de las cejas de una clienta. La señora Stavromanoudis se masajeaba los dedos, hinchados y azulados, pero no terminaba de ver desde qué dirección se avecinaba la desgracia.

—No te olvides de echarte bien de crema de manos después —le dijo a Aspasia, inclinada sobre la clienta con la máxima concentración, y dio unos golpecitos sobre el dispensador de crema. El mismo día en que se había presentado allí la joven, la señora

Stavromanoudis había sabido que sería su sucesora, que aquella muchacha aprendería todo aquello para lo que sus compañeras eran demasiado torpes. Para la propietaria de la peluquería era todo un misterio que aquella chica hubiera tenido que dejar la escuela por problemas de concentración. Cuando trabajaba, no había nada que la hiciera perder los nervios, y ponía un esmero y una minuciosidad sin parangón en todo lo que hacía hasta obtener el resultado perfecto. Y cualquier clienta que hubiera pasado por sus manos durante los últimos seis meses había salido encantada. La única a la que no le hacía ninguna gracia que trabajase allí era a la madre, cosa que la señora Stavromanoudis no entendía en absoluto. Porque el hotel que tenía la madre no se mantendría en pie para siempre. El arte de embellecer, sin embargo, era un negocio a prueba de crisis que había existido toda la vida y que habría de existir hasta el fin de los tiempos. ¿Acaso había en la Antigüedad hoteles? Por supuesto que no. Y, sin embargo, toda mujer romana de pro tenía una esclava propia para ocuparse de la belleza de su ama; y en el museo arqueológico de la isla principal tenían expuesta la reconstrucción de un salón de belleza como se suponía que eran en la Antigüedad: con su silla de barbero, su espejo, sus tijeras y peine, esponjas, diadema, plancha para el pelo, horquillas y piedra para afilar los instrumentos, así como un papiro con la receta para preparar el tinte negro del pelo con sanguijuelas desecadas, vino y vinagre. Todo eso le había explicado la señora Stavromanoudis a Eleni Aniston, quien, después de una hora de pelea a voz en grito, había accedido de mala gana a que Aspasia entrase de aprendiza, y acto seguido había dado media vuelta para salir del local como una fierecilla rabiosa. La señora Stavromanoudis había rodeado a Aspasia con sus brazos. «Ya se hará a la idea, mujer», le había dicho a la joven. «Nunca estará orgullosa de mí», había respondido esta.

La puerta del pequeño salón de peluquería se abrió, y la señora Stavromanoudis olió la lluvia que caía del cielo antes de que la desgracia cruzara el umbral. El ingeniero sacudió el paraguas, pero el agua goteó dentro del establecimiento de todas formas. La anciana señora Stavromanoudis se dio cuenta de cómo Aspasia se detenía por un instante en su tarea, miraba hacia la puerta y sonreía tímidamente. Y el ingeniero, con los pantalones empapados y el resto de la ropa medio mojada, también sonrió. La señora Stavromanoudis se interpuso entre las miradas de ambos.

—Señor ingeniero, ¿otra vez por aquí? Viene usted más que las amas de casa aburridas...

El ingeniero sonrió con cierto apuro, la señora Stavromanoudis le dedicó una mirada severa. En las décadas que llevaba a cargo de aquel salón en la isla, jamás había puesto en evidencia a ningún cliente, pero esta vez no le importaba nada que el ingeniero pasara vergüenza. Desde que, seis meses atrás, le había cortado el pelo Aspasia, iba constantemente a retocarse el corte. Al principio, al menos había mostrado el decoro de no presentarse más que una vez al mes. Pero ahora acudía cada quince días.

—Ya ve, es que tengo mucho pelo. Y su joven empleada tiene muy bien pillado el corte. Lo mantiene a raya.

La señora Stavromanoudis lo miró fijamente a los ojos. Filippo Floridis, ingeniero. Casado, sin hijos. Con edad suficiente como para ser el padre de Aspasia.

—Aspasia está ocupada, ya le descargo el pelo yo.

—No —exclamó Aspasia desde el otro extremo del salón—. No se moleste usted, señora, ahora mismo voy. Termino enseguida. Señor Floridis, pase a sentarse por aquí.

La señora Stavromanoudis cruzó los brazos sobre el pecho.

En el exterior, la lluvia se estrellaba sin cesar sobre el pavimento. La señora Stavromanoudis no quitaba ojo al sillón donde estaba sentado el ingeniero Floridis, haciendo reír a Aspasia. Lo cierto es que era un hombre muy guapo, sin duda alguna, con un cabello estupendo, bien espeso y negro, peinado hacia atrás. Rostro anguloso, labios finos y bien dibujados, no como esas bocas de besugo de labios gruesos y sin formas. Y una sonrisa cautivadora. Pero estaba casado y Aspasia era una adolescente. Después de pagar, preguntó:

—Aspasia, está lloviendo a mares, ¿quiere que la acerque hasta el transbordador en coche?

Y Aspasia, que no consentía a ningún cliente que la llevase hasta la estación del transbordador porque siempre iba al puerto en bicicleta, hiciera el tiempo que hiciera, respondió antes de que la señora Stavromanoudis tuviera ocasión de impedirlo:

—Qué amable por su parte...

Y cuando Aspasia hubo tomado su abrigo y salido por la puerta, seguida de cerca del ingeniero, también en Makarionissi empezó a llover.

♠ ♠ ♠

Tres meses más tarde, Eleni se asomaba al balcón para ver cómo preparaban el hotel para el invierno. Los empleados recogían las tumbonas de la playa y las guardaban en el sótano, apiladas como piezas de Lego. Las sombrillas se envolvían en plástico; las plantas de las macetas que bordeaban toda la verja de la terraza se reunían en el porche, donde quedaban protegidas de los vientos del invierno. A los pocos días, todo el mundo se habría marchado, solo permanecerían allí Eleni, Aspasia y un pequeño grupo de trabajadores que se ocuparían del mantenimiento mínimo del hotel. Esa misma mañana, Eleni había reconocido que tenía ganas de descansar una temporada, pero ahora tenía miedo de las tormentas. Envuelta en una manta, contemplaba la terraza, a sus empleados, el mar..., y echaba de menos a alguien que la preparase para las inclemencias del invierno también a ella.

Dentro de la suite estaba Aspasia, sentada con las piernas pegadas al cuerpo. Tenía la cara hinchada y los ojos rojos, lo había confesado todo. Eleni la había escuchado como una estatua de piedra.

—Pero mírate, si no eres más que una niña —le dijo, cerrando la puerta del balcón tras de sí al entrar de nuevo en la habitación.

Aspasia se sorbía el llanto—. ¿Es culpa mía, no? ¿Es para demostrarme que nunca pude dedicarte el tiempo que necesitabas, que nunca me ocupé de ti lo suficiente? —Eleni se había propuesto mantener la calma y no hacerle ningún reproche a Aspasia. No dejar que la situación escalase. Hacer justo lo que habría hecho Milton. Pero le temblaba la voz. Eleni no era Milton—. Por Dios, Aspasia, hija, mira a tu alrededor. Lo tienes todo. No has tenido que pasar hambre, jamás te he obligado a cumplir ninguna norma, tienes todas las libertades, todas las posibilidades... ¿Y qué haces? ¡Entregarte al primer viejo verde que te dice dos monerías! ¡Dejarle hacerte un hijo! ¿En serio creías que iba a abandonar a su mujer?

Eleni no pudo contener su rabia más, agarró una lámpara de la mesilla de noche y la estampó contra el suelo. Aspasia se estremeció. Eleni se puso a pisotear la pantalla de la lámpara y no paró hasta que no se rompió también la bombilla bajo sus pies. Recordó cómo había sido ella de adolescente.

Por aquel entonces, a principios de los sesenta, antes de que la junta militar se hiciera con el poder, el gélido clima político en el que había crecido se deshelo durante un breve tiempo. La gente volvió a hablar de política no solo en las casas, sino también en las calles y las plazas, en los cafés y hasta en los mercados. Y no solo hablaban de las cosas sobre las que estaba permitido hablar. Cada vez se veía a más habitantes del pueblo de arriba en el pueblo de abajo. Y no solo en casa de la familia Stefanidis. Siempre que Eleni había querido hablar de política en casa, Spiros daba un puñetazo en la mesa: «Tú, a callar». No obstante, a medida que se hacía mayor, Eleni estaba menos dispuesta a callarse. Pensaba en Christina, cuyo marido se había ido a trabajar al extranjero, dejándola sola con dos niños pequeños. Pensó en Foti, a quien su propio marido le parecía un tipo asqueroso. Christina y Foti siempre habían sido sumisas y habían obedecido a cuanto mandara la familia. Pero Eleni oía decir a los defensores de la izquierda que no debía callar. Que podía luchar, que tenía derechos, que no valía menos que su primo. Por entonces, las mujeres ya tenían derecho al voto. Así que Eleni empezó a luchar, se rebeló contra su padre, que le dejaba las mejillas coloradas de tantos bofetones como le daba semana tras semana. Incluso osó rebelarse contra su abuela.

—Eleni, no me hagas sufrir —le dijo Yaya María un día que descubrió un libro prohibido en su cuarto.

—No te metas en mis asuntos —replicó Eleni.

—Eres una mujer —dijo la abuela, ya muy mayor y delicada de salud—, compórtate como tal y no traigas la vergüenza a la familia. A continuación, Yaya María arrojó el libro al fuego de la cocina. A Eleni le dio un ataque de rabia, el libro se lo había prestado un matrimonio de ancianos comunistas. «Cuídalo bien», le había dicho el marido, «es difícil de encontrar». Pensó en aquel matrimonio: él había sido partisano y había estado preso en la isla del diablo. Ella había apoyado a los partisanos y había pasado semanas en una cárcel de mujeres. Y luego miró a su abuela, que con tanta elegancia se había mantenido siempre al margen de todos los conflictos. Siempre pensando en su propio provecho y en nada más, en el legado de la familia y en que esta perviviera para siempre. ¿Qué eran un pedazo de terreno, el ganado y la casa en comparación con la libertad? ¿Con la igualdad? ¿Con la autodeterminación? Así que Eleni acabó dándole ella una bofetada a su abuela y salió corriendo.

Pasó cuatro días escondida en casa de los ancianos comunistas. Pero, cuando volvió a su casa, todos hicieron como si no hubiera sucedido nada. Y cuando se quedó a solas con la abuela, Yaya María la miró con gesto severo y le dijo:

—Te perdono. Eres joven y no sabes qué es lo mejor para ti. Pero una cosa te juro: cuando tengas tu propia familia, te acordarás de este día y lo entenderás.

Aspasia se sonó ruidosamente en un pañuelo de papel, se levantó y lo tiró a la papelera. Sin decir palabra, recogió los restos mortales de la lámpara.

—Espero que ya te hayas desahogado. Pienso tener el niño. Si todavía estás furiosa, ahí tienes el televisor. Ahora te traigo un martillo —dijo con voz serena.

—Aspasia, hija, si yo solo quiero lo mejor para ti —contestó Eleni, resignada. Aspasia tiró a la papelera la pantalla y el armazón de la lámpara y fue al baño a lavarse las manos.

—No te cansas de decir que soy muy distinta a ti. Y es verdad. No tengo que emigrar a Alemania ni a Estados Unidos. A mí me gusta el mundo tal y como es. No tengo ganas de cambiarlo. Pero mira que en una cosa sí que soy igual que tú: voy a tener a mi bebé yo sola. No necesito a ningún hombre a mi lado. Tú misma me enseñaste que se puede. Y yo tengo la oportunidad de hacerlo mejor que tú.

Aspasia salió.

No dio un portazo, sino que cerró la puerta con suavidad.

Y en cuanto se quedó sola, Eleni la entendió. Tenía miedo, pero al mismo tiempo sentía que casi iba a estallarle el pecho del orgullo que sentía por su hija.

🌿 🌿 🌿

Cuatro semanas más tarde, cuando la calma propia del mes de enero reinaba en el hotel, el portero llamó a la habitación de Eleni para decirle que acudiera enseguida porque había un matrimonio que insistía en hablar con ella con urgencia. De entrada, Eleni pensó que serían jornaleros albaneses en busca de trabajo para la siguiente temporada. Pero al llegar al vestíbulo vio que se había equivocado: la mujer era pálida e iba muy maquillada. El marido era alto, tenía muy buen pelo, denso y negro, rostro de corte fino y unos labios muy bonitos. Se veía que se cuidaba mucho, llevaba ropa de la mejor y, antes incluso de que se presentara, Eleni descubrió en él un innegable parecido con Milton. Y lo vio todo claro.

—¡Fuera de aquí! —gritó, agarrando un jarrón que decoraba el vestíbulo y lanzándoselo a la cabeza al ingeniero, cuyos ojos atónitos delataban que había imaginado su primer encuentro con la abuela de su nieto nonato de una forma muy diferente.

Filippo Floridis dio un paso atrás. La mujer que iba con él contuvo la respiración.

—¡Encontraremos una solución! —gritó desesperado—. Reconoceré al niño, mi esposa lo adoptará y lo querremos como si fuera suyo.

—¡Cabronazo! ¡Pervertido! —rugió Eleni buscando la siguiente arma arrojadiza.

—Al niño no le faltará de nada, y Aspasia podrá hacerse mayor sin que le cause problemas. Hasta le pagaré una indemnización por el parto. Por favor, hablemos...

Eleni encontró una fregona y la blandió como una espada, dispuesta a atacar al ingeniero.

—¡Es menor de edad! Ni siquiera sabe lo que significa eso. —Eleni tomó impulso con la improvisada espada, el ingeniero dio un salto hacia un lado, resbaló y fue a darse un fuerte golpe en la cabeza contra el mármol.

—¡Filippo!

Alarmada por el griterío, Aspasia bajó corriendo por las escaleras.

El ingeniero yacía en el suelo entre quejidos, el portero llamó a una ambulancia por si acaso; Eleni, jadeante y con la fregona en alto, seguía amenazando a Floridis.

—¡A mi hija no le va a quitar el niño nadie! ¡A mí no me quita a mi nieto nadie! ¡Y su cochino dinero no nos hace ninguna falta!

Aspasia se agarró al brazo de su madre, respirando agitadamente, levantó la barbilla como solía hacer Eleni y declaró:

—No necesitamos a los hombres para nada. Nosotras dos no.

🍂 🍂 🍂

Ahora bien, el reino de las Amazonas apenas estuvo en manos femeninas cinco meses más, pues, en junio de mil novecientos noventa y uno, no fue solo un varón quien vio la luz del mundo, sino dos mellizos que, al instante, se convirtieron en sus adorados y absolutos soberanos: Manolis Aniston, tres kilos con veinte gramos y cincuenta y un centímetros de largo; y, un cuarto de hora después, Iannis Aniston, tres kilos con cinco gramos y cuarenta y nueve centímetros de largo. Eleni besó a sus nietos, se pasó horas con ellos en brazos, hasta que la enfermera tuvo que amenazarla con llamar a las autoridades si no le entregaba a los bebés. Eleni los miró: tenían sus rizos, el color del pelo de Aspasia, la boca de Filippo y los ojos de Otto.

—Mis dos tesoros, voy a ser la mejor yaya de este mundo y de todos los mundos. Y nunca jamás os diré lo que tenéis que hacer y lo que no —prometió, y por fin puso a los bebés en manos de la enfermera con el firme propósito de no volver a dejárselos a nadie en cuanto hubieran salido del hospital.

Canto VII

En que el tiempo pasa volando, el héroe
y la heroína se sienten muy orgullosos de sus
príncipes, que crecen y maduran, viven aventuras,
luchan contra algunas bestias, se hacen adultos y
terminan aprendiendo que, en el reino que sea,
solo uno se queda con la princesa.

¿Quién es *König* Otto?

1) *La pena que se desprende de su voz da al público una sensación de autenticidad.*

2) *Su mirada atormentada hace pensar que nadie puede estar peor que él en ese momento.*

3) *Sus canciones son como boyas en el mar del anhelo a las que sus oyentes se agarran para sentirse comprendidos en tanto dura una canción.*

4) *En el fondo, todas las canciones tratan de los mismos temas: mujeres fuertes, anhelo, pérdida, amor, desdicha → mal de amores.*

5) *Melodía y estructura del texto muy simples; se reconocen a los tres acordes. Y tres cuartas partes del público se las saben y las corean.*

6) *Los estribillos atrapan al público por los canales de la emoción y se les quedan grabados en el cerebro. Lágrimas en los ojos de las jovencitas.*

7) *Muchos imperativos y ruegos constantes. Como si las canciones fueran causas de vida o muerte.*

8) *Theodor Adorno se revolvería en su tumba.*

Nico Moritz cerró su libreta, se guardó la pluma en el bolsillo de la americana y se recostó en el asiento para seguir observando el concierto con los brazos cruzados. Tenía información más que de sobra para escribir una gran semblanza del hombre que, en aquel momento, causaba sensación en las cumbres del panorama musical alemán: *König* Otto, «el rey Otto». Nico había pasado semanas investigando y los archivadores de su despacho estaban repletos de material. Hijo de un campesino, Otto se había escapado de un internado en Baviera y había ido a parar a Hildesheim. Debut a principios de los setenta con un álbum titulado *Pelo en los ojos,* en la línea de los cantautores independientes. Textos políticos sobre el valor cívico y el poder del individuo en el mundo de hoy. Recordaba a Bob Dylan, gran éxito, legendario himno hippie, después: silencio total. Sobredosis. Largo período de desintoxicación. A punto de irse al otro barrio. Según la versión de la discográfica: un accidente, una juventud difícil. Según el médico: estaba curado... Médico probablemente comprado por la discográfica. Cinco años más tarde, el álbum *¿Dónde estás?* Número uno. Gira por Alemania, tres conciertos de propina en Colonia, Múnich y Fráncfort. Un año después, *Amor infinito,* cincuenta y una semanas en el primer puesto. Gira más larga. Conciertos más multitudinarios. Organizadores exultantes. Discográfica, más todavía. Invitado habitual en los platós de televisión. Y ahora, tras un tiempo de silencio para componer *Mar de anhelo,* entrada triunfal en el Olimpo de los cantantes pop alemanes.

Nico Moritz contemplaba el escenario: una inmensa T de metro y pico de altura, rodeada de mujeres chillando por sus cinco lados. Las tribunas que bordeaban la zona de patio estaban abarrotadas, pero tampoco allí había nadie sentado; hasta los hombres, en quienes debía de despertar cierto recelo semejante endiosamiento del tal Otto, estaban de pie, daban palmas y se mecían al compás de la música. Nico Moritz soñaba con una cerveza. El joven periodista había entrevistado a críticos musicales, productores, fans, organizadores de conciertos, compañeros del cantante y a un montón de personas más. Incluso con el propio Otto se había visto en tres ocasiones. Conocía todos y cada uno de los artículos que se habían escrito sobre él. Y, sin embargo, aún estaba empeñado en descubrir una cosa que no terminaba de explicarse: ¿qué había llevado a un cantautor político a tirar por la borda todos sus ideales para reaparecer con un traje de lentejuelas azul, gafas de sol y tupé marcado a golpe de secador, gañendo las baladas más empalagosas y lastimeras de toda la historia de la música alemana? Los musicólogos con los que había hablado Nico coincidían en una cosa: en el fondo, en Alemania no había gran diferencia entre los cantautores y los cantantes pop. Tanto desde el punto de vista compositivo como en lo relativo a los textos, la frontera entre el arte y lo kitsch era tan difusa que a menudo desaparecía. La casa discográfica declaró en su día que Otto sencillamente había experimentado un cambio de estilo, pero Nico intuía que detrás de todo aquello se escondía alguna historia.

Así pues, allí estaba, de pie en la última fila de la tribuna, donde la visibilidad era buena y el ambiente no estaba demasiado caldeado.

El público tenía lágrimas en los ojos. Éxtasis colectivo. Cuatro bises. Montones de fans que no querían irse a casa, aferrados a la esperanza de que Otto saliera al escenario una vez más. Luego, los vigilantes de los accesos al recinto del concierto, que desalojaron el lugar con bastante violencia cuando la gente por fin decidió marcharse. Y, por último, el servicio de limpieza, que acudió a barrer del escenario el montón de bragas y sujetadores, peluches y rosas lanzados por las fans para tirarlo todo a grandes cubos negros.

—¿Qué le había sucedido a Otto? —se preguntaba Nico Moritz, hasta que lo llamó un tipo bajito con voz aguda:

—Ya puede pasar a la zona privada —dijo, y el periodista le siguió tribuna abajo, cruzando el escenario y el pasillo a oscuras del *backstage,* hasta el tercer camerino a la izquierda, también sumido en la penumbra—. Siéntese ahí, Otto saldrá enseguida.

Nico Moritz recorrió el camerino con la mirada: no había ningún talismán ni objetos personales de ningún tipo. Igual que en los demás sitios donde había coincidido con Otto. Era como si aquel hombre no tuviera sentimientos ni deseos ni anhelos de nada, como si solo cantara sobre ellos. Visiblemente agotado, entró Otto dando tumbos. Se sentó en el sillón giratorio, suspiró, miró a los ojos al joven periodista y dijo:

—La verdad es que no me apetece una mierda que me entrevisten. Tengo hambre.

Acto seguido, se puso de pie, se sacudió de encima a su mánager, que intentaba retenerlo agarrándolo del codo, y salió por la puerta lo más deprisa que pudo.

Durante las siete semanas siguientes, Nico Moritz no dejaría de darle vueltas y más vueltas a lo que ocultaban aquellos ojos tan tristes. Seguiría al cantante a todos sus conciertos, viajaría hasta el último pueblo de mala muerte de la Baviera profunda, al pueblo natal de Otto, y tendría la oportunidad de entrevistarlo con todo detalle para resarcirse de aquel plantón, si bien nunca hallaría la respuesta a su pregunta.

Con todo, le habría bastado con preguntar a Otto qué cenaba después de los conciertos. O con seguirle a ver adónde iba. En tal caso, le habría llamado la atención que Otto buscaba un restaurante griego en todas las ciudades. Y así también habría observado que, en todos ellos, Otto preguntaba por el dueño, entraba en la cocina, hablaba con todos los miembros del personal y siempre hacía la siguiente pregunta:

—¿Conocéis a Eleni Zifkos? Es más o menos así de alta, con rizos salvajes, castaños. Y tiene un niño de tantos años. —Y aquí sumaba uno más a cada invierno que pasaba.

De haber hecho eso, Nico Moritz por fin habría comprendido cuál era el motor de *König* Otto: su anhelo por aquella mujer. Y la esperanza de que, en algún restaurante, en alguna comunidad griega del país, alguien conociera a Eleni o al menos hubiera oído hablar de ella. Si el periodista hubiera indagado más, Otto le habría contado que Eleni siempre llamaba la atención. Que levantaba la voz y luchaba por sus convicciones, que uno se acordaba de ella si se la había cruzado alguna vez.

Si Nico Moritz se hubiera enterado de todo aquello, sin duda le habría ofrecido su ayuda. Pero lo más probable es que tampoco hubiera servido de nada, porque Otto buscaba en el país equivocado. Le habría asegurado a Nico que Eleni se escondía, pero también que no habría vuelto a Grecia bajo ningún concepto; al fin y al cabo, no paraba de echar pestes de aquel país donde la habían encarcelado y oprimido toda la vida.

Para Otto, el tiempo se había detenido. Y nunca se le ocurrió pensar que para Eleni había seguido avanzando.

La finalidad de un agujero en el suelo

En la zona peatonal de St. Pölten reinaba la calma más absoluta. Era una noche de febrero inusualmente templada del año mil novecientos noventa y nueve. En la Schreinergasse, un señor mayor paseaba a su perrito *pinscher;* en la Kremsergasse, una señora había sacado a su dálmata, y, en la plaza de la catedral, dos jovenzuelos se habían sentado sobre el respaldo de uno de los bancos destinados a las personas mayores y, con los pies en el asiento propiamente dicho y las manos juntas, se preguntaban cómo demonios pasar el rato en un día laborable en St. Pölten, donde no abría ninguna discoteca ni había vida en ningún bar, donde en los multicines solo ponían películas que ya habían visto y donde los billares estaban cerrados por una celebración privada.

Y entonces se repitió una escena que tenía lugar todas las noches desde hacía más o menos veinte años. Primero se oía un sonoro «chofff». Una mujer de setenta y nueve años, menuda y encorvada, oriunda de un pueblito de la alta montaña, allá en la frontera greco-albanesa, con un pañuelo negro a la cabeza y un delantal de cocina blanco, arrojaba un cubo lleno de aceite usado, agua de fregar y restos de la cocina por la alcantarilla que había a la derecha del restaurante griego El rincón de Zeus. Y antes de que el contenido del cubo hubiera llegado del todo al fondo del canal, se abría una ventana del primer piso de la casa de enfrente.

—¡Señora, no puede tirar los desperdicios al canal!

La anciana griega levantaba la cabeza, se encogía de hombros y terminaba de vaciar el cubo por la alcantarilla, y la vecina empezaba a despotricar:

—¡Eso está prohibido! ¡Voy a llamar a la policía!

La anciana griega, por su parte, hacía como que no entendía ni palabra. Bastante mal lo había pasado ella ya al abandonar su patria. Así que solo renunciaba a su lengua materna cuando se trataba de convencer a su nuera de que los chicos iban poco abrigados o no les daba de comer lo suficiente. De hecho, antes de mudarse a Austria no había salido de sus montañas natales más que una vez. Medio siglo atrás, siendo aún una joven madre, había tomado a su único hijo de la mano para viajar con él hasta la costa en busca de su marido. El niño había estado a punto de ahogarse... Ahora había pasado medio siglo y seguía teniendo pesadillas cuando se acordaba del mar. A su marido no lo había encontrado. Y luego su hijo se había marchado. Su intención inicial era pasar nada más unos años trabajando en el extranjero para ganar cuando pudiera, y al principio le escribía todas las semanas, y luego cada vez menos, y ella iba notando que lo perdía, que ya no volvería nunca...

Así que había hecho de tripas corazón. Había abandonado a su hermana gemela, junto a la cual había pasado todas las mañanas, tardes y noches desde que ambas vinieran al mundo. Pero se había dado cuenta de que el vínculo con un ser que había llevado en el vientre era más fuerte que el vínculo entre dos seres que han compartido el mismo vientre. Más fuerte que el amor a la patria. Lo bastante fuerte como para soportar un viaje en tren de varios días. Lo bastante fuerte como para aceptar a una nuera austríaca. Y lo bastante fuerte como para estar contenta en St. Pölten a pesar de que no tuviera ni una iglesia como Dios manda y de que sus nietos respondieran a los mismos nombres que los soldados que, en mil novecientos cuarenta y cinco, habían saqueado Varitsi y fusilado a los gitanos.

La vecina seguía echando sapos y culebras por la boca y la anciana griega se preguntaba todas las noches qué le habría salido tan mal en la vida a aquella mujer para ponerse así por el mero hecho de que otra vecina echara un cubo de basura a lo que no era sino un agujero en el suelo.

—Disculpe —exclamaba Trudi, que salía taconeando del restaurante y hacía un gesto con la mano a la vecina. Despina le lanzaba una mirada de reproche, Trudi la agarraba del codo y la hacía entrar de nuevo en el restaurante, la vecina cerraba la ventana y las tres mujeres suspiraban, considerando una verdadera cruz lo locas que estaban las otras dos. «Si es que no es más que un agujero en el suelo», pensaba Despina. «Es que es el alcantarillado público», pensaba la vecina. «Al menos ha dejado de vaciar el cubo por el inodoro», pensaba Trudi.

El rincón de Zeus era el único local de St. Pölten donde la cocina permanecía abierta después de las nueve y media; por lo general abrían hasta medianoche o incluso hasta más tarde si tenían gente cenando, aunque ese día era martes y en el pabellón multiusos del sur de la ciudad se había celebrado el sonadísimo concierto de un cantante pop muy conocido, con lo cual los habitantes de St. Pölten habían cenado más temprano. El centro de la ciudad estaba desierto, como tan a menudo, y ni las ratas rondaban por allí.

—Esta tarde ha llamado un alemán para decir que aún vendrá un grupo grande —anunció Lefti cuando las dos mujeres entraron en el salón.

—¿Estás seguro? —preguntó Trudi bostezando. Despina pensó que su nuera había cambiado de un modo asombroso. Se había vuelto más temperamental y más segura de sí misma, ahora sabía ponerse en jarras como una auténtica matrona y hasta afirmaba de vez en cuando, por iniciativa propia, que hacía una corriente de aire como si viniera directa del infierno. Solo había una cosa a la que no se había acostumbrado: a acostarse tarde. A pesar de dos décadas de horarios tardíos, Trudi Haselbacher-Zifkos bostezaba puntualmente a las diez de la noche.

Su suegra se metió en la cocina, se la oyó trajinar con el hervidor de moca y al rato salió con tres tazas de café; como también llevaba haciendo casi dos décadas, la nuera hizo un ligero gesto de desagrado al bebérselo. El café de Despina siempre estaba demasiado dulce, demasiado caliente o demasiado fuerte. Desde luego, a aquella chica es que no había manera de darle gusto, pensó la anciana, meneando la cabeza, aunque, en lugar de prestarle mayor atención, se puso a mirar los posos del fondo de la taza. Y entonces se asustó, y la taza estuvo a punto de caérsele de las manos.

—¡Cerrad ahora mismo! —Sus ojos permanecían clavados en los posos—. Se avecina una desgracia.

Despina maldijo sus ojos, pues con la edad habían perdido agilidad a la hora de ver cosas en los posos. Antes de poder mostrarle a Lefti que le había salido el jinete negro en el fondo de la taza, se abrió la puerta y entró un tipo bajito con un grueso bigote.

—Buenas noches, había llamado para reservar.

Detrás de él entró un grupo de personas que, a los ojos de Despina, parecían recién salidas del desfile de carnaval que sembraba la intranquilidad en las zonas peatonales poco antes de la Cuaresma. Mujeres con faldas demasiado cortas que cacareaban como gallinas. Hombres con pantalones llenos de rotos que, sin duda, no tenían un peluquero como estaba mandado y, al parecer, tampoco tenían madre que les impidiera salir a la calle con semejante pinta.

Despina, que se escondía de los clientes en la cocina por sistema, dirigía sus ojos alternadamente a la tropa de carnaval y a los posos del café. Ya había visto al jinete negro en otra ocasión, más de veinticinco años atrás.

Fue un día en que estaba en el patio con Pagona. Habían terminado de limpiar las judías y tomaban café mientras los niños de Christina correteaban por el patio perseguidos por los gansos. Y, en algún momento, las dos se habían puesto a mirar el fondo de la taza, y a cada una por separado le había salido el jinete negro. El jinete negro no era el peor símbolo que podía aparecer en los posos. No significaba ni la muerte ni la catástrofe, pero sí largos años de lágrimas. Y justo así había sucedido: poco después de aparecerse el jinete negro a las gemelas, Lefti y Eleni se habían divorciado.

Lefti condujo a los clientes a sus sitios y les fue entregando la carta.

—Déjate de bobadas, mamá. Ya no estamos en el siglo diecinueve —dijo a su madre con un bufido, le quitó la taza de las manos y sacó la libreta para anotar las bebidas de los recién llegados. Antes de cerrar tras de sí la puerta de la cocina, Despina alcanzó a ver al último miembro del grupo: llevaba un grueso abrigo de lana de color mostaza, tenía el pelo rubio y greñudo y, cuando se quitó las gafas de sol, Despina vio el color gris como el hielo de sus pupilas. «¡Aspasia!», pensó, y de nuevo maldijo sus ojos, que no solo demostraban haber perdido agilidad con los oráculos, sino que encima le estaban jugando una mala pasada.

🍃 🍃 🍃

Otto estaba cansado. Ni los conciertos ni las chicas ni las drogas le motivaban ya para nada, y ese mes había intentado cancelar la actuación cuatro veces. Pero, al igual que en Augsburgo, Salzburgo y Linz, su mánager le había obligado a actuar en St. Pölten. Y eso que Otto ni había oído hablar de aquel lugar en clase de geografía ni su existencia le había llamado la atención jamás, si bien era inevitable pasar por allí cuando se viajaba entre Viena y Salzburgo por la autopista del oeste. Poco antes de salir al escenario le había preguntado a su mánager:

—¿Y esta qué ciudad es?

—St. Pölten.

—¿Cómo?

—St. Pölten, Otto, hazme el favor de guardar la compostura. St. Pölten.

Y Otto había guardado la compostura y no solo había pronunciado bien el nombre de la ciudad sino que había sabido repetirlo estupendamente varias veces a ritmo de rock. Después del concierto, incluso había sugerido a su equipo que, por variar una vez, no fueran a cenar al restaurante griego de rigor, sino, por ejemplo, a un indio; sin embargo, a esas horas intempestivas el único local abierto de St. Pölten era el griego.

Otto, el último en tomar asiento, habría preferido meterse en la cama de inmediato y sin cenar, pero sabía que, de todas formas, no podría conciliar el sueño. No dejaba de ser raro. Por más que, con la edad, se hubiera vuelto bastante más estable y lograra mantener ciertas rutinas, cuanto más éxito tenía una noche, más le angustiaba el vacío que sentía en su interior. Por más que conociera todo aquel proceso hasta el último detalle, no podía evitarlo. ¿Cómo era posible sentirse tan sorprendentemente mal con algo que llevaba haciendo tanto tiempo?, se preguntaba, y se dispuso a pedir la bebida con la esperanza de que una dosis suficiente de alcohol le ayudase a dormir.

—Una cerveza grande y un *tsipouro* triple —apuntó Lefti a toda prisa y sin levantar los ojos de su libreta, pues el resto de comensales ya había empezado a pedir la comida, todos a la vez y todos dando voces. Incluso estando menos agobiado, difícilmente habría sido capaz de reconocer a Otto. Hacía tres días que no encontraba las gafas de lejos y solo llevaba en la punta de la nariz las de leer, razón por la cual era Trudi quien sacaba los platos de la cocina esa noche, pues, dos días atrás, Lefti se había tropezado dos veces con un perro y se confundía de plato y de cliente todo el tiempo.

Trudi no necesitaba gafas. Y cuando sirvió a Otto un plato de calamares fritos con alioli, y él la miró a los ojos dándole las gracias amablemente, ella se estremeció y lanzó un grito.

—¿No es usted...? —balbuceó Trudi.

—*König* Otto en persona —dijo este, metiéndose en la boca la primera anilla de calamar.

—¡No, hombre, el músico! ¡El músico de Eleni! —exclamó ella.

Otto se atragantó con el calamar, Lefti reaccionó con una serenidad pasmosa y le dio palmadas en la espalda hasta que volvió a respirar, se bebió un vaso de agua entero de un trago y se quedó mirando al griego con un gesto de no dar crédito a lo que acababa de oír.

—¿Ustedes conocen a Eleni Zifkos?

—¿Eleni Stefanidis? ¿Después señora de Zifkos pero después ya no y después señora de Aniston? Pues claro.

Y aunque acababan de servir el plato principal, Otto echó de allí a toda su tropa, cerró la puerta tras de ellos y se sentó a la mesa con Lefti. Y aunque su mujer protestó enérgicamente, Lefti se puso a contarle lo que sabía de Eleni porque a espaldas de Trudi se lo había contado Despina, quien, a su vez, lo sabía porque se lo había contado Pagona.

Que Eleni había tenido una niña y que se llamaba Aspasia. Tenía rizos dorados y los ojos de un color gris como el hielo. Que ahora Aspasia tenía veintitantos años y dos hijos. Mellizos. Que Eleni se había casado con un americano rico y juntos habían construido un hotel. Pero que el americano se había muerto de un infarto y ahora el hotel era de Eleni.

Pero que estaba bien hasta donde él, Lefti, estaba enterado.

🌿 🌿 🌿

En tanto que Otto y Lefti se pasaban la velada hablando, Trudi y Despina permanecieron de pie en la cocina, observándolos a través del pequeño ojo de buey de la puerta, hasta que se cansaron y se fueron a la cama.

Trudi, que no había querido saber nada de cuestiones pías desde que saliera del internado católico donde había cursado el bachillerato, rezó aquella noche porque tan peculiar reencuentro no significara que Eleni volviera a entrar a formar parte de la vida de Lefti.

Y Despina, a quien se le rompieron todos los esquemas al ver que, llegado cierto momento, Lefti y Otto se echaron a llorar —y, claro, los hombres no lloraban—, vio reforzada su convicción de que leer los posos del café era la única manera de saber lo que le deparaba a uno la vida. Y es que una vez más, tenía razón ella: el jinete negro nunca anunciaba más que lágrimas.

Toda una vida en una maleta

En los años noventa, en la escuela elemental del puerto de Politou-ranou, capital de Makarionissi, la isla con forma de ciervo vola-dor, todavía se indicaban el inicio y fin de las clases con una cam-pana manual que estaba a cargo del conserje. A la una en punto, este tenía que tirar de una cuerda que, a su vez, transmitía el mo-vimiento a las campanillas de las aulas por medio de un mecanis-mo tan complejo como poco fiable, pero el señor Divani, una be-llísima persona con menos dientes en la boca que dedos en los pies —y eso que le faltaban dos— era tres veces más viejo que el siste-ma escolar griego, con lo cual las campanillas de la escuela ele-mental del puerto sonaban demasiado pronto o demasiado tarde o no llegaban a sonar siquiera. Cada una de las maestras tenía su pro-pia campanita de emergencia para dar por finalizada la clase cuan-do pasaba mucho de la hora, aunque no solían hacerlo porque los programas eran muy ambiciosos y siempre les faltaba tiempo.

Un martes de mayo de mil novecientos noventa y nueve, pa-saban ya doce minutos de la una, cuando los mellizos Aniston —Iannis y Manolis— junto con su mejor amiga, Rhea, empeza-ban a temer que no les dejarían marcharse a casa nunca. Para col-mo de males, era un día importante. Un día en que la banda de héroes que formaban los tres tenía una misión.

Rhea fue la única que aún copió de la pizarra lo que la maestra había escrito en ella, siguiendo a su vez lo que ponía su cuaderno cuadriculado. Manolis ya había guardado todo en la cartera hacía media hora y jugaba con el tirachinas por debajo de la mesa. Iannis se inclinaba sobre un papel lleno de garabatos con gesto de concentración. En el preciso momento en que Manolis colocaba un lápiz de color sin punta en el tirachinas para apuntar a la diana de acierto garantizado que era el orondo trasero de la maestra, el señor Divani despertó de su involuntaria siestecilla de antes de comer y, para compensar la mala conciencia, tiró de la cuerda con todas sus ganas. Agobiadísima, la maestra exclamó:

—¡Niños, niños, quedaos sentados! No nos queda más que un verso y habremos terminado el ejemplo. —Pero era demasiado tarde. Sonó la campanilla, chirriaron los pupitres y, como si hubieran tocado la alarma de incendios, el tropel de chiquillos salió volando del edificio.

—Comemos rápido y luego nos encontramos en la plaza. Tenemos una misión: hay que reconquistar Cala Malanixi —exclamó Manolis, jefe de la banda. Rhea echó a correr hacia la pensión Afrodita, en la misma plaza principal. Manolis y Iannis pasaron de largo de la fonda y siguieron por la misma calle hasta torcer por otra callejuela de detrás de la plaza.

Poco después de fundar su banda de héroes, determinaron que aquella cala sería su cuartel general. Estaba apartada y escondida pero era fácil acceder a ella. Para llegar a las demás calas, más pequeñas, había que trepar por las escarpadas rocas y luego solo se podía bajar a la playa por algún sendero monte a través, mientras que aquí se llegaba directamente en bicicleta hasta la misma arena. Sin embargo, algunos días atrás alguien había ocupado su cala: enemigos. Alguien se había adueñado vilmente de ella, declarando prohibido el paso con precintos y carteles. Su única conexión con el mundo era un cable de electricidad enganchado en la caseta del generador de corriente de la calle principal. Manolis había llegado a la conclusión de que allí estaban instalados los extraterrestres y custodiaba un gran arsenal de armas de juguete que escondía debajo de su cama. Sus dos amigos no estaban muy convencidos con aquella teoría. Así que, por el momento, se habían propuesto colarse por debajo del precinto e investigar qué estaba sucediendo en la cala.

Después de comer, los mellizos tuvieron que esperar a Rhea, porque esta no lograba encontrar a su madre por ninguna parte.

—¿Mamá? —Iba llamándola de piso en piso de la pensión hasta que, por fin, se dio cuenta de que la trampilla del desván estaba abierta. Rhea subió trepando por la escalerilla y se asustó. Allí estaba su madre, sentada en una silla vieja, como ausente. Rhea tragó saliva. Era muy raro—. Mamá, solo venía a decirte que me voy a jugar con los mellizos. Volveré para la cena.

Su madre volvió la vista hacia ella, pero más bien parecía que miraba al vacío. Y luego se puso de pie, casi levitando, casi como un hada, apretó la cabeza de Rhea contra su vientre y le dio un beso en la cabeza:

—Tú pásalo bien, cariño, y que nadie te haga sufrir, ¿de acuerdo?

Rhea oyó a los mellizos desde la calle:

—¡Venga, Rhea, date prisa, que tenemos que reconquistar nuestro cuartel general!

Y al oír a sus amigos, Rhea se tragó sus reparos, igual que se había tragado los ñoquis pasados de la comida, y bajó corriendo.

Con el sol en la cara, los tres amigos recorrieron el paseo del puerto en sus bicicletas, con el mar a la derecha, y por donde pasaban les advertían los vecinos que no fueran tan deprisa porque se iban a partir la crisma. Pero Rhea y los mellizos se reían de las advertencias: por algo eran la banda de héroes a la que pertenecía la isla.

Malanixi era, desde el puerto de Politouranou, la tercera cala al oeste de la isla, y en bicicleta se tardaban unos veinte minutos en llegar bordeando la falda occidental de la colina de Elemeni, atravesando olivares con algunas fincas dispersas y ahora abandonadas que se habían revelado inadecuadas como cuartel general de la banda debido a la densidad de población de arañas. A los quince minutos de trayecto había que tomar el sendero entre los olivares del señor Kaliomeranos y el señor Oulolaniokis por el cual se llegaba directamente a la playa a través de un bosquecillo de plátanos de paseo. Nada más tomar la banda este sendero, Iannis frenó.

—¿Qué pasa, se te ha metido una mosca en el ojo? —preguntó Manolis.

—No, mirad el camino —dijo Iannis, señalando la hierba, aplastada por las anchas rodadas de algún vehículo, así como las ramas quebradas de los árboles.

—¡Está claro, son las huellas del aterrizaje de la nave espacial! —Manolis asumió el mando automáticamente—: Pues, a partir de aquí, ni palabra —indicó entre susurros y, haciendo el menor ruido posible, dejaron las bicicletas al borde del camino, sobre la hierba poco frondosa. Manolis iba el primero, detrás Rhea y el último Iannis, quien con la emoción del momento había olvidado quitarse el casco. En fila india, recorrieron con sigilo el camino a través de los árboles, siguiendo las rodadas, hasta llegar a la suave elevación del terreno al otro lado de la cual estaba Cala Malanixi. Manolis ordenó a los otros dos héroes de la banda que se apartaran del camino principal; avanzaron un poco hacia la izquierda por entre los árboles hasta un punto que le habían enseñado a Manolis otros chicos mayores y desde el que se tenía una panorámica de toda la cala. Cala Malanixi al anochecer era un sitio muy popular entre los adolescentes para sus aventurillas eróticas al aire libre. A la señal de Manolis, los tres niños se echaron cuerpo a tierra y, en fila, reptaron hasta lo alto para asomarse cautelosamente a la cala. Manolis llevaba el tirachinas cargado en la mano. En un primer momento, Rhea y Iannis creyeron que tal vez sí que estaba en lo cierto y que había aterrizado allí una nave espacial. Porque en cierto modo era una nave de otro tiempo lo que acababa de tomar tierra en Cala Malanixi para no volver a marcharse nunca más: el autobús de los conciertos del cantante pop alemán más famoso de los años setenta y ochenta.

Pero, claro, la banda de héroes de la isla no había oído ninguna canción suya en toda su vida, y menos aún era capaz de asociar nada con la descomunal cara que adornaba el lateral del autobús, pintada con espray como un grafiti: un tipo de rizos rubios y relucientes dientes blancos con la camisa desabrochada luciendo pecho; como tampoco les decía nada el eslogan: «Otto, porque la Música es Amor». En aquel primer momento, los niños tomaron a aquel personaje del autobús azul oscuro por el jefe de los extraterrestres.

—¿Creéis que viene en son de paz? —susurró Iannis, quien, sin saberlo, acababa de formular una pregunta muy similar a la que se había hecho el gobierno de la isla una semana antes, cuando aquel monstruo de autobús desembarcó del transbordador y el rubio gigante alemán de ojos grises como el hielo les ofreció una cantidad astronómica con el fin de alquilar una cala entera a su nombre, y además a título vitalicio.

Las autoridades discutieron largo y tendido, y al final consideraron más que oportuno hacer una excepción a la vista de lo vacías que estaban las arcas de la isla. Y por más que la mayoría de miembros del gobierno local asociaran Cala Malanixi con algún entrañable recuerdo de sus despertares sexuales, se acercaba la campaña electoral, y los ingresos mensuales de *König* Otto podrían destinarse a financiar algunos puestos de funcionarios de la administración local gracias a lo cual se podría mantener bien controlados a los hijos desempleados de las principales familias de la isla, y con ellos a sus parientes, que eran votantes de peso. Así que le dieron el visto bueno a la propuesta, y el autobús de los concierto de Otto emprendió su último viaje: desde Politouranou hasta Cala Malanixi, donde hundió las ruedas en la arena para pasar el resto de sus días oxidándose al sol..., al igual que su dueño. Pero, claro, la banda no sabía nada de esto cuando Manolis susurró:

—¡Al ataque!

—¿Y si son extraterrestres buenos y cariñosos que solo vienen buscando un nuevo hogar? —objetó Rhea.

—Se les ataca de todas maneras.

—No antes de saber cuántos son y qué tipo de armas traen —reflexionó Iannis—. Además, la violencia nunca es buena.

Manolis se metió la mano en el bolsillo. Al salir de casa, había guardado un tarrito del betún que usaba su madre para limpiar sus zapatos de tacón, y así se pintó dos gruesas rayas negras bajo los ojos.

—¿Alguien quiere?

Y poco después, los tres héroes se arrastraban cala abajo con el máximo sigilo. Ante sus ojos, reposaba sobre la arena la nave espacial, sin un solo ruido, sin luces..., con la puerta abierta, eso sí. Frente a esta se levantaba un toldo de la altura de un hombre y, debajo, había una tumbona sobre la que se veía un albornoz bordado con lentejuelas doradas. Manolis señaló el vehículo.

—Es el carro de combate de los aliens. Habrán salido de expedición a buscar comida. Tenemos que inspeccionar el interior de la nave —Manolis mantenía el tirachinas en posición defensiva—. ¿Quién va primero?

—¡Pues tú! —respondió Iannis, mirando a su alrededor bastante asustado.

—Yo tengo que vigilar la entrada, que por algo soy el único que va armado en condiciones.

Por un instante, los tres se miraron sin saber qué hacer, pero como ninguno decía nada, fue Rhea quien hizo acopio de todo su valor.

Manolis se apostó junto a la entrada, Iannis mantenía la posición en la parte delantera del autobús para vigilar la trayectoria de retirada en caso de emergencia, Rhea se metió en el bus. En el interior reinaba la penumbra, todas las cortinas estaban echadas. Rhea frunció la nariz, no conocía el olor de la marihuana podrida... En algún momento, Otto había escondido un paquetito entre los asientos y luego se le había olvidado. Por una rendija de las cortinas se coló un rayo de sol y fue a dar sobre la bola de discoteca del techo, Rhea se asustó, y justo al mismo tiempo se oyó gritar a Manolis:

—¡El alien! ¡El alien! —Rhea huyó del autobús como un rayo, Manolis ya estaba disparando hacia el mar, y, cuando vieron lo que salía de las aguas (*König* Otto tal y como la madre naturaleza lo trajo al mundo), emprendieron la huida a todo correr.

Pedaleando todo lo deprisa que podían, volvieron al centro de Politouranou y no bajaron hasta llegar a la pensión Afrodita, corrieron al patio trasero, se tiraron al suelo y decidieron no volver a poner el pie en Cala Malanixi.

—Es que contra un alien así no tenemos nada que hacer —resumió Iannis jadeando.

Pasado un rato, Manolis sugirió ir a la cueva de Paplagos, en la colina de Elemeni. Había una pequeña fuente donde se podían meter los pies y seguro que allí estaban a salvo de los aliens. Mientras sus amigos dejaban las armas en el patio, Manolis fue al jardín y, sin que nadie lo viera, se puso a hacer pis contra la tapia, cosa que le divertía especialmente. Estaba cerca de la ventana del dormitorio de los padres de Rhea. El alféizar le quedaba más o menos a la altura del pecho, así que, como oyó ruidos al otro lado de la ventana entreabierta, en cuanto terminó de hacer sus necesidades, no pudo evitar aventurarse a echar un vistazo al interior.

Allí estaba la madre de Rhea, con cuatro maletas abiertas. Parecía que tuviera su vida entera amontonada sobre la cama: libros, ropa, bisutería, zapatos, cosméticos, hasta vajilla. Manolis intuyó que la señora Tsipiratis no se iba simplemente de viaje.

—Manolis, ¿qué haces ahí? —preguntó Iannis, extrañado de que tardara tanto. Rhea iba un paso detrás de él. Manolis se llevó el dedo índice a los labios y les hizo señas con la mano para que se acercaran a la ventana. Por turnos, se asomaron los dos; Rhea, la que menos tiempo.

—¿Adónde se va tu madre, Rhea? —preguntó Iannis, pero esta se había sentado debajo de la ventana, con los brazos alrededor de las rodillas y la cabeza apoyada encima. De pronto, oyeron el ruido de un motor, luego el timbre de la puerta; la madre de Rhea salió de la habitación y regresó poco después acompañada por un hombre. Hablaban un idioma que ninguno de los niños entendía.

Iannis fue a ayudar a Rhea a levantarse, pero ella no quiso moverse. Manolis corrió hasta la esquina para ver lo que pasaba frente al edificio. No tardó en volver diciendo:

—Delante de la casa hay un coche. Ve a verlo, Rhea.

Pero Rhea permaneció sentada: Manolis y Iannis siguieron curioseando por la ventana. La madre de Rhea llevaba un espectacular vestido de chifón y los labios pintados de rojo. Frente a la pensión, el hombre arrancó el motor y la señora Tsipiratis salió de la habitación. Los mellizos conocían al hombre: todos los años pasaba entre dos y tres semanas de vacaciones en la pensión Afrodita y siempre les regalaba pistolas de agua y unas chocolatinas de cobertura negra rellenas de una crema blanca. Y cuando el coche se puso en marcha y oyeron crujir la gravilla del suelo bajo sus neumáticos, Rhea echó a correr rodeando la casa, y los mellizos también salieron detrás del coche hasta que dobló la esquina de la plaza y desapareció en dirección al puerto. Rhea se quedó contemplando el polvo que se había levantado, inmóvil, como si esperase que el coche diera media vuelta porque su madre se había olvidado algo…, porque su madre se había olvidado de ella.

Rhea permaneció mucho tiempo parada en la calle, los mellizos se sentaron en el umbral de la entrada. En algún momento, Iannis la tomó de la mano para arrastrarla a la sombra.

—Te va a dar una insolación —le dijo muy serio, como si aquello fuera el principal problema de la niña.

—Voy por unos helados adonde el viejo Aris —dijo Manolis en un arranque de sensibilidad enteramente inusual en él, tras lo cual Iannis por fin cayó en quitarse el casco de montar en bicicleta para asentir con la cabeza en señal de aprobación.

Rhea se sentó en los contados escalones de la entrada de la pensión, volvió a abrazarse las rodillas y apoyó la cabeza. En aquella postura de ovillo, a Iannis le pareció un ser muy vulnerable y por primera vez tuvo la sensación de que había que cuidar de ella. Hasta entonces solo la había visto como alguien con quien trepar a los árboles, tirarse al mar desde las rocas o retarse a comer escarabajos. Iannis se sentó a su lado y la abrazó con torpeza.

—Tu mamá va a volver. Y, si no, la iremos a buscar.

Sin embargo, aquel día Rhea Tsipiratis supo que su madre no volvería nunca. También Iannis y Manolis compartían tan oscura sospecha mientras se comían una caja entera de helados que

Manolis le había sisado a Aris, el tabernero, en un momento en que este salió al patio para espantar a los perros callejeros de sus cubos de basura. Y así, los tres amigos pasaron las horas sentados a la sombra y se zamparon cinco helados cada uno, hasta que se pusieron malos y, uno detrás de otro, acabaron vomitando.

♠ ♠ ♠

Manolis había intuido bien: la señora Tsipiratis se había llevado toda su vida en las maletas. El padre de Rhea pasó días llorando. Rhea pasó días llorando. No obstante, su madre no volvió.

A partir de entonces, los mellizos hicieron toda suerte de planes para animarla, pero daba igual las aventuras que idearan porque ninguna le resultaba lo bastante estimulante.

Y, para colmo, una semana más tarde habrían de tener ellos una preocupación más: su propia madre se comportaba de un modo extraño. Desde que, hacía unos años, se habían mudado del bungaló del hotel a la casita del puerto de Politouranou, Aspasia les hacía cena caliente todos los días, por más que se hubiera pasado la jornada entera trabajando en el salón de belleza del hotel y aún tuviera que volver después de cenar para depilar algún par de piernas más. A Manolis le gustaba más la comida del bufé del hotel, pero salvo que estuviera muerta del agobio, Aspasia insistía en cocinar en casa, lo cual, por otra parte, encantaba a Iannis, que hacía las veces de ayudante, al igual que en el hotel tenían ayudante de cocina los chefs. Y por mucho que Manolis se metiera con él porque, en su opinión, cocinar era cosa de chicas, Iannis ayudaba a su madre siempre que ella le dejaba.

—Mamá, esto está sosísimo... —dijo Manolis una noche que Aspasia les sirvió unas berenjenas rellenas a las que había olvidado añadir el relleno de carne picada. La propia Aspasia tampoco probó su cena, apenas picoteó un poco con el tenedor hasta que Manolis apartó su plato—. Es que, de verdad, mamá. Ayer nos pusiste sopa de huevo al limón sin huevo, con tu último pastel de sémola se me cayó la única muela de leche que me quedaba, y todo lo demás que has hecho esta semana o estaba demasiado salado o le sobraba azúcar. Si no tienes ganas de cocinar, pues nos vamos al hotel de la yaya y tan contentos.

Entonces, Aspasia apoyó los brazos en la mesa y acostó la cabeza. Manolis y Iannis se miraron consternados, y el segundo trató de quitarle hierro al asunto.

—No pasa nada, mamá, nos lo comemos como esté. Y mañana cocino yo.

Aspasia se levantó, dio la vuelta a la mesa, giró hacia ella las sillas sobre las que se sentaban sus hijos y se arrodilló:

—Tesoros míos —les dijo con voz ronca—, pase lo que pase: yo os quiero. Id a ver la tele. Estoy muerta, necesito irme a la cama.

A continuación se levantó, subió las escaleras y desapareció en el interior de su dormitorio.

Manolis estaba encantado.

—¡Podemos ver la tele todo lo que queramos! ¡Iannis, nos vamos a pasar la noche viendo pelis de mayores!

Pero el rostro de Iannis parecía lleno de preocupación.

—A ver, Manolis, piensa un poco... ¿Ver la tele todo lo que queramos?

—¡Eso mismo! —siguió celebrando Manolis, pero se quedó petrificado en mitad de la fiesta.

Su madre tenía el televisor más vigilado que el perro Argos a la princesa Io cuando Zeus la transforma en una ternera. No les dejaba verla más que dos horas a la semana y, si ella tenía que volver al hotel por las noches, desenchufaba el cable del generador y se lo llevaba en el bolso.

—¿No estará mala mamá?

—Yo creo que está perdiendo la cabeza.

☙ ☙ ☙

Aspasia no decía lo que le pasaba, y, unos cuantos días más tarde, Iannis tuvo ocasión de constatar que también su abuela mostraba un comportamiento muy raro. Después del colegio, tomó la bici y fue hasta el hotel, porque Manolis tenía clase de kárate y él aprovechaba ese rato para hacer gimnasia india con su abuela, pero al llegar allí vio que la mitad del personal de la cocina estaba en la calle, sentado sobre el murete.

—¿No tenéis que trabajar? —preguntó Iannis desde la bici.

—Tu abuela se ha vuelto loca —dijo un empleado de pelo largo y negro que jugaba muy bien al voleibol.

—Nos ha echado a todos a la calle. Y nos ha amenazado con llamar a la policía si intentamos volver a entrar.

—¿Qué habéis hecho? —preguntó Iannis, seriamente preocupado ante la idea de que también su madre y su abuela fueran a meter sus vidas en una maleta y desaparecer.

—Pues nada especialmente malo. Nos aburríamos, así que mandamos a los aprendices a la cámara refrigeradora a limpiar las ventanas. Pero llevamos años haciendo lo mismo.

Iannis aparcó su bicicleta junto a los cubos de basura, como hacía siempre, y entró en el hotel por la puerta lateral. Los recepcionistas se encogieron de hombros cuando les preguntó dónde estaba su abuela. Nadie parecía tener muy buena opinión de ella aquel día; hasta las chicas que hacían las habitaciones, siempre tan sonrientes, pusieron los ojos en blanco, así que Iannis tomó el ascensor de servicio para subir hasta el último piso.

Iannis conocía el hotel como la palma de su mano. A Manolis solo le interesaban la piscina y el tobogán de agua, pero su hermano había sentido verdadera fascinación por aquel establecimiento desde bien pequeño. Con solo cinco años, Iannis ya reptaba por los conductos de ventilación sin perderse. Y siempre que jugaba al escondite en el hotel con Rhea y Manolis, les ganaba. Conocía hasta el último rincón. Nada más salir del ascensor oyó los gritos de su abuela. Había alguien con ella en la habitación que parecía intentar convencerla de algo, pero ella sonaba fuera de sí... Iannis no entendía qué pasaba, hablaban en uno de los idiomas de los turistas. ¿Debía llamar a la puerta o volverse por donde había venido? Iannis apretó los puños, pero no le dio tiempo a tomar una decisión porque se abrió la puerta desde dentro.

Se quedó helado: ¡el alien ante sus propios ojos! Tenía la piel coloradísima, largas greñas rubias, olía raro y llevaba un traje que brillaba.

Iannis dio media vuelta y echó a correr.

🍃 🍃 🍃

Esa noche, ninguno de los héroes de la pandilla pudo pegar ojo. Manolis se levantó poco antes de las tres para limpiar su colección de armas de juguete. Sabía lo importante que es mantener las armas bien limpias y a punto, pues lo había visto en las películas que solo tenía permiso para ver en compañía de su madre y que a Iannis no le gustaban porque le parecían demasiado violentas. Los otros dos niños se pasaron la noche dando vueltas a las excusas que contarían al día siguiente para irse al colegio mucho más temprano de lo habitual. Manolis era un mentiroso nato: ya había contado la noche anterior que le había disparado un lápiz a la maestra en todo el pandero y que estaba castigado, esta vez, excepcionalmente, a presentarse antes de que empezaran las clases. Iannis aseguró por la mañana que también él estaba castigado porque Manolis le había dicho a la maestra que, en realidad, la idea de dispararle el lápiz había sido de él. Iannis mentía bastante mal, pero a Aspasia le pareció muy creíble la historia. Rhea, quien desde la partida de su madre pasaba la mayoría de las noches en casa de los mellizos, se limitó a salir de casa con ellos. Aquel día, los héroes tenían una nueva misión: salvar a las mujeres de la isla.

Manolis, Iannis y Rhea compartían una misma opinión: el alien volvía locas a las mujeres. Desde que había aparecido, había huido la madre de Rhea. Después le había afectado a Aspasia, que ya no decía ni palabra por las noches ni preparaba platos ricos y, lo que más les alarmaba a todos: había dejado de cantar. Porque Aspasia se pasaba el día tarareando, hasta dormida entonaba alguna canción. Y por si todo ello fuera poco: les había prohibido ir a ver a su abuela. No les dejaba ni acercarse al hotel. Finalmente, también había caído Yaya Eleni, quien ahora sufría un ataque de rabia tras otro, según se contaba por toda la isla.

Aquello no podía ser casualidad.

Así pues, según salía el sol aquella mañana, la banda se echó al camino sobre sus bicicletas. No intercambiaron ni una palabra. Habían tomado prestadas armas de juguete de sus amigos, cada uno de ellos llevaba dos colgadas del pecho y los bolsillos de los pantalones llenos de munición.

Sin hacer ruido, dejaron las bicicletas en la arena, bajaron la pendiente a hurtadillas… y los tres recurrieron al betún de los zapatos de Aspasia para pintarse rayas negras bajo los ojos. Había que acabar con el alien.

Con desatado arrojo, se plantaron frente al autobús, dispuestos a entrar en combate. Manolis llamó a la puerta y los tres apuntaron con sus armas de juguete.

—En cuanto salga, disparamos. Sin dar orden ni nada —rugió Manolis, y gritó—: ¡Sal de ahí, alien asqueroso, y entrégate!

Transcurrieron unos segundos, y entonces se abrió la puerta y por ella asomó tambaleándose un hombre envuelto en un albornoz de lentejuelas que, al darle en la pierna un balazo de goma de la pistola de Manolis, exclamó:

—¿Estáis locos o qué?

Pero los niños no le entendieron, porque se lo dijo en bávaro, con lo cual abrieron fuego y Otto tuvo que volver a cubierto en el interior del autobús.

Durante unos instantes, reinó el silencio. Los niños jadeaban de excitación. Por fin, se abrió una rendija en la puerta y, para su sorpresa, no fue el alien quien salió sino Yaya Eleni. Llevaba ropa que no era suya. Los niños se dieron cuenta enseguida.

—A ver, niños, dejad las armas y sentaos. Tenemos que hablar.

* * *

Cuando Eleni Aniston dijo aquella frase, a principios de aquel verano de mil novecientos noventa y nueve, todavía no imaginaba cuánto más tendría que hablar hasta que la relación con su familia volviera a ser normal.

No imaginaba lo difícil que sería explicarles a sus nietos que, de repente, tenían un abuelo cuya lengua no dominaban y que —ahí tenía que darles la razón a los chicos— tenía un aspecto rarísimo.

No imaginaba las horas que habría de pasar dando explicaciones frente a la puerta cerrada de Aspasia, hasta que esta por fin se decidiera a abrir y a escucharla.

No imaginaba cuán vanos habrían de ser todos sus intentos de convencer a Otto para que abandonara la isla, pues el bávaro por fin había encontrado lo que llevaba buscando un cuarto de siglo.

Cuando tres son multitud

En julio de dos mil ocho, Makarionissi sufría bajo los rigores de la canícula hasta el punto de que el horizonte se veía borroso como la imagen del televisor cuando se estropea la antena. Todas las persianas estaban bajadas, las sillas de plástico, tan solicitadas en las horas de fresco para sentarse a arreglar el mundo, se veían huérfanas. El calor abrasador de julio se llama canícula precisamente porque incluso a los perros callejeros se les hace excesivo. Excesivo para andar volcando cubos de basura, para colarse en las casas abiertas a robar alguna vianda, para pelearse por el territorio en los jardines o para aparearse al capricho. En aquellos días de la canícula, los canes se escondían, y si por casualidad se cruzaba uno con algún despistado, el pobre iba jadeando como si le fuera la vida en ello. Por lo general, se tumbaban panza arriba, haciendo el muerto, con las esperanzas puestas en días más frescos. Los grillos cantaban como si no hubiera un mañana... a un volumen tal que hasta eclipsaban el zumbido de los anticuados aparatos de aire acondicionado, y el aire era como una manta impregnada del aroma de los plátanos de paseo.

En uno de aquellos días de calor infernal, un jueves, de pronto rompió el silencio el ruido ensordecedor de unos motores, tan fuerte que los grillos se quedaron mudos, con las alas paralizadas por un instante. Dos motocicletas recorrían las carreteras a toda velocidad gracias a que sus propietarios habían conseguido modificar los motores de dos tiempos para que alcanzaran la potencia de seis caballos. También a Makarionissi había llegado la moda de los chips para tunear motos.

Los mellizos Aniston, ya de diecisiete años, habían soñado con aquel momento durante casi seis meses. Como con todas las cosas medio legales a las que se dedicaba la juventud de la isla, la idea había sido de Iannis y luego la había llevado a la práctica Manolis.

Iannis llevaba casi año y medio trabajando en la cocina del hotel. La versión oficial era que así se ganaba un dinerillo extra, aunque entretanto había reconocido que la cocina era su gran pasión y que se pasaba las horas de clase ideando recetas. Una tarde en la que no tenía mucho que hacer porque aún no era temporada alta, se había echado en la cama con canapé de una habitación vacía a ver la televisión norteamericana a través del satélite y así se había enterado de la existencia de un invento alucinante. Al llegar a casa, le había faltado tiempo para contárselo a Manolis entusiasmado: «Figúrate, Manolis, correr más que los tocapelotas de la banda de Nikos».

Casi todos los productos de Estados Unidos llegaban a Makarionissi a través de Thalis Anagnostopopoulos, que era medio griego, medio norteamericano y llevaba una empresa de importación de tamaño medio en la isla grande. El hotel le hacía los pedidos, como también el supermercado grande de la isla, con lo cual Iannis temió que su abuela se enteraría si encargaba los chips para las motos a Thalis por su propia cuenta. Yaya Eleni era la mejor abuela del mundo, estaba como una cabra, y justo por eso la quería tanto; al fin y al cabo era una vieja hippie. Odiaba las motos, la televisión, y, desde que había subido al poder aquel presidente de Texas de orejas de soplillo, odiaba prácticamente todo lo que venía de los Estados Unidos, por más que ella misma hubiera vivido allí y poseyera la doble nacionalidad desde que se casó con Milton. Iannis estuvo días exponiéndole este problema a Manolis, hasta que este encontró que la solución era que los chips se los encargara Minas, el jefe de compras del supermercado, aprovechando alguno de sus pedidos. De entrada, Minas se había reído de Manolis, pero este había sabido mantener la cabeza fría y comentar que daba la casualidad de que llevaba meses dando clases particulares con el viejo farmacéutico. Y también llevaba tiempo preguntándose si no sería otra casualidad que no solo su señora sino casi todas las cajeras del gran supermercado fueran a comprarle la misma pomada contra unos hongos vaginales harto agresivos. Así que Minas, del mismo blanco que la pomada que el farmacéutico preparaba *ex profeso* para sus clientas, le había hecho el favor de inmediato y encargado a Thalis sendos chips para las motos de los mellizos. De hecho, hasta se había empeñado en regalárselos.

Ahora, pues, en plena canícula, los dos recorrían la isla a la velocidad del rayo, y jamás se habían visto en Makarionissi motocicletas más rápidas. Manolis levantaba la rueda delantera, probando a hacer caballitos; a cierta distancia le seguía Iannis con Rhea de paquete. De ser por él, habría corrido más, pero redujo la velocidad en cuanto notó cómo su amiga le clavaba las uñas en las caderas.

—Conduces como una nena, Iannis —se burlaba Manolis, pero Iannis no se dejó perturbar. Manolis aceleró al máximo y llegó a Cala Malanixi mucho antes que su hermano. Como hicieran en su infancia, avanzó hasta el final del bosquecillo, donde la hierba desembocaba en la arena y las ruedas apenas podían continuar. Apagó el motor, se apeó y bajó corriendo a través de la pequeña colina verde hasta el autobús de su abuelo.

—¡Qué pasada! —se regocijó Manolis, despertando del susto a Otto, que estaba durmiendo la siesta en el interior del autobús, ahora reconvertido en espacio habitable durante todo el año. Manolis sacó una cerveza de la nevera que el electricista, por consideración hacia las maltrechas rodillas de Otto, había instalado en el portaequipajes, y se dejó caer sobre una tumbona. Otto salió del autobús, todavía un poco borracho de sueño.

—Abuelo, por Dios, ponte algo... —dijo Manolis, pero el bávaro se limitó a revolverle los rizos a su nieto, sacó otra cerveza y se echó en la tumbona del al lado.

—¿Y tu hermano dónde está?

—Es que conduce como una nena. ¿Dónde está la abuela?

—No me habla.

—¿Y qué ha pasado esta vez?

—Hazme una pregunta más fácil.

Manolis se encogió de hombros e hizo el gesto de brindis hacia Otto. Ni Manolis ni Iannis ni Aspasia ni ninguno de los sesenta y dos empleados del hotel ni nadie en toda la isla entendía la relación entre Otto y Eleni. Tres semanas atrás, con motivo de las fiestas del puerto, habían instalado un carrusel en la plaza principal, y la isla entera había podido observar cómo la propietaria del gran hotel —de cincuenta y nueve años de edad— y la exestrella del pop alemán —de sesenta y cuatro— habían dado cuatro vueltas seguidas en los caballitos que, en principio, estaban pensados para los niños. Pero ellos dos habían armado tal escándalo, protestando por la discriminación de los mayores frente a los jóvenes y la escisión que ello creaba entre las generaciones que el encargado de la atracción había accedido a que montaran. Y así habían girado en el carrusel, los indómitos rizos de Eleni —ahora con vetas de plata— y las greñas de Otto —de un amarillo entrecano— al viento; y Eleni iba tapándose la boca al reír, porque aún no se fiaba mucho de sus dientes nuevos y todo el tiempo tenía miedo de que los puentes se soltaran y salieran despedidos. Habían comido algodón de azúcar, metiéndoselo en la boca el uno al otro, se habían bombardeado con palomitas de maíz y luego habían vuelto a casa de la manita. Unos días más tarde, los cuatro policías de la isla habían ido a buscar a Eleni a su despacho porque Otto había aparecido en el ambulatorio con un hematoma enorme en la sien. «Me he caído por las escaleras», había asegurado él, pero hasta los del centro de salud sabían que la escalerilla de su autobús daba a la arena.

Cuando casi se habían bebido la cerveza, oyeron el ruido de la moto de Iannis, y, a continuación, voces que se reían. Manolis apuró su botella y fue a por una segunda. Observó cómo Rhea se inclinaba para saludar a Otto al tiempo que este, desde la tumbona, alargaba los brazos y exclamaba en su griego macarrónico (Iannis y Manolis habían aprendido mucho mejor el alemán que Otto el griego):

—¡La chica más guapa de la isla! —Rhea le dio un beso en la mejilla, y Manolis se preguntó si no le daría un poco de asco.

Iannis desplegó una tercera tumbona para Rhea y ella le pasó la mano por los rizos.

—Gracias.

Y cuando le dedicó su mejor sonrisa, a su hermano le dio rabia no haber caído en la cuenta él. Iannis se disponía a ir por cervezas cuando Manolis lo apartó de un empujón.

—Quita, ya voy yo.

Corrió hasta la nevera y le dio la primera botella a Rhea.

—*Prost!* —dijo Otto.

—*Prost!* —respondió Manolis. Sin embargo, Rhea y Iannis brindaron entre ellos como si los otros no existiesen. Manolis no soportaba la manera en que se miraban. De algún modo, su hermano y él se comunicaban sin necesidad de abrir la boca. Sin embargo, en aquellos días, el tiempo en que eso era así le parecía tan lejano como si formara parte de la vida de otro.

A pesar de que aún solían ir los dos juntos a visitar a su abuelo bávaro a aquel pequeño refugio donde les dejaban beber cerveza y fumar, los mellizos vivían cada uno por su lado. Y también se habían hecho más patentes las diferencias en su aspecto. Manolis era más alto, más fuerte, tenía el torso de cono de helado de su abuelo Milton, el cabello claro de su madre, la piel aceitunada de su abuela y, en general, unos rasgos más duros; Iannis, en cambio, era de complexión más menuda, más delgado, tenía la cara más estrecha y había heredado el pelo negro de su padre y la piel clara de su madre. Hacía algunas semanas, una turista le había dicho a Eleni que los muchachos parecían las estatuas clásicas de un atleta (Manolis) y un filósofo (Iannis).

—Me pregunto para qué hemos tuneado las motos para que corran más si luego vas como un caracol —picó Manolis a su hermano—. ¡Por favor, dioses del Olimpo, que mi hermano no nos salga mariquita o tendremos que traspasarlo a la banda de moteros de Nikos!

Manolis rio. Iannis apretó los dientes. Rhea se cruzó de brazos.

—Un día te vas a partir la crisma, Manolis. Eres tú el que conduce como un descerebrado.

Manolis sintió como una puñalada.

—Eso no lo puedes juzgar, Rhea —replicó sin aparentar emoción.

Rhea puso los ojos en blanco y dio un empujoncito a Iannis.

—Venga, vamos a bañarnos.

A Manolis le dio mucha rabia. ¿Por qué, en presencia de Rhea, decía cosas que en realidad no quería decir? Se recostó en la tumbona y se quedó contemplando cómo su hermano y ella saltaban las olas de la orilla y se zambullían en el agua.

—Frena un poco, chico, que bebes muy deprisa —comentó su abuelo a su lado, haciendo además de quitarle la siguiente cerveza de la mano, pero Manolis no se la quiso dar—. Un poco de respeto para con esta cerveza, ¿eh? Que sepas que Otto Friedrich Ludwig, rey de Baviera de la casa Wittelsbacher, quien por cierto también llegó a ser rey de Grecia en el año mil ochocientos treinta y dos, introdujo en estas tierras la ley de pureza de este elixir tan magnífico. Otto fue el primer rey de una Grecia liberada del yugo otomano, *ergo:* esta cerveza es un símbolo de la libertad de tu patria y de la grandeza de la tradición cervecera bávara. Y tú precisamente, como nieto de una diosa griega y de un borrachín bávaro que eres, deberías saber apreciarla en lugar de echártela al cuerpo así, a lo bruto, como un camello.

Manolis se sabía de memoria las peroratas de su abuelo sobre la tradición cervecera bávaro-griega... Esa misma historia se la contaba a modo de cuento de buenas noches cuando su hermano y él eran pequeños. Manolis dejó de prestarle atención, se recostó en su tumbona, clavó la vista en el mar, y el mar le devolvió la mirada.

Manolis deseaba retroceder en el tiempo hasta un curioso incidente que había tenido lugar dos meses atrás. Dos meses atrás se había lanzado a unas aguas en las que no debía haberse zambullido nunca. Pues había salido de ellas lleno de odio hacia su hermano y de deseo hacia la mujer que era la mejor amiga de ambos.

Había sido el primer día de verdadero calor del año, en la última semana del mes de mayo. Iannis trabajaba en el hotel y Rhea y Manolis habían ido a buscarlo. Pero Iannis no había querido salir a la hora porque justo estaba preparando un costillar de cordero a la brasa junto con un cocinero albanés. A Manolis no le cabía en la cabeza lo de las cocinitas. Siempre le había resultado raro que su hermano prefiriese estar en la cocina con su madre que pegándose con él. Que prefiriese plantar hierbas aromáticas en el jardín a jugar al fútbol. Aquel día, como hacía tanto calor, Rhea y Manolis se fueron a la playa. Aparte de un puñado de clientes fijos —jubilados que todos los años iban a pasar un mes a principios de la temporada—, el hotel estaba casi vacío. «El último que llegue a la boya tiene que robar una botella de ron del bar», exclamó Rhea, se quitó el vestidito de playa de color azulón, dejó las chanclas en la arena y se echó a nadar como un pez. «Oye, espera…», exclamó Manolis a su espalda, pues antes de echarse al agua tuvo que quitarse sus carísimas zapatillas de baloncesto. Rhea le llevaba mucha ventaja, Manolis braceó con todas sus fuerzas y la adelantó justo un poco antes de llegar a la boya, pero Rhea, en lugar de acelerar, se sumergió por completo y le bajó el bañador casi hasta las rodillas. Manolis se sumergió también, intentó quitarle el sujetador del bikini debajo del agua y, en el lúdico combate, el pecho desnudo de Rhea fue a rozarle el vientre por un instante, tras lo cual ambos se apartaron alarmados. Salieron a la superficie, se miraron… y algo había cambiado. Ella le dedicó una mirada tan vacía como él se sentía de repente. Con la boca entreabierta, los ojos como platos, la frente roja como las brasas a pesar de que el agua estaba bastante fría. Manolis no sabía qué hacer. Se mantenía agarrado a un lado de la boya, Rhea al otro, y sus cuerpos se rozaban por debajo del agua a lo largo de la cadena que unía todas las boyas de la playa. Y no era casualidad. No era como se rozan los cuerpos de un chico y una chica que se han criado juntos. Manolis, de pronto, se sintió muy raro. Y Rhea, de pronto, dejó de ser la hermana pequeña a la que le pintaba bigotes mientras dormía sobre una colchoneta a los pies de Iannis. De pronto, Rhea era la muchacha más bella de todos los tiempos, con su melena castaña por el hombro y un pequeño lunar en la barbilla. En los últimos años, Manolis no paraba de gastarle bromas a costa de aquel lunar. «Rhea, tienes chocolate en la barbilla. Ay, no, que es un lunar...». Manolis estaba a punto de besarlo cuando apareció Iannis en la playa, con su uniforme de cocinero, gritándoles:

—¡Salid y venid para acá, que tenéis que probar mi cordero!

Y mientras Rhea nadaba hasta la orilla, Manolis volvió buceando, aguantando tramos bajo el agua hasta que casi estaba a punto de ahogarse.

Desde entonces, todo había cambiado. Desde entonces, Manolis se ponía malo cada vez que ella le sonreía. Desde entonces, le empezaba a doler la tripa cada vez que la veía cuchicheando con Iannis. Desde entonces, no le era ni mucho menos indiferente que se quitara el vestido delante de él para quedarse en bikini y meterse en el agua. Algo había cambiado.

—¿Va todo bien, Manolis? —acabó por preguntarle su abuelo.

—Sí, sí —dijo este, siguió un rato mirando cómo su hermano y Rhea retozaban en el agua y añadió—: solo que esto es aburrido hasta decir basta.

🍃 🍃 🍃

Apoyada en el muro del edificio se veía una vieja bicicleta de chica con un cestillo en el manillar y una colchoneta de yoga en el portaequipajes. Manolis había albergado la esperanza de que no hubiera nadie en casa, pero encontró en la cocina a su Yaya Eleni, sentada en una silla en la posición del loto, y a su madre, vaciando hortalizas para rellenarlas.

—¿De reunión familiar? —preguntó de mal humor y sacó una Coca-Cola de la nevera.

—Te juro que ese brebaje da cáncer —le advirtió su abuela. Aspasia se puso de puntillas para darle un beso, pero él le retiró la cara, se bebió la lata entera de un trago y soltó un eructo en dirección a Eleni. La abuela meneó la cabeza.

—Que sí, abuela, ya sé que esta porquería me dará cáncer, a no ser que me rompa el cuello antes o que me envenene comiendo nubes de azúcar. La tele me vuelve tonto, jugar al fútbol también, seguro que me iba mejor poniéndome unos pantalones de pijama como esos que llevas tú, pasándome el día en la postura del loto y comiendo compost, que es sanísimo, ¿no?

A Aspasia se le escurrió el cuchillo entre los dedos y, en lugar de cortar el tomate, se hizo un pequeño corte en el pulgar izquierdo.

—Y a ti, ¿qué mosca te ha picado hoy? —le preguntó, apresurándose a poner el dedo bajo el agua fría.

Manolis tenía ganas de volcar la mesa de la cocina. De levantarla y lanzarla por los aires. Tenía ganas de destrozar lo que fuera, de que resonara en sus oídos el ruido de algo haciéndose pedazos.

—¿Por qué estás tan imposible, Manolis? —preguntó su abuela clavándole la mirada.

—¡Es que me saca de quicio toda esta mierda tuya de la vida sana! ¿Y el abuelo Otto? Te ama, lo daría todo por ti. ¿Y tú? En cuanto se te acerca demasiado, lo espantas. Cuando todo el mundo sabe que tú también le quieres. Se ve a la legua. Pero, en lugar de decírselo, te ríes de él. ¡No lo soporto!

Eleni se puso de pie, miró a su nieto a los ojos —desde abajo, pues él le sacaba dos cabezas—, tomó impulso y le soltó tal bofetada que los pajarillos cantores posados en el oleandro del jardín salieron volando en estampida.

A Aspasia se le cortó la respiración, Eleni y Manolis se miraron fijamente a los ojos como dos fieras rabiosas.

—¡Tú no hables de cosas de las que no tienes ni la menor idea! —le dijo Eleni, y allí mismo dio media vuelta y salió por la puerta.

Manolis se llevó la mano a la mejilla, le ardía. En toda su vida había recibido una bofetada. Ni siquiera aquella vez que, por encender unos petardos en la bañera, echó a perder todos los cosméticos de su madre.

—Manolis, hijo, ¿qué te pasa? —preguntó Aspasia, poniéndole una mano en el hombro. Él se la sacudió y subió a su cuarto por la escalera de piedra.

Cuando ya había anochecido, le tocó a la puerta Iannis:

—Oye, Manolis, te he hecho un filete a la brasa con patatas fritas caseras. Te lo dejo delante de la puerta, ¿eh?

Y Manolis se apretó la almohada contra la boca.

Se propuso hablar con Rhea y con Iannis. Su hermano tenía que saber lo que sentía. Después de todo, eran mellizos. Manolis añoraba los tiempos en los que Iannis lo habría sabido de todas formas. Y Rhea. También ella tenía que saberlo.

No podía hacerle la vida imposible a todo el mundo únicamente porque no era capaz de expresar sus sentimientos.

Pero Manolis no imaginaba que, en eso, se parecía mucho más a su abuela de lo que habría querido nunca.

Como tampoco imaginaba que Iannis sentía por Rhea lo mismo que él.

Cuando dicha y desdicha van de la mano

A Rhea Tsipiratis nunca le había dolido tanto la ausencia de su madre, que la había abandonado más de doce años atrás, como aquel día que se suponía el más feliz de su vida. Rhea se despertó al amanecer, intentó volver a dormirse, al poco se sentó de nuevo en la cama y se llevó un susto tremendo al ver el blanco resplandeciente del vestido de novia que tenía colgado de una percha de la puerta del dormitorio. Lo había comprado en la isla grande después de semanas de darle vueltas y vueltas, más de dos docenas de visitas a la tienda y múltiples pruebas; de hecho, llegó un momento en que la dependienta le preguntó si es que no quería casarse. Ese reproche le llegó al alma, así que se decidió por aquel modelo, en parte porque le remordía la conciencia y en parte como acto de rebeldía.

Rhea se levantó, bebió un sorbo de agua y volvió a escupirla en el vaso, pues tenía un sabor como si llevara al menos tres años en la mesilla de noche. Al abrir las ventanas, el sol hizo brillar las cuentecitas de cristal tallado que adornaban todo el bordado de espirales entrelazadas del corpiño. Era un vestido sin mangas con una larga falda de tul, con mucho vuelo y cancán. Un traje de novia de ensueño. Solo que no era el que ella siempre había deseado llevar.

Desde niña, Rhea había soñado con ser una novia tan guapa como lo fuera su madre. Sus recuerdos se habían desdibujado con el paso de los años, y las imágenes de su memoria corrían el mismo peligro de amarillear que una fotografía expuesta al sol. Rhea abrió un cajón y sacó la foto de boda de sus padres. En día en que su madre había abandonado Makarionissi, su padre había reaccionado arrancando todas las fotos de las paredes y quemándolas junto con su ropa, sus cosas de aseo y todas las posesiones que habían quedado en la casa. Rhea se acordaba del ruido atronador que había hecho al explotar el bote de laca de su madre, y luego de las alcayatas que quedaron en las paredes y que su padre tardó en quitar. Aquellas alcayatas desnudas dolían mucho más que si hubieran seguido colgando de ellas las fotografías. Las fotos habrían dicho: «De aquí se ha ido alguien». Pero las alcayatas gritaban: «Aquí falta alguien».

Rhea había conseguido rescatar cuatro fotos. Y su preferida era la foto de boda de sus padres. Con ella en las manos, se sentó en la cama. Su madre, entre los tacones altos y el pelo cardado, era bastante más alta que su padre, que sonreía a la cámara con cara de tonto feliz. Alta, delgada y con una sonrisa muy dulce, la madre devolvía la mirada al espectador con unos ojos verdes que eran los mismos que Rhea encontraba en el espejo al mirarse. Y aquel vestido… Comparado con el suyo, era muy sencillo: de corte entallado, manga corta, con bastante poco escote. Pero lo más bonito era la tela: un encaje finísimo, maravilloso, de aspecto tan sumamente delicado y elegante que, al contemplar su propio vestido, Rhea se sentía como una Barbie barata.

🍃 🍃 🍃

Manolis se sentía como si flotara a dos metros de su propio cuerpo. Se observaba a sí mismo como desde fuera: de pie en la cocina como un pasmarote, con un traje nuevo que le sentaba como un guante. Observaba a su madre, correteando histérica de un lado para otro de la casa, pues a cada momento se le ocurría algo que aún no había guardado, organizado o colocado como correspondía. Observaba a sus abuelos, que compartían un porro sentados en el jardín.

Manolis se observó a sí mismo, subiendo por las escaleras de piedra hasta la habitación de su hermano. Iannis estaba frente al espejo.

—Siento como si me fuera a estallar la cara, Manolis. Mira, me tira muchísimo la piel aquí, entre la nariz y el labio. ¿Tú crees que me va a salir un grano?

Iannis echó la cabeza hacia atrás y Manolis apretó con un dedo donde le decía.

—Ayyy, que me haces daño —se quejó Iannis, con lo cual Manolis apretó más todavía.

—Ya está. Te he dejado el grano tan hundido en la piel que, si vuelve a asomar, será cuando ya estés casado.

Iannis sonrió con cara de bobo y repitió:

—Cuando ya esté casado.

Manolis se observó a sí mismo mordiéndose los labios, pensando si decirlo o no decirlo y diciéndolo finalmente:

—¿Sabes, Iannis? Rhea es una mujer increíble. No sabes cuánto te envidio.

Iannis lo miró muy asombrado.

—¿Tú? ¿A mí?

Manolis clavó las puntas de los zapatos en la alfombra. En realidad envidiaba a su hermano mellizo desde que, hacía dos años, había entrado en su cuarto y sacado la caja de los secretos que este escondía detrás de su colección de libros de cocina, con la expectativa de que a Iannis aún le quedara un poco de la marihuana que le habían sisado del cajón del escritorio a su abuela. Marihuana no quedaba, pero a cambio había unas braguitas de color azul turquesa. Manolis se pasaba las noches asomado a la ventana con los prismáticos y las esperanzas puestas en que a Rhea se le olvidara cerrar las contraventanas. Conocía, pues, aquellas braguitas. De entrada quiso creer que su hermano era un pervertido que robaba ropa interior de las cuerdas de tender, pues Rhea jamás habría podido darle las braguitas por sí misma... Así que Manolis se armó de valor y le preguntó si le apetecía dar un paseo por el puerto con él. Es que tenía que decirle una cosa. Rhea vaciló un instante. Manolis y ella nunca iban a ninguna parte los dos solos. Pero al final agarró su chaqueta vaquera y fue con él. Cuando Manolis y Iannis iban a recogerla juntos, Rhea se detenía frente al espejo de la entrada para ponerse un poco de brillo de labios. Pero el día en que era solo Manolis quien la esperaba en la puerta, pasó de largo, ignorando el espejo y el estrecho tocador sobre el que se alineaban las barras de labios como soldaditos de plomo dispuestos para entrar en batalla. Cuando llegaron al puerto, Rhea le preguntó qué era lo que tenía que decirle. Manolis se agarró a la visión de los labios sin pintar y dijo:

—Que me pone de los nervios que pases tanto tiempo en nuestra casa.

Cuando Iannis y Rhea se mostraron por primera vez de la mano en público, Manolis empezó a seducir a las hijas de los huéspedes del hotel. Y le daba buena cuenta a Iannis de lo que se estaba perdiendo. A Rhea, a su vez, le hacía creer cuánto más interesantes y listas y guapas eran las turistas frente a las chicas de la isla.

Manolis se obligó a volver a la realidad.

—¡Qué va, hombre! —mintió—. Si casarse es de imbéciles...

Iannis se encogió de hombros como si se sintiera aliviado.

🌿 🌿 🌿

—Dime una cosa, Eleni: ¿te habrías casado conmigo si te lo hubiera pedido en su día? —preguntó Otto, chupando el porro con deleite. Eleni lo miró. Siempre que miraba a Otto tomaba conciencia de la edad que ella misma tenía ya. El yoga la había mantenido joven durante todos aquellos años; de hecho, su propia hija tenía más problemas de salud que ella: la espalda destrozada de pasarse el día entero de pie y problemas respiratorios por los vapores de los productos químicos del salón de belleza, mientras que Eleni no se había enterado ni de la menopausia, al margen de unos cuantos sofocos. Otto, por el contrario, había envejecido muchísimo. El pelo se le había quedado completamente blanco por el sol, caminaba encorvado cuando cambiaba el tiempo y algunos de sus tatuajes resultaban irreconocibles de lo fláccida que estaba la piel.

A veces, Eleni pensaba que los dioses le habían enviado a Otto para recordarle su propia naturaleza mortal.

—Ay, quita... Déjate de recalentar ese tema otra vez... —le respondió, robándole el porro de la mano. Cierto era, por otra parte, que, desde su reencuentro, Otto y Eleni no hacían sino recalentar cosas: unas veces se amaban, otras parecía que acabaran de conocerse, otras se peleaban por quién tenía más culpa de que hubieran pasado veinticinco años echándose de menos y de que su hija en común hubiera tenido que crecer sin su padre. Una de las cocineras albanesas había definido la situación así: «Os amáis y os odiáis demasiado como para poder tener una relación normal alguna vez».

Por un breve instante, ambos guardaron silencio. El único sonido era el del papel de fumar al consumirse mientras Eleni aspiraba el aire.

—Fíjate que preferiría que Iannis y Rhea no se casaran —dijo finalmente, tosiendo.

Otto le acarició el muslo.

Eleni recordó el domingo de hacía medio año en que Iannis había invitado a toda la familia con la excusa de celebrar su graduación en la Escuela de Hostelería. Aspasia había puesto la mesa en el jardín y era uno de esos días templados de primavera en los que ya se puede estar al aire libre en manga corta. Otto y Eleni llevaban mucho sin pelearse para lo que era habitual en ellos, y hasta empezaban a valorar, con mucha cautela, la opción de irse a vivir juntos de una vez. A un piso en Politouranou, cerca de la casa de Aspasia, en lugar de vivir bien en un hotel, bien en un autobús. Aquel día, Otto tocó la guitarra y Aspasia cantó para ellos. Y Iannis se lució con la comida: pescaditos fritos en costra de ajo, crema de berenjenas ahumadas, muslos de pollo al limón y romero fresco... Lo que Eleni no había sabido decir, como tampoco ahora, era lo que puso de postre. Después del plato principal, Iannis se quitó el mandil y se sentó al lado de Rhea. Tomándola de la mano, carraspeó, se puso muy serio y anunció que ellos dos habían estado pensando en el futuro. El padre de Rhea quería vender la pensión para mudarse a la isla grande con su nueva pareja. Así que Rhea y él habían decidido quedarse con la pensión. Iannis hablaba mucho más, con más tono, más entusiasmo y más determinación que nunca. Reformarían la pensión y abrirían un restaurante gourmet en la planta baja. Cocina experimental. Una cosa completamente nueva. Eleni no sabía definir cómo se sentía. Mientras tanto, su nieto sonreía sin parar y explicaba: «Sí, vamos a pedir un crédito para jóvenes matrimonios emprendedores». Aspasia, que en ese momento estaba dando un sorbito de vino, lo escupió como un sifón hasta la otra punta de la mesa. «¿Jóvenes matrimonios?» Iannis estaba radiante. Rhea jugueteaba con los flecos del mantel con la mano que le quedaba libre. «Sí, nos vamos a casar. Porque así ahorramos impuestos, y, como es un proyecto tan grande, es mucho mejor estar casados. Al fin y al cabo, es un proyecto de los dos. Como equipo. Además: nos queremos. ¿Para qué vamos a esperar?»

Y entonces, Eleni había conseguido despertar de su trance para levantarse de un brinco exclamando: «Pero ¿estáis locos? ¡Cómo se os ocurre casaros tan jóvenes! Pero ¡si acabáis de cumplir la mayoría de edad! ¿Es que no queréis ver mundo antes? ¿Reunir experiencias? ¡Si lleváis pegados el uno al otro desde que nacisteis! Y, además: ¿qué es eso de la pensión? Pero ¡si ya tienes mi hotel!».

Y Iannis, igual de exaltado, le había respondido: «¡¿Y qué voy a hacer yo con esa mole megalómana!? ¡Ni harto de vino!».

Eleni siempre había pensado que, llegado el momento, Iannis se haría cargo del hotel. Manolis no estaba hecho para ello. Trabajaba en la fábrica de cortes de goma espuma cinco días a la semana con jornada de ocho horas y estaba la mar de contento allí. Manolis no tenía madera de anfitrión, iba mucho más acorde con su naturaleza ser huésped.

Así pues, Eleni no podía alegrarse por su nieto ni siquiera en un día como aquel, el de su boda. Aquella boda echaba por tierra todos sus planes.

—¿En qué piensas? —preguntó Otto buscando su mano.

—En un cuento que me contaba mi abuela —dijo Eleni, retorciendo el papel del último resto del porro y dejándolo a un lado.

Érase una vez, hace mucho tiempo, un príncipe que vivía en un país lejano y daba muchas preocupaciones a sus padres. El rey y la reina habían hecho muchas guerras, vencido a bestias malvadas y realizado enormes esfuerzos para convertir el reino en un paraíso. De los ríos manaba leche y los árboles daban miel. Todos los súbditos vivían bien y ellos moraban en un palacio hecho de ladrillos de oro. Sin embargo, lo que más anhelaba el príncipe era irse de allí. Nunca había conocido el reino en otras circunstancias, no sabía lo que eran los tiempos oscuros del pasado y no era capaz de valorar lo que tenía. Protestaba de la leche, y la miel le resultaba demasiado dulce. Tampoco le gustaba el palacio, así que un día tomó la determinación de marcharse para erigir un reino propio. La reina y el rey se pusieron muy tristes, pues, al fin y al cabo, solo habían hecho todo aquello por él. Le suplicaron, pero el príncipe ensilló su caballo y se marchó al galope.

Pasó cuatro años luchando contra bestias terribles, durmiendo en cuevas y muriéndose de hambre, pero no encontró ningún lugar donde erigir su reino. Y, cuando llegó al fin del mundo, se dio cuenta de lo bien que se vivía en su hogar. Añoró el sabor de la deliciosa leche y la dulzura de la miel, y decidió dar media vuelta y volvió cabalgando. Cuando llegó a su tierra después de un largo viaje, no reconoció el hogar que había dejado. Los ríos se habían secado y los árboles estaban marchitos. Los súbditos pasaban hambre, por todas partes reinaban la violencia y la discordia, y el antaño magnífico palacio amenazaba con derrumbarse. Angustiado, el príncipe corrió al salón del trono, y allí encontró a sus padres terriblemente envejecidos, enfermos y débiles.

—*Padre mío, ¿qué ha pasado? ¿Qué enemigos son culpables de esto? ¡Decídmelo y los aniquilaré! —exclamó. Pero el rey meneó la cabeza.*

—*No es cosa de enemigos, hijo mío. Tu madre y yo nos hemos hecho viejos. Ya no nos quedan fuerzas para ocuparnos del reino.*

El corazón del príncipe se llenó de tristeza y lamentó mucho haberse marchado.

—*¡Ojalá lo hubiera sabido!* —*exclamó, y ya no pudo estar en paz consigo mismo.*

🖋 🖋 🖋

Rhea y Iannis querían una boda sencilla. Iannis había renunciado a la tradición de que, ese día, le afeitara un amigo, y Rhea había insistido en vestirse ella sola.

Sin embargo, en el momento de arreglarse, se dio cuenta de un problema: no se podía abrochar el vestido sin ayuda. En la tienda, lo había hecho la dependienta, y desde entonces no había vuelto a probárselo. Rhea se retorcía sobre sí misma, pero no había manera. Dejó caer el vestido al suelo, se sentó en la cama y se quedó mirando la tela abullonada.

—Eleni, ¿puedes venir un momento? —se decidió a llamar por la ventana.

Rhea se quedó asombrada de la maña que se daba Eleni con el traje de novia. Más bien había imaginado que la abuela, a quien ese día veía sin pantalones de yoga por primera vez desde que la conocía, tendría grandes dificultades con un vestido; sin embargo, le ajustó el corpiño como si no hubiera hecho otra cosa durante años.

Rhea se miró al espejo. Con aquel vestido, se veía como una extraña.

—¿Tú te acuerdas de mi madre, Eleni? ¿Me parezco a ella?

—Eres igualita —sonrió Eleni, y Rhea, de pronto, se encontró tan mal que tuvo que correr al aseo contiguo a vomitar bilis. Eleni le apartó el pelo, la sujetó cuando hubo terminado y le limpió la cara mientras ella permanecía pálida, sentada sobre la taza del inodoro.

—Ay, yaya, ¿tú crees que esto es buena idea? —musitó la joven, mientras Eleni sacaba la polvera para ponerle un poco de color en las mejillas con una brocha. Eleni vaciló un instante.

—Bueno… Yo me arrepentí muchísimo de haberme casado tan joven. Pero por aquel entonces no tenía otra opción. Si volviera a ser joven ahora, primero recorrería los cinco continentes, intentaría conocerme a mí misma y besaría a muchas ranas antes de decidirme por ningún príncipe. Porque cuando se es joven todavía no se sabe quién es un príncipe y quién te va a salir rana. O si la que sale rana no eres tú misma.

En ese momento empezó a oírse bullicio en la casa: los invitados se estaban congregando. Eleni le dio un beso en la cabeza y, ya de camino a la puerta, le dijo:

—Nadie te obliga si no quieres hacerlo.

Rhea se echó a temblar. Le entró mucho calor, la habitación empezó a darle vueltas, no podía respirar. Tenía la boca seca y el corazón le latía desbocado. Es que el corpiño me aprieta demasiado, pensó; y luego: me parezco mucho a mi madre; y luego: mis padres también se casaron jóvenes; y luego: mi madre no era una princesa sino que salió rana; y luego: mi padre confiaba en ella; y luego: Iannis confía en mí; y luego: esto no puede ser; y luego: es que nunca he vivido en ninguna otra parte más que aquí; y luego: es que no quiero; y luego: ¿cómo saber lo que es el amor, si no tienes a nadie que te lo enseñe; si no tienes a nadie en quien verlo antes?

🍂 🍂 🍂

Iannis esperaba a la puerta de la iglesia muy sonriente, saludando a todos los invitados con una palmada. A su lado, Manolis le susurraba chistes verdes al oído. Aspasia correteaba de un lado a otro de la iglesia, charlaba con los que iban llegando, aunque en realidad no le hacía mucho caso a ninguno, entró en la iglesia otra vez, comprobó que las coronas de boda seguían sobre el altar, que los lirios conservaban todo su perfume y, por fin, volvió a salir para pasar revista a los trajes de sus hijos. Recolocó el pañuelo del bolsillo de la pechera de Iannis y, casi por inercia, preguntó:

—Por cierto, ¿quién de los dos lleva los anillos?

—Iannis —respondió Manolis.

—Manolis —respondió Iannis.

Los dos miraron a su madre con estupor. Aspasia levantó los brazos y dio una palmada por encima de la cabeza. Iannis soltó una palabrota.

—Toda la vida sufriendo porque estas condenadas campanas me sacaban de la cama demasiado temprano... No, si por primera vez va a tener algo de bueno vivir a cinco pasos de la iglesia —bromeó Manolis, dio una palmada en el hombro a su hermano y echó a correr. Cuando ya estaba en marcha, Iannis gritó:

—¡En mi cuarto, encima del escritorio! ¡Gracias!

La puerta de la calle estaba cerrada; y la llave, escondida en un tiesto de petunias junto a la entrada. Manolis abrió, corrió escaleras arriba hasta el cuarto de Iannis y ahí se quedó sin aliento, creyendo ver un fantasma sentado en la cama de su hermano.

Pero en realidad era Rhea.

Vestida de novia.

—¿Qué haces tú aquí? —preguntó Iannis estupefacto y, por lo que pudiera pasar, se apresuró a guardarse los anillos.

—Tengo que decirle a Iannis que soy una rana.

—Te está esperando a la puerta de la iglesia. Venga, yo te acompaño.

Manolis sonrió y le tendió una mano. Rhea se puso de pie y formuló las palabras que él, desde hacía años, tenía la secreta esperanza de oír, aunque ella no podía haber elegido peor momento para hacerlo.

—Manolis, por favor, llévame lejos de aquí.

🍃 🍃 🍃

Tras veinte minutos de espera, ya con los invitados inquietos en sus asientos, Iannis empezó a sospechar que algo no iba bien.

A los veintidós minutos, se le acercó el señor Tsipiratis y le susurró al oído que había buscado por toda la casa, pero que no tenía ni idea de dónde estaba su hija.

A los veinticinco minutos, Aspasia fue corriendo a mirar también ella, pero no encontró a nadie, ni siquiera a Manolis.

A la media hora, los primeros invitados salieron a la calle porque se estaban quedando fríos en la iglesia.

A los cuarenta minutos, los buzones de voz de Rhea y de Manolis estaban tan saturados de mensajes que dejaron de funcionar.

A los cuarenta y cinco minutos, los primeros hombres expresaron sus condolencias a Iannis con unas palmaditas en el hombro.

A la hora y media, el grupo de invitados empezó a disolverse.

A las dos horas, Iannis se sentó en los escalones de la entrada de la iglesia.

A las cinco horas, dijo por primera vez: «No me pienso mover de aquí. Rhea vendrá».

A las siete horas, Otto se sentó a su lado con una botella de *ouzo*.

A las siete horas y media, Otto y Iannis se echaron a llorar.

A las nueve horas, Aspasia llevó a Otto a su casa.

A las nueve horas y cuarto, el padre de Rhea le pidió disculpas.

A las nueve horas y media volvió Aspasia.

A las diez horas apareció Eleni.

A las diez horas y cuarto, Iannis le dijo que se largara.

A las once horas se puso el sol.

A las once horas y media, Aspasia fue a buscar algo de comer.

A las trece horas, Aspasia se rindió y dejó solo a su hijo.

A medianoche, los perros callejeros comenzaron a aullar. Y Iannis Aniston se sumó a sus aullidos.

Canto VIII

En el que el príncipe abandonado va
en busca de un nuevo reino, pero se ve obligado
a aprender que no se puede huir de los conflictos
escondiéndose en una metrópoli suiza, pues,
por muy regulado que esté el acceso a este tipo
de fortificaciones, los espíritus son capaces
de traspasar los muros.

Luchando por la zona peatonal

Lefti tuvo que despejar todo el escaparate para acceder a la vidriera. Trudi lo tenía abarrotado de *souvenirs,* comprados a lo largo de los años durante las vacaciones en el Peloponeso: un casco de guerrero de color verde turquesa, ánforas rojas con pinturas de danzantes desnudos, una Afrodita de plástico —eso sí, con un pañuelito tapándole las partes pudendas—, un Heracles cuya virilidad apuntaba a la zona peatonal y un Zeus en el trono, ambos igualmente de plástico..., horteradas para turistas cuya principal función era acumular polvo, como solía decir Lefti a su mujer. No obstante, cada vez que entablaba conversación con los clientes, señalaba aquellas estatuas y se deshacía en elogios hacia la gran cultura griega y el mundo de los dioses del Olimpo. El cartel en tamaño DIN A3, escrito con rotulador, estaba destinado justo al centro de la vidriera: «No servimos perro asado».

Satisfecho con el resultado, recolocó las estatuas y salió a la calle a contemplar su obra. Bien legible, con una letra bien pulcra.

Lefti dirigió la mirada hacia cierto farolillo rojo: Zhang Cheng, su mayor enemigo desde hacía casi una década, estaba a la puerta de su restaurante con los brazos cruzados. Lefti hizo gesto de asentir con la cabeza y alzó el puño en señal de victoria; Zhang Cheng hizo lo mismo.

Trudi suspiró cuando su marido volvió a entrar en el local.

—Mira que sois infantiles —le dijo al tiempo que ponía manteles limpios en las mesas.

—Trudi, es la guerra.

—¿Entre China y Grecia por la supremacía de la zona peatonal? ¿En el campo de batalla de St. Pölten?

—Un hombre tiene que hacer lo que tiene que hacer.

«Qué terco se está volviendo con la edad», pensó Trudi, y volvió a su tarea. «Qué blanda se está volviendo con la edad», pensó Lefti, y se puso a comprobar si había sal en los saleros.

La época dorada del local había quedado atrás. Lefti lo sabía, Trudi lo sabía. Desde la muerte de Despina, a los cuatro días exactos de la de Pagona, les costaba mantener la antaño tan abundante clientela y más aún conquistar a nuevos clientes. Habían tenido varios cocineros a prueba, pero ninguno había logrado impedir que, en la última década, St. Pölten despertara del letargo gastronómico en que llevaba sumida desde los tiempos de la caída del Imperio romano.

Todo había empezado con los puestos de kebabs, que brotaron del suelo como hongos. A la una y media de la tarde, cuando salían de clase los alumnos del liceo que había al norte de la zona peatonal y, acto seguido, recorrían toda la calle en dirección al sur para ir a la estación de tren, por allí no se veían más que adolescentes con acné y un kebab en la mano. En la Herrenplatz había ahora dos restaurantes italianos estupendos, en la Wiener Strasse un indio, y la ciudad entera parecía haberse vuelto loca por una especie de pastelitos de pescado crudo servidos en unas cajitas de plástico. Lefti había dejado de entender el mundo. Solo hay que aguantar un par de años más, hasta que los chicos terminen la carrera, pensaba. Hubert-Spiros y Josef-Stavros iban los dos a la Universidad Técnica de Viena. Lefti seguía sin saberse el nombre exacto de sus carreras, como tampoco entendía nada de lo que estudiaban, pero los clientes del restaurante con los que hablaba de sus hijos le aseguraban una y otra vez que tenían un porvenir brillantísimo por delante. Hubert-Spiros, de hecho, ya ganaba su propio dinero, pues realizaba experimentos como becario de un catedrático. Y eso que Lefti siempre les había dicho: «Mientras estéis en la universidad, no tenéis que trabajar. Todo ese tiempo nos haremos cargo de vosotros». Así pues, los muchachos no se daban demasiada prisa, pero en algún momento también aquella etapa tocaría a su fin, y entonces Lefti y Trudi venderían el restaurante y se dedicarían a recorrer Europa. Suecia, Dinamarca, Francia... En la puerta de la nevera tenían pegada una lista de todos los lugares que habían visto por televisión y tenían ganas de visitar de verdad.

Estaba cerrado después del turno del mediodía, y Lefti se disponía a subir a casa cuando, de pronto, alguien tocó al cristal con los nudillos. Por señas, Lefti le indicó que leyera el cartel de «Cerrado», pero el joven —un chico con una cabeza de rizos como para no reparar en ella— siguió llamando hasta que Lefti, de mala gana, consintió en abrirle.

—¿Qué?

🌿 🌿 🌿

Iannis se había quedado de piedra. A sus espaldas, un tropel de jubilados de excursión alborotaba la zona peatonal. Él trataba de ignorar los embelesados epítetos que soltaban en relación con la Columna de la Peste de la cercana plaza del Ayuntamiento. Había llegado a aquella extraña ciudad por la mañana y no le cabía en la cabeza cómo se podía erigir un monumento al hecho de que una plaga asolara la ciudad en su día. En su opinión, las cosas malas se debían olvidar lo antes posible. Ese era justo el motivo por el cual se encontraba ahora frente a la puerta de su tío abuelo segundo.

Habiendo asumido por fin, en su noche de bodas, que Rhea no volvería, Iannis se había apresurado a abandonar Makarionissi. De la iglesia se había ido a casa, se había quitado el traje sin hacer ruido para no despertar a Aspasia, había preparado su bolsa de viaje y se había marchado a esperar a que amaneciera en el puerto para así tomar el primer transbordador. Desde la isla grande, había volado hasta Atenas, en un avión que iba lleno de gente que trabajaba en la capital pero bajaba a pasar el fin de semana con la familia. Durante dos semanas, se dedicó a ir de bar en bar con amigos que conocía de diversos cursos y seminarios. Pero pensaba que Atenas estaba demasiado cerca de Makarionissi. Tenía demasiados compañeros de colegio viviendo en la ciudad y no quería hablar de Rhea. No quería hablar de su hermano. Y, luego, una mañana, se le ocurrió la idea: iría justo al lugar donde, sin duda, a nadie se le ocurriría buscarlo. Donde, sin duda, le comprendían: a casa del primo de Eleni, Lefti.

—¿Es usted el señor Zifkos? —preguntó Iannis y se sorprendió mucho. Se encontraba frente a un señor mayor de aire tranquilo, de cuerpo delgado, sin nada de pelo en la cabeza salvo un poco en las sienes y por encima de las orejas, a modo de suave corona de laurel entrecano. Tenía el rostro arrugado, sacaba la cabeza un poco como una tortuga, la mandíbula superior parecía más grande que la inferior y, en suma, ofrecía un aspecto inofensivo. Sobre todo porque, además, le salían dos pequeñas matas de pelo blanco de las orejas. No tenía nada que ver con el tirano opresor del que siempre había hablado Eleni y con el que, después del divorcio, no había vuelto a intercambiar palabra. A Iannis más bien le parecía un mochuelo simpático.

—Me gustaría trabajar con usted.

—Pues no necesito personal —dijo Lefti. Pareció muy extrañado de que Iannis le hablase en griego.

—Ya, pero creo que soy el cocinero perfecto para este sitio.

—¿Y por qué lo crees?

—Tenemos una cosa en común —dijo el joven, y respiró hondo—. Eleni nos ha arruinado la vida a los dos.

De repente, la expresión del rostro de Lefti cambió por completo, se tornó extrañamente cordial y —algo con lo que Iannis no había contado en absoluto— casi denotaba alegría.

—Eleni. Cuánto hacía que no oía ese nombre...

🍃 🍃 🍃

Lefti renunció a la siesta y, a cambio, colocó una botella de *tsipouro* sobre la mesa. Sacó unos entremeses fríos y escuchó la historia de Iannis…, todo un aluvión de informaciones sobre una mujer a la que no había vuelto a ver en décadas.

Era raro que, en ese momento del día, pasara gente por delante del local. Pues, a diferencia de su dueño, el resto de la zona peatonal sí guardaba el rigor de la siesta. Excepto un perro que alzó la patita en la puerta principal, con lo cual Lefti se levantó de un salto para espantarlo a voces, amenazando con entregárselo al chino de enfrente para que lo echase a la cazuela, nadie les interrumpió.

Cuando Iannis hubo finalizado su relato, Lefti rellenó los vasos de aguardiente, brindó a la salud del joven, olió el vaso, lo dejó de nuevo en la mesa y, sin venir a cuento, se echó a reír a carcajadas.

—¿Le hace gracia? —preguntó Iannis. Lefti rio todavía más fuerte.

—Sí. Muchísima. Es que es pura ironía. Veo que Eleni se ha vuelto exactamente igual que nuestra abuela. Metiéndose en la vida de sus nietos solo porque cree que tiene que conservar yo-qué-sé-qué legado absurdo, y lo que consigue es justo lo contrario: espantarte de allí. ¡Lo que hay que ver a estas alturas!

En la calle se habían encendido las farolas. En pleno ataque de risa de Lefti, entró Trudi en el restaurante y, por su cara, parecía dispuesta a sumarse a las risas.

—¿Qué hay de nuevo por aquí? —preguntó, y se quedó de pie detrás de Lefti, rodeándole los hombros con sus brazos y dándole un beso en la calva—. ¿Quién es este joven? —siguió preguntando, una vez que Lefti recuperó la serenidad y pasó a limpiarse la boca con una servilleta.

—Nuestro nuevo cocinero. No te lo vas a creer: ¡es nieto de Eleni!

Pero Lefti, que en su hilaridad había creído que Trudi, aparte de haberse vuelto blanda con la edad, encontraría igual de grotesca que él la aparición de Iannis, se llevó una buena sorpresa.

—¡Fuera de aquí ahora mismo! —dijo ella con voz de hielo, señalando la puerta. Iannis se levantó como movido por un resorte—. ¡El fruto de la sangre de Eleni no pone un pie en mi casa!

Lefti se levantó también y acarició los brazos de Trudi, como hacía siempre que ella se exaltaba en exceso. No en vano decía siempre su abuela que la excitación es el mayor peligro que puede correr una persona.

—Tranquila, Trudi. Iannis es de fiar. Creo que ahora mismo siente tanta inquina hacia Eleni como tú. Se va a quedar con nosotros.

—Pero... —quiso objetar ella, pero Lefti la miró, y lo de acariciarle los brazos debió de hacer su efecto porque Trudi se quedó callada.

—Esta noche lo hablamos. —Tuvo la precaución de añadir Lefti, tras lo cual Trudi resopló y se metió en la cocina sin decir nada más—. Perdona —le dijo a Iannis—. A mi mujer no se le da bien dejar pasar las cosas.

—¿Dejar pasar las cosas?

—¿Sabes? En el pasado sucedieron muchas cosas feas. Yo he aprendido que, en algún momento, hay que dejarlas pasar y perdonar. No olvidar, pero sí aceptar que a veces las cosas son como son. No sé en qué creerás tú, si en la providencia divina, en la voluntad de los dioses, en el destino o en el puro azar, pero yo estoy convencido de que nada sucede sin algún motivo.

Iannis iba a replicar, pero en ese mismo instante se oyó un fuerte golpe, ambos se asustaron y miraron hacia el cristal del escaparate, del que chorreaba una pasta negra y blanduzca con todo el aspecto de boñiga de vaca. Lefti saltó de la silla.

—¡Zhang Chen! —rugió, corrió a la cocina y, sin darle explicación alguna a Iannis, salió a la calle con un cubo que olía a *taramosalata* pasada.

🍃 🍃 🍃

—Ya. Ya te puedes mover —decía Hubert-Spiros dos semanas más tarde, mostrando a Iannis la pantalla de la cámara digital.

—¿Tú crees que dará resultado? —preguntó Iannis, volviendo a colgar en la pared el cuadro de un pueblecito de pescadores griego que acababan de descolgar diez minutos antes para poder hacer la foto sobre un fondo blanco.

—Te lo garantizo —farfulló Hubert-Spiros, ya concentrado en otra cosa. Había conectado la cámara al ordenador portátil y estaba transfiriendo la foto. Entre tanto, Iannis fue a cambiarse de ropa. En el hotel, cocinaba con la ropa que le daba la gana, pero Lefti le había jurado que la Inspección de Trabajo austríaca, a diferencia de la griega, era muy eficiente y, además, tenía muy mala idea. Porque los inspectores eran funcionarios y pagaban con la gente corriente la frustración que sentían de no estar ya bajo la corona de la emperatriz María Teresa, quien en tiempos concedió el título de condes a todos los funcionarios. Iannis no entendió lo que quería decirle su tío, pero desde entonces se ponía el uniforme reglamentario de cocinero, aunque solo fuera por deferencia hacia él. Cuando volvió de cambiarse, Hubert-Spiros había sustituido su habitual cara de estudiante de mecánica cuántica por una amplia sonrisa:

—¿Qué me dices?

Iannis contempló el montaje que había hecho con la foto y, por primera vez desde su llegada a St. Pölten, sintió verdadera alegría. Hubert-Spiros había recortado su silueta y la había pegado sobre el fondo de un templo hindú.

—Eres un genio —le dijo muy contento, dándole unas palmadas en el hombro. Hubert-Spiros había heredado la complexión delicada, casi un poco esmirriada de Trudi, así que, al notar sus omoplatos de pajarillo y sin un músculo que los protegiera, Iannis contuvo sus efusivas muestras de entusiasmo.

—Ya ves, tres minutos me ha costado. Puedo hacerlo todas las semanas, si quieres.

Iannis se sentó al ordenador para subir la foto a Facebook de inmediato.

Lefti llevaba dos semanas repitiéndole sin cesar que debía dar señales de vida y decirle a su familia dónde estaba. Iannis se negaba, no quería saber nada de nadie, a lo sumo mantendría el contacto con su madre y con su abuelo, y eso cuando se sintiera preparado. Y, sobre todo, bajo ningún concepto quería que supieran dónde estaba. Necesitaba estar tranquilo y poner tierra de por medio. Si se enteraban, seguro que alguno iba a buscarle. En el mejor de los casos: Otto. En el peor: Eleni. En el segundo peor: Rhea. Y en el peor de los peores: Manolis. Y cuando Trudi objetó que al menos a su madre tenía que decirle algo, aunque fuera mentira, contarle cualquier cuento con tal de que no se preocupase —como, por ejemplo, que se había ido a dar la vuelta al mundo o algo así—, Iannis por fin le escribió un correo a Aspasia: «He decidido recorrer mundo. Me instalaré donde esté a gusto y pueda dedicarme a cocinar, y así iré de un sitio al siguiente».

Excepto Eleni, toda la familia de Iannis tenía Facebook. Incluso el hotel tenía su propia página, de la que se ocupaban las recepcionistas. A Aspasia le chiflaban los tutoriales *made in USA,* Otto se comunicaba con *groupies* de sus años de gloria, Manolis se dedicaba a compartir hasta el último *post* chistoso, y Rhea, como siempre, se apuntaba a lo que fuera simplemente porque todo el mundo lo hacía.

Esa misma noche, Iannis pudo comprobar que su plan daba resultado. Su madre le contestó con un largo mensaje lleno de faltas de ortografía en el que le decía cuánto se alegraba de tener noticias suyas y de que estuviera bien. Que le echaba mucho de menos pero que entendía que quisiera salir a ver mundo y así superar su pena. Otto había comentado la foto, muy orgulloso de su nieto, diciendo que Iannis era un luchador que sabía sacar lo mejor de cualquier situación. Manolis y Rhea habían tenido la decencia de abstenerse de escribir nada. No obstante, él tenía la esperanza de que vieran la foto y sintieran envidia. Iannis estaba muy a gusto con Lefti y Trudi, le gustaba vivir en una ciudad extranjera y, al mismo tiempo, tener un hogar. Desde luego, le gustaba más que el calor tropical, las cucarachas voladoras y los monos de los templos indios, que, por lo visto, muerden.

Había una vieja canción de su abuelo que decía que hay dos tipos de hombres: los campesinos y los marineros. Los marineros viajaban alrededor del globo y no se cansaban nunca. Los campesinos, por el contrario, preferían quedarse en casa y cultivar sus campos. El autor de la canción se lamentaba por verse obligado a ser marinero, ya que iba en busca de su amada, pero albergaba la esperanza de encontrarla para poder ser, junto a ella, el campesino que llevaba en el fondo de su corazón; y, cuando Iannis la escuchaba durante aquellas semanas que siguieron a su malograda boda, lo que le venía a la mente era que, en el fondo, nadie de su familia era capaz de aceptar que su naturaleza fuera la del campesino: que fuera feliz con una vida sencilla, un hogar bonito y una cocina rica. Nadie salvo Lefti.

Iannis vivía en la habitación que había sido de Despina. Trudi le hacía el desayuno por las mañanas y Lefti le recortaba todos los artículos sobre la crisis de la economía griega que encontraba en el diario. No se cansaba de decir que la política no le interesaba en absoluto, pero seguía las noticias sobre la crisis como un poseso. La única explicación que encontraba Iannis era que los clientes le preguntaban por ello constantemente. Incluso los del semanario local, *Niederösterreichische Nachrichten,* le pedían opinión tras cada nuevo acontecimiento en Grecia. En St. Pölten, Lefti se había convertido en una suerte de comentarista político apolítico. Iannis le daba las gracias con efusión, pero luego no leía ni uno solo de aquellos artículos. Mientras tanto, su familia lo imaginaba viajando por Vietnam con la mochila a la espalda. Pues, a las seis semanas desde que Iannis apareciera en la ciudad, Lefti se tragó su orgullo y consintió en que fuera al restaurante de su acérrimo enemigo Zhang Cheng a por una ración de *dim-sum* para sujetar uno entre los palillos ante la cámara. Hubert retocó el fondo para que pareciera que estaba en un típico local vietnamita, con sus grandes boles de sopa, y el joven griego sintió un pérfido regocijo al contemplar aquella estampa, pues Rhea y él habían planeado ir de viaje de novios a Tailandia, Vietnam y Laos.

Cuando llevaba ocho semanas en Austria, Manolis se atrevió a escribirle. Iannis borró el mensaje sin leerlo. Igualmente borró los de Rhea. Otto le había asegurado que Manolis y Rhea no habían tenido una aventura jamás, pero eso no tenía nada que ver para que Iannis sintiera que le habían engañado y mentido. Las dos personas en las que más había confiado, a las que más quería.

Una noche en la que Iannis no pensaba tanto en Makarionissi, sino que rondaba por la casa como un león enjaulado sin saber qué hacer para no volverse loco, Josef-Stavros, el menor de los hijos de Lefti, se levantó de donde estaba y se sentó a su lado en la mesa de la cocina.

—Mira, Iannis, ya sé que eres griego, pero en tu situación solo hay una cosa que te pueda ayudar: el deporte.

Josef-Stravros era tan fanático de la técnica como su hermano mayor, pero tenía, además, una segunda pasión: la escalada. Cada vez que pasaba por el pasillo, Iannis se quedaba maravillado con las fotos donde se le veía en lo alto de alguna montaña. Lo cierto era que Iannis no entendía esa fascinación de los austríacos por las montañas. En invierno, se convertían voluntariamente en balas humanas con el único fin de lanzarse montaña abajo con un frío polar, para luego peregrinar montaña arriba en verano en forma de rebaño. Iannis pensaba que las montañas, de toda la vida, estaban reservadas a los dioses, que moraban en sus celestiales alturas. Claro que, cuando contemplaba las fotos de Josef-Stavros, las montañas de Austria se le antojaban demasiado puntiagudas como para instalarse allí ningún dios en ningún trono. A la vista de que no había modo de despertar en él entusiasmo alguno por los deportes de montaña, Josef-Stavros le aconsejó que al menos empezara a correr. Tras cuatro noches sin dormir, Iannis no pudo menos que seguir su consejo.

Y, en contra de sus expectativas, le gustó.

Corría escuchando música, cantaba a voz en cuello para estupor de las señoras que paseaban a sus perritos, se paraba a hacer tandas de sentadillas o de abdominales y, los días en que se daba una auténtica paliza, acababa con un dolor físico purificador que casi dejaba en segundo plano su otro dolor —el del alma—, lo cual le hacía mucho bien. Por otro lado, para las noches en las que, a pesar del deporte, los pensamientos negativos le oprimían el pecho como una losa, descubrió una medicina muy distinta: el ambiente de Sodoma y Gomorra que reinaba en la ciudad como consecuencia del furor que despiertan los años terminados en cero.

Los jueves, un local de estilo musical imposible de definir, ubicado en la tierra de nadie que era la zona industrial del sur de la provincia y con el aspecto de inmensa caseta de uralita, celebraba lo que llamaban la «Ladies Night», a saber: de nueve a once solo dejaban entrar a mujeres, que iban tomando copas —a un euro— y entrando en ambiente, animadas por unos cuantos *strippers,* hasta que, a las once, abrían también para los chicos. Aquellos jueves, en la cola de hombres a la puerta del local hasta que se hacía la hora, Iannis, quien hasta entonces jamás se había parado a pensar en su físico, descubrió lo guapo que era en realidad. Sus indómitos rizos negros, los ojos de un gris como el hielo y el torso esculpido a base de flexiones y dominadas en el marco de la puerta estaban a años luz de los chicos de St. Pölten, con sus sonrosadas mejillas regordetas, unos atuendos que, por lo general, daban lástima y, en suma, con todo el aspecto de recién salidos del establo de turno. Por añadidura, en cuanto las chicas de St. Pölten se enteraban de que no era turco, caían rendidas a sus pies. Iannis encontraba que, en muchos sentidos, St. Pölten era justo el polo opuesto de Grecia, aunque en una cosa se daba un paralelismo asombroso: en ambos lugares odiaban a los turcos. La que más, su «tía Trudi», como ella misma le había pedido que la llamara desde que ambos pasaran una noche entera bebiendo licor de huevo codo con codo y poniendo verde a Eleni. Cada vez que mencionaban la palabra Turquía en la televisión, por boca de Trudi salían unos vocablos que Lefti, sus dos hijos y ahora Iannis le hacían jurar que jamás trascenderían las cuatro paredes de su salita de estar.

Los viernes se celebraban las fiestas más enloquecidas en un sótano que había debajo de los cines de la zona norte. Hasta las once, el Bacardi-Cola tamaño cubo no costaba más que diez euros, y hacia la medianoche inundaban de espuma la pista de baile. Por último, los sábados, Iannis solía ir al rancio local contiguo a un centro de convenciones, donde se divertían los que se las daban de alternativos. La música no estaba mal, y las chicas, por lo general, eran más inteligentes.

Rara era la noche en que Iannis Aniston volvía a casa sin compañía. Porque había descubierto un truco: cada vez que una chica parecía resistírsele un poco, la miraba fijamente con aquellos ojos de un gris como el hielo, intentado hacerlo con mucha intensidad, y le contaba una historia que le contaba a él su abuela. Que una vez existió un príncipe que se enamoró de una ninfa que no quería saber nada de él, pero que él se le abrazó loco de amor. La diosa se convirtió en fuego para arrasarlo y en agua para ahogarlo y en leona para despedazarlo, pero no importaba cuán terribles dolores le infligiera, porque el príncipe no deshacía su abrazo... Y, llegado este punto, Iannis le besaba la mano a la chica correspondiente y le susurraba:

—Para mí eres una diosa bellísima y yo no soy más que un pobre mortal. Puedes rechazarme, pero no te soltaré.

Y le funcionaba.

Sistemáticamente.

A Iannis le gustaba St. Pölten. Cierto es que no era una ciudad con encanto, pero a diferencia de Politouranou era muy cómoda para vivir. La administración, los supermercados, el tráfico..., todo funcionaba a la perfección. A diferencia de Makarionissi, allí le resultaba fácil conseguir los ingredientes que, como nuevo jefe de cocina, quería tener a su disposición fuera de carta, y un buen día en que salió a correr por el Kaiserwald, un espeso bosque de coníferas, se le ocurrió una idea: ¿por qué no utilizar plantas en la cocina?

Y así fue cómo Iannis fue introduciendo en la cocina de Lefti —y, para horror de este, no solo en la cocina sino también en los platos— las hojas de pino, el llantén, las acederas y otros hierbajos similares de los que crecen al borde de los caminos.

—¡¿Qué es esta cosa verde como lo que comen las vacas?! —se espantó Lefti un día en que Iannis le sirvió una «pizza del día» que llevaba rúcola fresca.

—¡Iannis, me vas a costar la ruina! —se lamentó el primer día que el joven sacó de la cocina un asado de cordero con unas ramitas de romero clavadas—. ¡Si es que parece que hayas confundido al pobre cordero con la peana de uno de esos arbolitos de Navidad en miniatura! —gruñó, pero el joven se mantuvo firme en su propósito. Y Lefti era demasiado bueno como para prohibirle los experimentos culinarios.

Pero resultó que la clientela empezó a frecuentar más el restaurante, como años atrás, si bien tampoco a ellos les decían mucho las creaciones del joven Iannis. Sin embargo, la calidad de los platos tradicionales mejoró, y algunas noches tenían el local casi completo, aunque para gran frustración de Iannis nadie pedía los nuevos platos de creación propia que le costaba semanas de discusiones conseguir que Lefti incluyera en la carta.

—Es que a nadie le gusta comer hierba —explicó Lefti, encogiéndose de hombros, después de que, en toda una semana, nadie pidiera una sopa griega que Iannis quiso denominar «espuma de hierbas aromáticas»—. Es que donde deben estar esos bichos de río es en el río —dijo cuando Iannis se lamentó de que nadie quisiera probar su «cóctel de cangrejos de río con picada de apio». Y un día en que el joven entró en la cocina con una cubetita de plástico de una tienda de mascotas llena de saltamontes, con la intención de tostarlos, especiarlos con un toque picante y servirlos a modo de migas crujientes sobre una ensalada de diente de león, a Trudi le entró un ataque y costó que dejase de gritar.

—¡¡Por lo que más quieras, Iannis, llévate eso de aquí y no vuelvas a hacer estos experimentos repugnantes!! ¡Por Dios, qué horror! —le protestó Lefti, así que, con gran dolor de su corazón, tuvo que dejar en libertad a los saltamontes.

—¡Qué lástima, pequeñas delicias! —les dijo a través de los agujeritos del plástico antes de sacudir la cubeta por la ventana. Ahora bien, los pocos que ya estaban muertos y no salieron volando los echó a la sartén, los frió, añadió cilantro y curry en polvo y se los comió a modo de tapa.

🍃 🍃 🍃

Iannis llevaba un año en St. Pölten cuando, en la autopista del oeste que une Viena y Zúrich, tuvo lugar un accidente que habría de cambiar toda su vida sin intención ni acción alguna por su parte. Iannis ni siquiera sospechaba que, un martes corriente, mientras él estaba en la cocina preparando pinchos de carne para la cena, una señora ya entrada en años, en un momento de éxtasis total provocado por un gran *hit* del rock 'n' roll de la Austria profunda, confundiría el acelerador con el freno y, en lugar de parar el coche al llegar al paso a nivel, lo plantaría con todas sus ganas en mitad de las vías, con lo cual, acto seguido, haría descarrilar el tren que se avecinaba. Tanto la señora como el conductor del tren salieron del accidente con un susto tremendo por toda lesión. La señora, para inmenso alivio de sus nietos, tomó la determinación de no volver a escuchar a Andreas Gabalier, y el conductor del tren dio mil gracias a San Bruno Kreisky, patrón de los ferroviarios, por la circunstancia de que justo esa tarde llevaba consigo su bolsa del gimnasio, pues tenía la intención de ir al terminar la jornada. Gracias a eso, enseguida pudo cambiarse de pantalones y nadie notó cómo los puestos habían sufrido las consecuencias del susto. En tanto sucedía todo esto, Iannis aprovechaba la ausencia de su tío abuelo para tostar al horno unas hormigas gigantes australianas con un chorro de aceite de oliva y unos chiles frescos, aunque se temía que ninguno de los clientes tuviera ganas de probar su ultimísima receta creativa con insectos. A decir verdad, las hormigas australianas en concreto tenían un sabor bastante parecido al de los nachos.

La consecuencia del accidente fue que cortaron el tramo de vías durante toda la noche. Los ferroviarios de St. Pölten pusieron todo su empeño en organizar un trayecto alternativo por carretera, pero hete aquí que, en la estación de tren de St. Pölten se encontraba un suizo de cuarenta y tantos años que, por motivos que ni siquiera su terapeuta alcanzaba a desentrañar, tenía fobia a los autobuses. Egon Kappacher, de profesión: crítico gastronómico, decidió que no se subiría a ningún autobús maloliente, sino que buscaría alojamiento en St. Pölten para esa noche. No había oído hablar de aquella ciudad ni durante el viaje a Viena, adonde había ido a una feria de enología, ni siquiera en clase de geografía, en sus ya remotos años de escuela. «St. Pölten, si es que ya el nombre es rarísimo», pensó y, arrastrando los pies, echó a andar por la zona peatonal, que empezaba justo al salir de la estación, con objeto de encontrar un hotel.

En ese mismo instante, Iannis manoteaba enérgicamente para dispersar un olor de la cocina, pues de pronto entró Lefti. El joven se apostó delante del horno con las piernas juntas para impedir que se viera lo que había dentro.

—Mmmm, ¿qué es eso que huele tan bien? —quiso saber Lefti olisqueando el aire. Iannis se puso a pensar qué raíz enana importada de Sudamérica podía decir que eran las hormigas, pero, justo entonces, Lefti vio por el ojo de buey de la puerta de la cocina que los sobrinos de Zhang Chen le estaban poniendo perdida la vidriera con todos los dedos llenos de chocolate—. ¡Vais a ver lo que es bueno! —rugió y salió a la calle hecho una furia. Y Iannis respiró hondo.

Egon Kappacher deambulaba por la zona peatonal de St. Pölten, hambriento y con los nervios destrozados. Primero, pensó que no estaría mal cenar en uno de los locales tradicionales del gremio de taberneros de Austria, pero el primero en el que introdujo la nariz estaba tan lleno de humo que tuvo la sensación de que hasta se oía crepitar el cáncer de pulmón de los clientes habituales, y en el segundo imperaba tal peste a grasa de freír *Wiener Schnitzel* que hasta se planteó si no reciclarían allí el aceite viejo del McDonald's. Descartó la posibilidad de investigar un tercer local. En sus muchos viajes, había aprendido que, en los lugares donde no existe una cocina local propiamente dicha, los mejores restaurantes suelen ser los internacionales a cargo de los inmigrantes. Y fue así como Egon Kappacher, gastrónomo suizo galardonado con varios premios, acabó en una coqueta callecita transversal donde, en un extremo, había un chino y, en el otro, un griego. Sabido es que la cocina china es bastante más elaborada que la griega, pensó, pero dejó de apetecerle al echar un vistazo a la carta. Al pie del menú, escrito con rotulador, se leía: «Especialidad del día: rico perrito faldero». Tuvo que leer el cartel varias veces, pero sí, era verdad que ponía «perrito faldero». Con carne de gallina, el soltero suizo pensó en su adorable bichón habanero, que estaría esperándole en casa, sin duda ya muy impaciente, y se decidió por el restaurante griego, sin darse cuenta de que el cartel «No servimos perro asado» de su escaparate estaba escrito con la misma letra que el de la vitrina del chino. Se sentó en un rincón. La carta no era nada del otro mundo. *Souvlaki, moussaka, gyros,* todo con patatas fritas... Pero, entonces, sus ojos repararon en una hojita, escrita en sencilla letra Courier, añadida al final del todo, entre las listas de bebidas de alta graduación.

Menú degustación:
Sopa fría de melón con guisantes fritos
Tosta de tzatziki *con copos de hormiga crujientes*
Trío de cordero con bastoncillos de batata frita y chips de hierbas
Sorbete de té de roca con praliné de limón

Egon Kappacher abrió mucho los ojos. Aquel menú había despertado su curiosidad y el estómago le ronroneaba de hambre.

—El menú degustación —pidió con regocijo adelantado.

—¿Está seguro? —cuestionó el señor mayor que anotó la comanda.

—Por supuesto, ardo de impaciencia por probarlo.

Y Iannis, en la cocina, saltó de alegría.

Muy intrigado, se asomó por el ojo de buey de la puerta entre la cocina y el salón y, antes de entregarse a los fogones, lanzó una mirada al caballero bajito de elegante chaqueta de *tweed,* eso sí: sin saber aún que era su futuro el que se había sentado en la mesa del rincón.

Al probar la sopa fría, Egon Kappacher dejó escapar un suave gemido de éxtasis. Las hormigas en tostada eran una genialidad, y al parecer el cocinero había soasado el ajo del *tzatziki* en el horno para extraerle sus aceites esenciales. Las tres variaciones sobre el cordero eran pura poesía, y el postre tenía el sabor de un paraíso que ninguna religión del mundo había sabido recrear con tan divinas características. Egon Kappacher se sentía reconciliado con el mundo, reconciliado con los Servicios Ferroviarios de Austria, y, felicísimo, se disponía a tomarse su copita de digestivo cuando, de pronto, se le acercó un joven que se retiraba el pelo de la cara con un pañuelo naranja.

—Disculpe, soy Iannis Aniston, el cocinero. ¿Me permite preguntarle si le ha gustado el menú?

Egon Kappacher no contaba con que aquella cena fuera obra de un jovencito como el que tenía delante.

—Una exquisitez.

Y le faltó tiempo para ponerse de pie y estrecharle la mano. Egon Kappacher estaba tan impactado, y no solo por la apariencia de aquel joven sino también por la euforia que reflejaba su rostro, que olvidó por completo preguntarle cómo exactamente había preparado aquel excelso sorbete de té de roca. En lugar de ello, sacó una de sus tarjetas y se la dio al cocinero:

—No deje de llamarme si va a Zúrich alguna vez.

Sin caber en sí de gozo, Iannis volvió a la cocina. «Un crío», pensó Egon Kappacher. «Pero todo un talento.»

🦋 🦋 🦋

No habría de pasar mucho tiempo hasta que Iannis Aniston y Egon Kappacher volvieran a verse. Mes y medio después de su primer encuentro, Iannis volvía de correr durante dos horas, en su día libre, cuando los bomberos le impidieron el acceso a su calle.

Parecía que hubiera estallado una bomba. Por todas partes se veían cristales rotos, hollín y caras de espanto.

—¿El restaurante? No queda nada, si aquí ha ardido Troya —dijo el bombero—. Con esas tuberías de gas tan viejas..., habrá sido un escape.

Trudi y Lefti se habían llevado un susto de muerte, pero no les había pasado nada. De todas formas, a ella la habían llevado al hospital con palpitaciones.

Una vez que los bomberos hubieron despejado la entrada al edificio, fue posible valorar el alcance del destrozo: la planta baja estaba arrasada por completo. Incluso en las casas vecinas habían reventado los cristales. La cocina había ardido, los muebles del restaurante se habían pulverizado por la onda expansiva. Lefti miraba a su alrededor sin decir nada, Iannis lo abrazó. De pronto, los músculos de la espalda de Lefti se tensaron. Iannis se volvió: frente al restaurante, sentado en una silla plegable, estaba Zhang Cheng comiendo fideos en un recipiente de cartón, como quien está en el cine viendo una película de catástrofes.

Lefti hizo rechinar los dientes.

—En fin, qué le vamos a hacer, para eso tenemos un seguro... —dijo entonces. Iannis no daba crédito a lo que acaba de oír.

—Pero ¡si está todo hecho trizas...!

—Mi dignidad no.

En aquel momento, Iannis sintió admiración por Lefti.

Por otra parte: al volver de visitar a su tía Trudi en el hospital, intuyó que Lefti no reconstruiría el restaurante. Trudi no quería volver a pisar siquiera aquella casa con las tuberías de gas defectuosas, sino mudarse a una caravana y dedicarse a ver mundo. La familia de Iannis seguía creyendo que él estaba de viaje por algún país lejano. El último paradero donde se le había visto, gracias al arte de Hubert-Spiros con los montajes fotográficos, era un asador argentino.

Así pues, aquel jueves de septiembre de dos mil doce, Iannis Aniston pensó que tal vez había llegado el momento de ver de verdad un poco de mundo.

✿ ✿ ✿

—Este es el buzón de voz de Swiss-Telecom de... Egon Kappacher. Deje su mensaje después de oír la señal.

—Buenas noches, señor Kappacher, soy Iannis Aniston. No sé si se acordará de mí, usted cenó un menú mío una vez. En St. Pölten. Me dijo que le llamara si iba a Zúrich alguna vez. Bueno, el caso es que me gustaría ir a Zúrich. A trabajar, la verdad sea dicha. ¿Conoce algún local donde busquen un joven cocinero? ¿Y donde se pueda experimentar un poco?

Egon Kappacher le devolvió la llamada tres horas más tarde. No solo se acordaba muy bien de aquel joven, sino que podía ofrecerle trabajo en uno de los cuatro restaurantes que regentaba en la ciudad. Su más reciente adquisición, el Trific, concebido en un principio como bistró francés, no estaba yendo bien. ¿Por qué no darle una oportunidad a lo experimental y a aquel jovencito?

Dos días después, Iannis hacía las maletas. Lefti y Trudi tenían lágrimas en los ojos cuando lo acompañaron a la estación.

—No tienes nada que ver con tu abuela —le dijo Trudi para despedirse, poniéndose de puntillas. Y Iannis aún tuvo que agacharse para que pudiera estamparle dos sentidos besitos de despedida.

—Ven para acá, muchacho —le abrazó Lefti. La pequeña mata de pelo que le salía de la oreja le hizo cosquillas en la sien.

—Gracias por todo, Lefti —dijo Iannis al tiempo que el tren frenaba con un estridente chirrido.

Cuando se disponía a subir al tren, Lefti lo retuvo un instante agarrándolo del brazo.

—Acuérdate de una cosa, Iannis: dejar pasar las cosas no significa reprimirlas ni olvidarlas. Significa, sencillamente, perdonar y aceptar que a veces las cosas son como son, aunque sean una mierda.

Antes de que Iannis hubiera encontrado asiento, el tren se puso en marcha. Y, cuando se agachó para asomarse por la ventanilla, vio que Lefti y Trudi se abrazaban. Iannis pensó que, al menos en una cosa, se había equivocado con respecto a Eleni: a Lefti no le había arruinado la vida.

Pues, siendo sincero, no conocía a nadie más feliz ni más satisfecho con lo que tenía que el viejo Lefti Haselbacher-Zifkos, con sus matitas de pelo en las orejas.

Una belleza de postal

—¿Has leído mi último «boletín de noticias», Iannis?

Iannis apoyó el iPhone, cuya pantalla ocupaba por completo la cara de su abuelo Otto, en un vaso medidor que había en la estantería sobre la encimera de su cocina, entre las sartenes de preparar las salsas. La carcasa negra y brillante del teléfono parecía hecha del mismo material que las baldosas del suelo. En que fueran así se había empeñado Iannis antes de hacerse cargo de la cocina. Pensaba que los suelos blancos están muy sobrevalorados. Como se te cayera algo en el fragor de la batalla, daba igual que fuera una cabeza de pollo o un tomate, sobre las baldosas blancas siempre parecía el escenario de una película de terror mala.

—¿Me oyes, muchacho?

A cinco mil kilómetros, su abuelo miraba fijamente el iPad sentado en una tumbona.

—Abuelo, no hace falta que metas la nariz por la pantalla.

—¿Iannis? ¿Iannis?

Iannis se retiró los rizos de la frente con un gorro de tela como los que usan los cirujanos para entrar en quirófano; en este caso, de tela de elefantitos naranjas. Regalo de Laura, su novia. Lo habría comprado por Internet en alguna tienda de material para medicina infantil.

—¡Que sí! ¡Aquí estoy! —dijo Iannis.

—Que si has leído mi «boletín de noticias».

—Es que estoy en plena *mise en place*.

—Con lo que había esmerado yo...

—Ya, pero yo tengo que preparar todo para la cena. ¿Qué me cuentas?

Otto suspiró, Iannis agarró un bol grande y se puso a echar puñaditos de hierbas. Sus ayudantes no llegarían hasta dos horas más tarde. Era martes, el día más flojo de la semana, pero Iannis quería probar una cosa: si hacía una infusión de hierbas y luego la congelaba con hidrógeno líquido para dejarla fundir sobre la piel crujiente de un costillar de cordero recién sacado del horno, ¿qué temperatura sería la adecuada para darle el aspecto más espectacular posible en el emplatado?

—Muchacho, me haría mucha ilusión que leyeras mis boletines de noticias y así te enteraras de lo que va pasando por aquí. Todo florece que da gusto, han llegado los primeros turistas. El agua ya está a veinte grados.

—Qué bien —respondió Iannis distraído, pues lo que absorbía su concentración era no confundir las proporciones de unas y otras hierbas.

—Pues eso... —carraspeó Otto, haciendo ruido a propósito—. La semana que viene es el cumpleaños de Eleni. ¿No sería hora de pensar en volver a casa? ¿De darle un abrazo a tu abuela? ¿De que los dos enterrarais el hacha de guerra de una vez?

Iannis echó el bol al fregadero..., se había equivocado. Si la composición de hierbas no era la correcta, no tenía sentido seguir adelante con el proceso. Iannis retiró el iPhone de la estantería y miró directamente a la cámara. Otto retrocedió del susto.

—Abuelo, te lo he dicho ya cien veces. Si vuelvo a Makarionissi será para el entierro de Eleni.

—¡No exageres, Iannis! ¡Si han pasado años desde todo aquel drama! Te fuiste a dar la vuelta al mundo, tienes una novia suiza guapísima, eres un cocinero famoso, ganas tanto como el resto de tu familia junta. ¿Por qué no puedes venir a vernos y todos tan contentos?

Iannis apoyó el dedo en el símbolo del auricular rojo y, con un sonido de campanitas, la cara del abuelo Otto desapareció de la pantalla. Para mayor seguridad, salió de la aplicación de Skype, activó el modo avión y conectó el móvil al cable de los altavoces. El tecno a todo volumen se adueñó de la cocina.

A Iannis le gustaba su vida como jefe de cocina del Trific, en la Josefstrasse de Zúrich, uno de los restaurantes más de moda en la ciudad. Gracias a él, a Iannis Aniston, uno de los cocineros más innovadores de Suiza, siempre en el punto de mira, el local era célebre en todo el país. Lo habían calificado de inventor de la «Nueva Sencillez suiza», una cocina que no apostaba por creaciones a cual más insólita, sino por ingredientes sencillos y de la región. En las entrevistas, Iannis explicaba que era la cocina griega la que le había inspirado, pues en el fondo estaba basada en ese mismo principio: los campesinos más humildes cocinaban con lo que tenían en casa: cordero, verduras, yogur, ajo y hierbas aromáticas del jardín para aderezar. Ahora, él lo hacía con lo que tenía a mano en su nuevo hogar, Zúrich; con lo que encontraba en los bosques, en las montañas, en el lago. En el restaurante de Iannis Aniston, las mismas señoras que vestían modelos de tres mil francos comían saltamontes encurtidos acompañados de frutas tan antiguas y tan raras que habían dejado de venderlas en los comercios. Por sus labios operados a precios pecaminosos pasaban los pescados ahumados servidos con musgo silvestre. Los caballeros de traje a medida andaban locos por la casquería aderezada con polvo de corteza de árbol. Desde que Iannis se ocupaba de la cocina, el Trific se había convertido en el punto de confluencia de dos mundos muy distintos: naturaleza y alta costura.

El bum-bum-bum de la música hacía chocar las sartenes unas con otras. Iannis se había comprado los altavoces que tenía instalados en el estante más alto de la cocina con su primer sueldo, pero Egon Kappacher le había reembolsado el importe tres días más tarde. Si le ayudaban en la cocina, eran un gasto de empresa, había dicho el suizo. Luego, desde que comentara, en una gala gastronómica, que su cocinero prodigio griego bailaba tecno al tiempo que guisaba, a muchos otros chefs les habían instalado de pronto un juego de altavoces en el puesto de trabajo en lugar de renovarles el menaje. Al enterarse, Iannis se había pasado media hora riendo. Ni Egon ni sus ayudantes de cocina ni los friegaplatos ni los maîtres, nadie conocía el misterio que se escondía tras su música tecno. Ni siquiera su novia, Laura. Todos creían que el tecno le ayudaba a ponerse a tono, pero la realidad era que la música tan solo le ayudaba a concentrarse cuando se le iba la mente a otra parte, es decir: cuando abandonaba Zúrich porque se iba a Makarionissi.

Iannis había mentido al abuelo Otto. Llevaba años mintiéndole. Porque sí que había leído todos y cada uno de sus «boletines de noticias». A menudo hasta los leía varias veces.

Otto había empezado a enviarle su «Makarionissi News» porque un día Iannis, en una llamada de Skype, había confundido a la mujer del panadero con la señora de la verdulería. Iannis se encontraba cansado y no estaba prestando mucha atención, y tampoco era para tanto que hubiera confundido el cáncer de mama de la una con la úlcera de estómago de la otra, pero su abuelo se quedó consternado. Le preocupaba que Iannis perdiera el vínculo con su patria, así que se erigió a sí mismo en cronista de la isla. Al principio, Iannis pensó que los así llamados «boletines de noticias» no eran sino una especie de terapia ocupacional para su abuelo, que pasaba demasiado tiempo pensando en sus problemas de cadera, de rodilla y de estómago. Sin embargo, una vez que Otto pasó tres semanas sin enviar ninguno porque estaba en Alemania, Iannis los echó muchísimo de menos.

Otto siempre empezaba dando información sobre el tiempo. Analizaba las variaciones del clima en comparación con los años anteriores. Y después de la temperatura del agua y del estado de las mareas, daba paso a la política de la isla. Gracias a Otto, Iannis estaba al corriente de cuanto sucedía allí, de qué negocios habían tenido que cerrar y cuáles habían abierto nuevos en la calle principal: una casa de empeños y otra de compraventa de oro. Había seguido de cerca la terrible lucha por la supervivencia de la fábrica de cortes de goma espuma que, durante tanto tiempo, había sido el gran orgullo de Makarionissi, dando trabajo a muchas familias. No obstante, hacía dos semanas que se había cortado allí el último colchón; y así Iannis sabía también que Manolis estaba en el paro pero que se negaba a incorporarse al hotel de su abuela. Las noticias del hotel constituían una sección propia del boletín. Otto daba cuenta de la ocupación, y contaba que se había convertido en socio capitalista con el dinero que recibía en concepto de derechos de autor por sus canciones, pues también en el Aspasia-Sunshine-Beach-Paradise había bajado mucho la clientela, en especial los turistas alemanes, motivo por el cual ahora él daba conciertos en la temporada alta con la esperanza de que aparecieran por allí perdidos algunos viejos fans de sus tiempos gloriosos.

El penúltimo punto era siempre el preferido de Iannis, la sección de «Asuntos privados». En ella, su abuelo empezaba con diversas listas de quién se había muerto, quién se había casado o quién había tenido un hijo con quién. Informaba de los últimos casos de enfermedad y curación, de que alguna gente de la isla que se había ido a Atenas o a otras ciudades ahora volvía porque habían perdido su trabajo allí, o de que otros se marchaban a probar suerte en el extranjero. A continuación, Otto hablaba en detalle de la familia. La boda de Manolis, por ejemplo, había dado lugar a un reportaje de nueve folios, estructurados por horas, a los que aún vinieron a sumarse doce correos electrónicos con fotos porque el abuelo seguía sin aprender a enviar archivos comprimidos. La mujer de Manolis era de la isla grande, se llamaba Evangelia, era siete años mayor que los gemelos y, la primera vez que Iannis vio fotos suyas, se extrañó mucho de que precisamente su hermano se hubiera decidido a casarse con una mujer de apariencia tan sosa. Tenía el pelo un poco ondulado, de un castaño anodino y sin brillo, una cara de rasgos suaves y aspecto tímido, un poco gordita, con ropa muy recatada.

Viendo fotos de su madre, por el contrario, Iannis tenía la sensación de que había vuelto a la juventud: vestidos cortos, maquillaje llamativo, taconazos. El abuelo Otto tenía que medir sus palabras con respecto a los ligues de Aspasia para no tachar constantemente de «garrapata asquerosa» o de «cantamañanas con ictericia» a cada uno de cuantos se citaban con ella. Rhea no había salido con nadie después de Iannis, cosa que siempre alegraba saber a este, aunque ahora también le daba un poco de pena que ella nunca hubiera logrado salir de la isla. Respecto a Eleni, Otto era harto reservado. Desde las últimas elecciones comunales, tenía un papel muy activo en el gobierno de la isla y se peleaba mucho con Manolis, quien al parecer había descubierto su vena política. Eleni era miembro del partido unificado de la izquierda, con cuyo precursor ya había estado muy comprometida en los años sesenta. A Manolis le resultaba demasiado poco radical y le echaba en cara que, como gran hotelera, ella en realidad estaba del lado de la gente con patrimonio. Por otra parte, tampoco las huelgas y manifestaciones organizadas por Manolis habían salvado del cierre la fábrica de goma espuma. Para terminar, en la sección de «Miscelánea», Otto recogía cuanto se le ocurría sobre la marcha: a quién le había dejado tirado el coche cuándo y dónde o qué perro callejero le había mordido una oreja a qué otro chucho.

Cuanto más tiempo hacía que Iannis estaba lejos de su patria, más grande se hacía su añoranza del agua cristalina del mar, del aire impregnado de sal, del aceite de oliva recién prensado que siempre había en un pequeño cuenco en la mesa de casa. Y añoraba sentarse toda la indómita y ruidosa gran familia alrededor del cuenco para mojar pan en él. Ahora bien, la añoranza llamaba de nuevo a la rabia. Y a la decepción. A la soledad. Al sentimiento de haber sido traicionado y engañado.

Sentimientos como consecuencia de los cuales las recetas no le quedaban como debían.

Entonces, Iannis subía el volumen de su música tecno, y así se concentraba y volvía a estar con sus cinco sentidos en el aquí y el ahora: en la cocina del Trific, Josefstrasse, Zúrich, distrito cinco.

🌿 🌿 🌿

Al llegar a Zúrich, para empezar había alquilado una habitación en un piso compartido con estudiantes en la zona de Niederdorf.

Chicos simpáticos para los que solía cocinar y con los que jugaba mucho al futbolín y a la Playstation, si bien comunicarse con ellos resultó un asunto difícil. Iannis siempre había creído que hablaba un alemán casi perfecto. Sin embargo, en Suiza descubrió que lo que llaman alemán en un sitio podía no serlo en todas partes. Desde Niederdorf iba al trabajo en bicicleta casi todos los días. En transporte público tardaba media hora, y así solo doce minutos. Pero hete aquí que cierto día soleado decidió ir por otro camino más largo que le costaba ocho minutos más. En lugar de ir por la ruta directa, atravesando la estación de tren, Iannis tomó justo la dirección contraria, a lo largo del río hasta el puente sobre el muelle del lago. Aquellos días hacía un tiempo tan espléndido que se veían las montañas recortadas sobre el cielo, al otro lado de las azules aguas como de espejo del lago de Zúrich. No se veían del todo, pues las cimas se perdían entre las nubes. A Iannis le costaba apartar la vista de aquella magnífica imagen de la inmensidad. Al otro lado de la calle encontraba las dos mitades de la ciudad y el río, con sus múltiples colores y su orden perfecto. Por encima de los tejaditos de las casas asomaban las torres de las iglesias...; al otro lado, las barquitas cubiertas con lonas abigarradas se mecían al compás de las olas. Parado sobre aquel puente, Iannis nunca sabía a qué lado mirar primero, si a la izquierda: hacia aquel lago de un azul imposible con las montañas al fondo; o hacia la derecha: hacia aquella ciudad como de juguete en la que hasta los mendigos iban duchados. De una cosa estaba convencido: desde aquel puente podía contemplar la belleza de la vida..., una belleza de postal.

Sin embargo, por bonito que fuera Zúrich, Iannis pronto empezó a aburrirse. En St. Pölten, su pasatiempo favorito al salir de trabajar en El rincón de Zeus era ir a alguna de las discotecas del lugar, correrse una buena juerga y acompañar a casa a alguna chica. En Zúrich, en cambio, aquello era prácticamente imposible. Cuando por fin salía de la cocina, la mayoría de las fiestas ya tocaban a su fin y, a pesar de todo, las discotecas cobraban una entrada prohibitiva. Una vez ni siquiera le habían dejado entrar porque el gorila de la puerta le había visto restos de hierbas en las uñas. Sentado en la barra de un bar se sentía perdido. Aparte de él, allí nadie salía solo. Al parecer, los suizos se conocían todos desde el jardín de infancia; se movían exclusivamente en grupo, sobre todo las chicas, y, en algún momento, se aburrió de ir detrás de ellas cual león en pos de un rebaño de gacelas a la espera de que se escindiera de la manada la más débil, lo cual, en Zúrich, siempre era sinónimo de la más borracha.

Sus compañeros de piso tenían novia todos, bien desde el jardín de infancia, bien gracias a la página de contactos www.students.ch. Al principio, a Iannis le había parecido absurdo recurrir a una página de Internet para conocer a alguien, pero a medida que iba haciendo frío y él se iba sintiendo solo, capituló y se abrió un perfil. Una vez conectado, su sorpresa fue mayúscula. En la vida normal, en público, los suizos carecían por completo de todo instinto para el ligoteo. Por el contrario, ya en su primera visita a la página se dio cuenta de que había juzgado a los suizos muy mal. A las fotos de todos los perfiles se les podían dar puntos en función de su grado de *sex-appeal,* y al poco de registrarse con una foto en que se le veía en la cocina del Trific con un cuchillo entre los dientes, Iannis recibió un verdadero bombardeo de mensajes del tipo: «¿Qué hay, guapetón?», «¿Eres de Zúrich?», «¿Nos tomamos un café?»…, todos escritos tal cual suena el dialecto imposible que es el alemán de Suiza, por supuesto. Iannis ya se había hecho a él como para manejarse en el día a día, pero leyéndolo creía estar ante una lengua extranjera impenetrable.

A mediados de noviembre empezó a hacer un frío polar. Iannis renunció definitivamente a salir por las noches y se dedicaba a jugar a la Playstation hasta el amanecer, pues después de las estresantes veladas en el Trific estaba demasiado excitado como para conciliar el sueño. Solo salió un día. Y justo ese día conoció a Laura.

Era jueves, el Trific había cerrado antes de lo habitual y el responsable de la repostería le había convencido para ir al «Thirsty Thursday», una suerte de disco-pub que frecuentaban los banqueros. Gracias a que era amigo de un banquero especialista en inversiones, el repostero estaba muy enterado de dónde y a qué hora de aquel jueves iban a empinar el codo los miembros de la elite financiera de Zúrich. A Iannis le vino a la mente lo que dirían su hermano, reciente comunista radical, y su abuela, izquierdista de toda la vida, como se enterasen de que se iba de bares con los banqueros, y solo eso ya le pareció motivo para hacerlo. Y como no salieron de trabajar hasta pasadas las once, para cuando llegaron al pub, allí ya estaban todos como cubas. Según le servían una cerveza de las grandes en la barra, se le acercó una pechugona que resultó ser norteamericana.

—Carne fresca —le dijo. Iannis rio.

—Mi tema preferido —le contestó.

La americana parecía la Barbie Mujer-de-negocios, estaba eufórica de más y hablaba a voces, pero a Iannis le pareció una excepción muy de agradecer no tener que pasar el rato junto al habitual suizo pasmarote, de esos a los que había que sacarles las palabras con sacacorchos y luego tardaban más en articular una frase con subordinada que él en tomarse la cerveza. Charlaron un rato y resultó que ella era de California, según le contó muy orgullosa, pero que llevaba doce años viviendo en Zúrich por su trabajo. Iannis echó la cuenta y, como sospechaba a pesar del maquillaje perfecto, estaba en lo cierto: era demasiado mayor para él. Barbie Mujer-de-negocios le preguntó cómo era posible que, siendo griego, hablase el alemán mucho mejor que ella, y Iannis le explicó:

—Mi abuelo es bávaro. Lo aprendí de niño.

Y entonces la americana lanzó tal chillido que medio pub se volvió hacia donde estaban:

—*Awesome!* —exclamó, se puso a rebuscar en su bolso y sacó un iPhone. Iannis tuvo que mirar dos veces, porque la primera creyó que el escote embutido en un *Dirndl* que le sonreía desde la pantalla era el cartel de algún título del porno alpino—. ¡Mira, soy yo en Múnich, en el *Oktoberfest*! ¡Me encanta Baviera! ¡La mejor experiencia de mi vida! ¡El buen Dios me hizo para llevar ese traje típico!

Iannis empezó a notar la boca seca. Miró a la pantalla, miró a la americana, suspiró y le preguntó qué quería tomar.

De camino a la barra pensó si no sería mejor irse a casa sin más, pero al final se decidió a pedir una ronda mientras farfullaba para sí, en griego: «Pero esta desde luego que va a ser la última...», y, en ese momento, la mujer que estaba junto a él se giró y le dedicó una sonrisa:

—¿Eso era griego?

—*Nai* —dijo Iannis, y para asegurarse de que ella le había entendido repitió—: Sí, *well, yes*. ¿Tú sabes griego?

Ella rio y negó con la cabeza: una cabecita rubia encantadora.

—No, qué pena. Pero me encanta oírlo. Me recuerda a mi infancia. Mi padre es profesor de latín y griego clásico, así que nos arrastraba a Grecia todos los veranos..., a ver estatuas.

Y así fue como Laura Hönggli llegó a la vida de Iannis.

Laura trabajaba como supervisora de campañas en una agencia de publicidad que acababa de llevar a cabo un proyecto importante para un pequeño banco privado. Su jefe le había rogado encarecidamente que no dejara de asistir a la copa de despedida con los banqueros, y como Laura tenía cierto complejo de Electra —como aún habría de descubrir Iannis—, le había obedecido por más que aquello no entrara en sus planes.

El mismo día siguiente ya fueron a pasear juntos por el lago durante el descanso para comer de Laura, y compraron pan para los cisnes, que nadaban por allí como si fuera verano. El sábado fue Laura quien acudió al Trific a tomar un cóctel antes de abrir al público, y el personal de la cocina no pudo evitar cierta guasa a costa de que, esa noche, a Iannis se le quemaron dos platos de cordero seguidos. El domingo, fue recogerle al cerrar la cocina para ir a tomar una hamburguesa en su bar americano preferido. Y, el lunes, se presentó él en casa de ella abrazado a una bolsa de la compra. La había llenado tanto que se habían roto las asas de plástico. Iannis preparó la cena en una cocina que prácticamente estrenó él, pues antes no se había hecho allí mucho más que aliñar ensaladas, calentar salsa de tomate precocinada y, sobre todo, hervir espaguetis cortados con unos cubitos de caldo para llamar sopa de fideos al dudoso resultado; y no paraba de darle pisotones sin querer, aunque la culpa era de Laura, que no se le despegaba y siempre estaba en medio. Ella estaba encandilada con las artes culinarias del joven y entusiasmada con la cantidad de mitos de la antigua Grecia que conocía. Envueltos en mantas, salieron a la terraza a contemplar las estrellas, y Iannis le contó que las Pléyades estaban en el cielo porque Zeus las transformó en estrellas para que pudieran escapar de Orión, y que la Osa Mayor en realidad era una ninfa llamada Calisto a la que Hera transformó en osa y tuvo errando por los bosques de la Arcadia hasta que Zeus se apiadó de ella. Y luego Laura no podía parar de reír cuando Iannis le contó que, de niño, pasó semanas haciéndose pis en la cama de puro miedo a que hubiera un monstruo capaz de trepar hasta el cielo y robar estrellas. El origen de todo ello era que, siendo muy pequeño, antes de que lo escolarizaran, había presenciado un ataque de rabia de su abuela, que se puso como un basilisco porque le habían quitado una estrella. El niño no podía entender que la abuela se refería a su hotel, con lo cual se angustió muchísimo a la vista de las cosas que sucedían en el firmamento. Iannis intentó explicarle a Laura que aquella historia no tenía nada de gracioso, que él lo había pasado muy mal de verdad, pero al final tampoco él pudo contener la risa. Y luego, al mismo tiempo que contemplaban las estrellas, se puso a nevar. Los copos eran tan gruesos y pesados que, echando la cabeza hacia atrás, se veían como estrellas que caían desde el cielo.

Iannis y Laura hibernaron juntos, y Iannis lo vio claro: Zúrich no estaba hecha para solteros, a diferencia de Atenas, sino que era una ciudad para parejas. En Atenas, la primavera olía siempre a sexo sin compromiso cuando florecían los algarrobos, pues su perfume es muy similar al olor del esperma.

Zúrich, por el contrario, olía a chimenea y a paseos por los parques; Zúrich llamaba a sus habitantes a salir a cenar o al cine en compañía, a reunirse con los amigos y a construir un nido. En pareja, la ciudad era más bonita. Mucho más bonita. Así que, cuando en marzo de dos mil trece venció el contrato de su habitación alquilada en el piso compartido, Iannis no dudó en irse a vivir con Laura.

Y cuando, por las noches, se acostaba a su lado, se sentía maravillado. Desde que Rhea lo dejara plantado ante el altar, estaba convencido de que jamás volvería a ser capaz de tener una relación estable, y la cifra de chicas que se había llevado a la cama era de tres dígitos; sin embargo, con Laura era todo fácil. Nunca se había peleado con ella, en ningún momento había sentido que no quería estar con ella. Adoraba su olor, adoraba tocarla, con Laura era todo casi perfecto.

Salvo por la mentira.

¿O acaso por la mentira?

La plaga de la polilla del boj

Los lunes, Iannis dormía hasta el mediodía. Los fines de semana, que era cuando más trabajo tenían, con tres turnos de reservas, podía pasar hasta la una de la madrugada frente a los fogones y luego todavía salía a tomar unos cócteles y unas hamburguesas con su equipo. En la cocina del Trific eran todos artistas por proclamación propia y *gourmets* hiperexigentes, pero después de doce horas de cocinar ellos lo que les apetecía era algo simple y grasiento. Fumaban como chimeneas para insensibilizar sus papilas gustativas y, si no estaban de humor para darse a la cerveza y al whisky, se ponían a discutir con los camareros sobre las proporciones idóneas de los cócteles. El sábado anterior, Iannis no había llegado a casa hasta las cinco y media de la mañana porque había acabado la noche en el bar del Kronenhalle. En realidad había ido con la intención de tomarse tan solo un Martini para relajarse después del maratón de cenas, pero luego su camarero preferido y él se habían puesto a probar mezclas de infusiones de jengibre o hierbas aromáticas con distintos tipos de licores y les habían dado las primeras horas del alba. Al final, incluso habían creado un cóctel nuevo: un cubito de hielo, moscatel blanco de cosecha tardía, orujo de frambuesa, una hoja de menta fresca y un chorrito de agua mineral..., una delicia.

A Laura le horrorizaba que Iannis llegara a esas horas para caer en la cama como un fardo «apestando a grasa, alcohol y tabaco», como solía decir con su encantador acento suizo. Pero el enfado de Laura se manifestaba siempre de un modo muy sutil. Iannis se dio cuenta al levantarse aquel lunes de dos mil catorce, y la pista fue que ella se había terminado el café y se había ido a trabajar sin dejarle el habitual Post-it de «Te-quiero-ciervo-volador-mío».

El lunes era el día en que Iannis salía en busca de provisiones. Se iba al bosque en su Vespa negra y hacía todo el recorrido por sus verdulerías, su carnicería favorita y, ocasionalmente, algunas granjas particulares, y luego pasaba el resto del día probando recetas nuevas. Iannis tenía miedo de estancarse. A los ojos del personal del Trific, cambiaba el menú con demasiada frecuencia, pero la mera idea de cocinar todos los días lo mismo le recordaba al hotel de Makarionissi, donde los cocineros albaneses llevaban treinta años sin variar el repertorio. Y Iannis seguía sin querer acordarse del hotel. Si por él fuera, podía venirse abajo entero.

Cuando aparcó la Vespa, se quitó el casco y se dispuso a llevar las compras desde el parking a su casa, el sol ya estaba tan bajo que le cegaba. La diferencia cultural entre Suiza y Grecia que más dura se le hacía, incluso después de tres años, era la obligación del casco. A todo lo demás se había acostumbrado, pero echaba muchísimo de menos el viento en la cara mientras iba en moto.

Dejó las pesadas bolsas en el suelo, a la puerta del edificio de cuatro viviendas en cuya primera planta vivía Laura, se llevó la mano a la cara a modo de visera y guiñó los ojos. ¿Era la vecina del bajo, una señora mayor, a quien veía en su terraza inspeccionando los arbolitos de boj dispuestos en pequeñas macetas a lo largo de la barandilla?

—¿Señora Niederbichsl? —la llamó, tras lo cual la figura de la terraza se quedó quieta y se irguió. En efecto, era la vecina. En su terraza. Sin embargo, la puerta estaba cerrada. Había una escalera apoyada en la barandilla de la terraza por fuera—. ¿Qué hace usted ahí?

La vecina se puso en jarras.

—Bueno, lo que debería haber hecho usted hace tiempo, señor Hönggli.

Tras varios intentos, Iannis había renunciado a explicarle que no se apellidaba igual que Laura por el mero hecho de ser pareja.

La vecina, a su vez, se negaba en rotundo a aprenderse el apellido de Iannis; a Laura le había dicho que le sonaba demasiado exótico. Iannis, por el contrario, opinaba que «Aniston» era harto más sencillo que Hönggli, que pronunciado a la suiza —es decir, algo así como «joenkjli»— era un trabalenguas de los peores.

—¿Y qué es lo que debería haber hecho?

A la vecina se le ensombreció el semblante.

—Señor Hönggli, no tiene ninguna gracia. ¡Se avecina un grave peligro, estamos seriamente amenazados! Ha conseguido llegar hasta aquí. Tenemos que estar alerta y defendernos.

—¿Defendernos? ¿De quién?

La vecina respiró hondo y miró a su alrededor.

—¡De la polilla del boj!

—¿De qué?

—¿Es que no tienen boj en el país ese de donde es usted, Grecia?

A Iannis le habría gustado contestarle que los griegos ya cultivaban el boj cuando los suizos todavía vivían en cuevas, lamiendo la sal de las rocas, pero se mordió la lengua. Aquella señora había trabajado en Correos hasta su jubilación anticipada y al joven no le cabía en la cabeza que una persona cuya tarea consistiera en enviar cartas a todos los puntos del globo pudiera seguir creyendo que los confines del mundo coincidían con la frontera de la Suiza alemana.

—La polilla del boj, señor Hönggli, es un peligro muy serio. Es un parásito extranjero que ha conseguido introducirse en nuestra bella Zúrich, y ahora nos dejará todo el boj pelado, pues se reproduce a toda velocidad y, como no lo detengamos, aniquilará todas nuestras plantas autóctonas.

—¿Y qué hace usted en mi terraza?

—Comprobar si ya ha anidado en su casa. Todavía no veo nada pero, como lo encuentre, hará falta veneno. ¡La polilla del boj ha de ser exterminada!

Y, con estas palabras, la señora trepó por encima de la barandilla para bajar por la escalera hasta su terraza. Iannis no cabía en sí de asombro. No hacía mucho que le había estado lloriqueando a Laura porque le dolía mucho una rodilla, tras lo cual esta había pasado cuatro horas ayudándola a subir del sótano las plantas delicadas que no resistirían el invierno allí. Mejor dicho: Laura le había subido todas las macetas del sótano y luego le había costado tres días de dolor de espalda y a él tres días sin sexo por tal motivo.

—Por cierto, señor Hönggli —le gritó la vecina desde abajo cuando Iannis iba a entrar en casa—. Ya puestos, también debería usted estar alerta con los ciervos.

—¿También hay que exterminarlos?

—A lo mejor sí. Tengo la sospecha de que los ciervos se comen los capullos de mis rosales.

Iannis tragó saliva. Era él quien cortaba los capullos de rosa por las noches porque le venían muy bien para aromatizar los postres.

—Tengo encargada por correo una cámara espía, de esas con visión nocturna y todo, pero en tanto llega, haga usted el favor de mantenerse alerta.

—Faltaría más —respondió Iannis y siguió a la vecina con la mirada hasta que cerró la puerta de su terraza. Se preguntó si también durante el día tendría la cámara conectada.

🍃 🍃 🍃

Una vez en la cocina, Iannis desplegó su botín sobre la encimera: el amor de hortelano, la corteza de aliso, la col puntiaguda y el llantén los había encontrado directamente en el bosque. La paletilla de jabalí y los riñones de cordero eran de su carnicero favorito, uno que tenía su propio matadero entre el aeropuerto y lo que se consideraba el límite de la ciudad. Incluso el Trific hacía los pedidos de carne a aquel negocio familiar, pues el viejo carnicero solo compraba los animales a granjeros de la zona y hacía la matanza él mismo. A él debía Iannis la idea de la casquería. Al principio, el joven griego no se explicaba cómo en la Baja Austria podían sentir tal pasión por cosas que, en Grecia, echaban de comer a los perros. Pero luego, en una pequeña carnicería local había descubierto que las entrañas eran auténticos tesoros por descubrir. Del vivero había traído brotes de rábano, rabanitos rojos y rabanillos «de cola de rata», alcachofas y lirios japoneses, y, según lo repartía todo por la cocina, se frotaba las manos de gusto.

—Hola, cariño —le saludó Laura desde la entrada—. Me voy a duchar, que he estado en el gimnasio.

Sin darle un beso siquiera, su novia pasó de largo y se apresuró a desaparecer en el baño. Ducharse era para ella como un ritual sagrado. En Makarionissi, el agua era un bien escaso y, antes de vivir con Laura, Iannis no concebía que nadie pudiera pasar hasta tres cuartos de hora bajo la ducha o hasta dos horas en una bañera. Pero los suizos no sabían lo que era la sequía. Allí el agua brotaba de las montañas y, con salir a la terraza, Iannis tenía ante sí un lago entero de agua potable. Cuando hablaba por Skype con su madre o con su abuelo, solía afirmar que probablemente era más saludable el agua del lago de Zúrich que la del grifo de Makarionissi.

Desde que estaban juntos, Laura iba dos días a la semana a correr, un día a Pilates y entre uno y dos días al gimnasio. No lo hacía para gustarle, sino porque sentía un pánico casi existencial a que vivir con un cocinero la hiciera engordar. Iannis tenía ganas de colarse en el cuarto de baño y meterse en la ducha con ella, pero ducharse era el momento del día más importante para ella. Se depilaba minuciosamente hasta el último vello que pudiera brotar del hombro para abajo, se lavaba el pelo con champú, acondicionador y mascarilla, y Iannis jamás alcanzaría a entender la diferencia entre el producto anti encrespamiento, el protector de calor, el potenciador de reflejos y otros múltiples tarros que había en una cesta encima de la lavadora. Ducharse juntos era uno de sus deseos inalcanzables, igual que lavarse los dientes a la vez. En el baño, Laura necesitaba su espacio. Y Iannis estaba convencido de que su relación nunca habría llegado tan lejos si no hubieran tenido un piso con el inodoro en un cuartito separado del resto.

Iannis subió el volumen de la radio de la cocina, retiró la piel de los riñones de cordero y los puso en leche. Mezcló nueces de macadamia con aceite de macadamia, batió mantequilla con azúcar hasta que le quedó una mezcla espumosa a la que añadió la pasta anterior, un puñado de nueces, otro de almendras y algunos huevos y lo introdujo todo en un molde de horno. Para el almíbar de rosa, hirvió agua con azúcar, añadió unos cuantos capullos, robados de los rosales de la vecina, y un chorrito de agua de rosas, comprada en una tienda turca. Y justo cuando empezaba a ahumar la corteza de aliso en una cazuela al fuego, sintió las manos suaves de Laura por debajo de la camiseta. Ella apoyó la cabeza entre sus omoplatos, Iannis tapó la cazuela, se volvió y quiso hacer lo mismo, pero Laura no le dejó.

—Lávate las manos primero, que acabo de salir de la ducha —dijo sonriendo.

Iannis obedeció y se lavó las manos con agua caliente, pero, apenas se las hubo secado, comprobó que el interés de Laura por el contenido de las cazuelas había desplazado a sus intenciones cariñosas.

—Huele, huele...

Laura cerraba los ojos, olía, se recreaba..., y Iannis contemplaba su piel perfecta, su cabello rubio, cortado a capas hasta los hombros con una impecable raya a un lado y alisado con el secador. Llevaba un jersey de cachemir de un color rosa que le daba un aire dulce.

—¿Qué va a ser todo esto cuando esté listo?

Iannis contempló el despliegue de cazuelas y boles.

—Como entrante voy a ahumar unos filetes de carpa sobre corteza de aliso, que serviré aderezados con perifollo, pie de cabra, flor de ajo, milenrama, abrótano macho y artemisa sobre un lecho de acelgas que voy a aliñar con aceite de corteza de aliso y vinagre de hierbas y quizá una pizca de mostaza. De primero hay riñones de cordero con lirios japoneses encurtidos y trío de alcachofas: cuñitas de alcachofa cruda, alcachofa frita y crema de alcachofa. El plato principal es una paletilla de jabalí que tengo en el horno en un caldo corto de tomate, vino tinto y apio y que va acompañada de ensalada de col picuda con tiritas de tocino y brotes de llantén en reducción de *kirsch*. Y, de postre, crema de macadamia sobre biscuit de macadamia y ruibarbo al agua de rosas, capullos de rosa y almíbar de rosa.

—Y los capullos de rosa no se los habrás robado a la vecina, ¿verdad?

Iannis se encogió de hombros.

—Nooo. ¿Por qué dices eso?

—Por nada, está bien. Mamá y papá vienen a las seis —dijo Laura, agarró su *tablet* y fue a sentarse en el sofá.

Iannis miró el reloj. Tenía dos opciones: abalanzarse sobre Laura, que llevaba aquellos vaqueros ajustados que tan bien sentaban a la anatomía de su divino trasero o ultimar los detalles de su cena. Suspirando, miraba alternadamente a Laura y a los fogones. La corteza de aliso desprendía un olor maravilloso. A su lado estaba el amor de hortelano, con el que aún no había pensado qué hacer. Iannis agarró su cucharón de cocina, una tabla de cortar limpia y tomó posición frente a la encimera.

🍃 🍃 🍃

Sonó el timbre. Iannis soltó un taco.

—Pero ¡si es que son las seis menos cuarto, Laura! ¡Menos cuarto!

—Pues claro, cariño, las seis menos cuarto —le remedó Laura al tiempo que apretaba el botón del interfono. Iannis echó un vistazo a la masa de macadamia que había en el horno, se apresuró a envolver las carpas en papel de aluminio y las introdujo en la cazuela de ahumar. Le gustaban mucho los suizos, pero le desesperaba que siempre llegaran puntuales, es más: llegaban antes de la hora. Nunca conseguía tenerlo todo tan a punto como quería y, apenas hubo tapado de nuevo la cazuela, ya tenía en la cocina a Annemarie, la madre de Laura.

—Iannis —lo saludó ella efusivamente y tuvo que ponerse de puntillas para darle los tres besitos de rigor: mejilla izquierda, mejilla derecha, mejilla izquierda. Detrás de ella entró el padre, Beat, quien se le quedó mirando desde detrás de los gruesos cristales de sus gafas con unos ojillos redondos y brillantes como los de un hurón y olisqueó el aire como si acabara de asomar el hocico desde su madriguera.

—Mmmmm, ¡qué bien huele!

Los padres de Laura vivían en un chalecito en la punta sur del lago. El señor Hönggli había dado clases de latín y griego clásico en el liceo del cantón hasta hacía nueve meses, oponiéndose a su jubilación hasta que tuvo sesenta y ocho años. Desde que ambos estaban en casa, iban de visita una o dos veces a la semana. Eso sí, desde que Iannis, una tarde, se había encontrado a Annemarie en su propio dormitorio al despertar de la siesta con una erección imponente, había conseguido que Laura al menos les quitara la llave del piso. Si les hubieran dejado, habrían pasado por allí a diario a revisar si todas las bombillas lucían o si alguna planta necesitaba riego; de hecho, durante un tiempo, la madre le planchaba la ropa de cama y los paños de la cocina.

Laura era hija única. Iannis no entendía aquella relación tan estrecha con los padres, aunque fingía lo contrario. Pues Laura creía que también él era hijo único.

Nunca le había contado mucho de su familia, solo que no se llevaban bien porque estaban en contra de que se hiciera cocinero, motivo por el cual se había mudado a St. Pölten con sus tíos Lefti y Trudi, siendo aún muy joven. Otto había ido a verle a Zúrich todos los años, pero Iannis siempre había sabido inventarse alguna excusa para no tener que presentarle a Laura. «Es que está con varicela, en cuarentena», «Es que está de viaje de trabajo», «Es que tiene unos dolores menstruales tan terribles que no quiere ver a nadie».

Al principio le atormentaba el remordimiento, pero entretanto se había acostumbrado por completo a aquella mentira. La vida con Laura era agradable y estaba libre de complicaciones. No veía motivo para cambiar.

—Delicioso —dijo Beat, después de rebañar con la cuchara hasta la última miga de pastel de ruibarbo que le quedaba en el plato, se limpió la boca con mucho esmero y una servilleta de papel, se reclinó en el respaldo de su silla y apoyó las manos sobre la barriga. Annemarie asintió con la cabeza en señal de aprobación y Laura apretó discretamente la muñeca de Iannis con los dedos.

Iannis retiró los platos; aquella velada, en cierto modo, había marcado un hito: Annemarie se había comido los riñones de cordero sin chistar. El joven cocinero había asumido como una auténtica misión conseguir que la gente comiera más casquería. No solo era una carne muy sabrosa, fácil de digerir y muy rica en vitaminas, sino también un paso importante contra la escandalosa tendencia de los países ricos a desperdiciar alimentos, como él mismo explicaba siempre en largos discursos. Lo que, en secreto, le resultaba muy estimulante era que cocinar casquería no era cosa de principiantes, pues es uno de los pocos platos con los que un gran chef tiene ocasión de demostrar su maestría. Iannis metió los platos en el lavavajillas y lo puso en marcha. Le horrorizaban las cocinas sin recoger. También en el Trific tenía instruidos a los friegaplatos para que fueran lavando los cuchillos, sartenes y ralladores en cuanto se hubieran usado. Hacía poco, uno de los ayudantes le había tomado el pelo diciendo: «Al trabajar la madera, es imposible que no caiga viruta». Iannis se había encogido de hombros y le había contestado: «Ya, pero yo no quiero verla».

Cuando regresó a la mesa, los otros tres se le quedaron mirando con gesto expectante. Se preguntó si se habrían quedado con hambre, pero Beat carraspeó..., con ese carraspeo típico de los profesores de liceo local que, durante cuarenta y cuatro años, había servido para indicar a los alumnos que a continuación se anunciaría algo importante. Iannis se levantó, se acercó al aparador y sacó la botella de *tsipouro* que Lefti le había enviado por Navidad. Ya imaginaba lo que seguía. Siempre que Beat carraspeaba así, era bien que se habían descubierto cuatro versos ilegibles de algún poema griego en algún fragmento de papiro de alguna momia, bien que había pasado algo destacable en relación con la crisis de la economía griega, como luego exponía el padre de Laura en una perorata tan florida como incomprensible. A Iannis le maravillaba que nadie pudiera ser capaz de expresarse de forma tan farragosa sin sentir que estaba haciendo el ridículo.

—Verás, Iannis, se me ha ocurrido una cosa y me gustaría saber qué opinas al respecto. Tucídides, historiador a quien tengo en muy alta estima, dijo una vez que la Historia se repite. Como filólogo clásico que ha dedicado su vida al estudio de los antiguos griegos y romanos, así como a la transmisión de sus glorias a un joven público, llevaba yo ya tiempo pergeñando esta idea que ahora ha adquirido un peso especial en el marco de lo que podríamos llamar historiografía de la crisis económica griega. Grande ha sido, sin duda, el eco que se han hecho de ella los medios; populistas e injustos, permíteme esta valoración, los comentarios de muchos de esos periódicos menores de adquisición gratuita...

Si hubiera podido, Iannis habría dejado caer la cabeza con un sonoro ronquido. Manolis y él lo hacían siempre que Aspasia les ponía alguna profesora particular especialmente aburrida. Este recuerdo, de repente tan vivo e inmediato, también despertó en él una sensación extraña. Se le aceleró el pulso y sentía como si, en cualquier momento, pudiera aparecer un fantasma en la habitación.

—Decía, mi querido Iannis, que he pensado en escribir un libro sobre el tema de que la crisis financiera no es nada nuevo, sino una repetición de la crisis que vivió la democracia del Ática en el siglo tercero antes de Jesucristo.

Iannis siempre ponía su teléfono en silencio mientras cocinaba. No había oído entrar ningún mensaje ni ninguna llamada. El teléfono no había vibrado, ni se había encendido ninguna luz ni había sonado en ningún momento. No había hecho absolutamente nada, pero Iannis se levantó y fue a recogerlo de la mesita auxiliar del sofá, mientras Beat seguía con su parlamento:

—Los múltiples paralelismos son evidentes. Por ejemplo, el aparato burocrático y la administración. Antaño, como en nuestros días, estos sectores estaban inflados hasta un punto que no resulta rentable en absoluto y no tiene en mente sino sus propios intereses. Iannis se estremeció: cuarenta llamadas perdidas. Su abuelo, su madre. Números desconocidos. Tenía el buzón de voz lleno.

—Se dispendian sumas astronómicas en defensa militar…

Iannis fue leyendo muchos mensajes de texto escritos a toda prisa, y tuvo que verlos casi todos hasta que por fin tomó forma aquel rompecabezas de una desgracia terrible.

—Cultivar la corrupción y los propios intereses es algo habitual en cuantos ocupan un cargo público en la política —oía al padre de Laura. Como empezase a perorar, no cabía esperar que fuera breve.

Iannis se sintió mareado.

Evangelia, la mujer de Manolis, había sufrido un grave accidente al volver del trabajo. Varias operaciones a vida o muerte, horas y horas en quirófano. Ahora estaba en coma. Y Manolis, desaparecido. Le preguntaban si sabía algo él. No le encontraban.

—Las materias primas y las principales fuentes de recursos económicos siguen estando, hoy como en el trescientos antes de Cristo, en manos de inversores extranjeros. Todo lo que hubiera podido suponer beneficios para el país, en manos de un poder extranjero, arrendado por una suma irrisoria…

En la cabeza de Iannis se agolpaban las voces, pero no lograba descifrarlas.

Y, por primera vez en muchos años, sintió la presencia de su hermano igual que antes, igual que en aquella época en la que se comunicaban sin necesidad de hablar. Iannis sintió el dolor de Manolis en su propia carne.

—Iannis —lo llamó Laura—. ¿Va todo bien, cariño?

—Sí… —respondió él con un hilo de voz.

—Muy bien, ¿vuelves a sentarte con nosotros?

Lo último que le apetecía a Iannis era volver a sentarse con la familia de Laura pero, incapaz de pensar con claridad, obedeció como un robot. Se sentó y se sirvió un *tsipouro*. Beat y Annemarie intercambiaron miradas. Entonces, Beat prosiguió.

—A ver, dónde me había quedado yo... Ah, exacto: la siguiente prueba es que el Estado está tan endeudado hoy como en tiempos, aunque ningún gobernante se ha puesto a pensar nunca en cómo va a sobrevivir un Estado sin dinero. Ni siquiera lo hacen ahora, con lo dramática que es la situación.

«Si sobrevive...», resonaba en el interior de la cabeza de Iannis.

Annemarie tiró de la manga a Beat.

—No hables tanto, estamos en la mesa, que es para conversar, no para dar clase —siseó por lo bajo en el mismo tono de voz que también Laura dominaba a la perfección.

—En fin, Iannis, ¿qué opinas de mis teorías? Es evidente, ¿no?

Iannis pensó en Manolis.

—Es una gilipollez total —dijo, dando un largo trago de *tsipouro*—. Un profesor de griego jubilado se cree capaz de explicar el mundo con sus cuatro conocimientos de manual. Mira, Beat, no tienes ni puta idea de cómo le van las cosas a mi gente. El aire de las ciudades se ha vuelto negro porque la gente ha quemado todo lo que tenía porque ya no podía pagar la calefacción. Más de la mitad de los jóvenes está en el paro, sin oficio y sin perspectivas, toda una generación se ha ido a la mierda. ¿Tú crees que un país donde las farmacéuticas han dejado de abastecer a los hospitales, porque las aseguradoras están en suspensión de pagos, va a mantener con vida a una paciente en coma? Si no estás sano, te desenchufan y punto. ¿Y en Suiza? Aquí vivís en esta especie de isla idílica y protestáis de los extranjeros, pero al mismo tiempo os creéis que lo sabéis todo mejor que nadie. No dices más que gilipolleces. Una gilipollez encima de otra.

Iannis apuró el *tsipouro* que le quedaba e, igual que hacía Manolis cuando estaba furioso, se levantó tan de golpe que volcó la silla.

Laura no hizo por retenerlo, sino que abrazó a su padre y se disculpó por el comportamiento de su novio. Debía de haberse excedido con el vino mientras cocinaba, alcanzó a oír Iannis antes de salir por la puerta como un huracán.

Estuvo varias horas paseando alrededor del lago, se compró una cerveza y una salchicha en un quiosco y, cuando volvió a casa por la noche, sus esperanzas se habían hecho realidad: Laura ya se había ido a dormir. Sin lavarse los dientes, se echó en el sofá. Como no podía conciliar el sueño, primero se puso a ver trucos de cocina en Youtube y, en algún momento, fue a dar con la página de Air Aegean y luego con una de ofertas de vacaciones Last Minute. Sin pensar que lo hacía en serio, buscó vuelos a la isla. Ochenta francos suizos, última hora, solo ida, desde Zúrich-Kloten con escala en Roma-Fiumicino. Como en trance, sacó su tarjeta de crédito. Rellenando el formulario de registro se sintió como al borde de un lago a tres grados de temperatura. Y con un «click» se tiró al agua.

Iannis se despertó al notar que Laura se había tumbado a su lado.

—Luego le pides disculpas a mi padre, por favor —dijo—. Ya sabes cuánto me importa que nos llevemos bien con nuestras respectivas familias. Yo también me porto bien con Lefti y Trudi, aunque cada vez que vienen vacíen el tanque de aguas fecales de su camión casa por la alcantarilla de la entrada de los garajes.

Iannis se preguntó si Laura no sospechaba que le ocultaba algo. Que incluso Lefti y Trudi participaban de su mentira porque él se lo había pedido.

Y por primera vez desde que estaban juntos, Iannis sintió que la cercanía de Laura le pesaba. Se dio media vuelta. Laura se abrazó a su espalda, apretando el vientre con fuerza contra ella. Cuando se quedó dormida, Iannis reparó por primera vez en que respiraba muy fuerte.

Se liberó del abrazo, se levantó y se dirigió con sigilo al pasillo entre el baño y el dormitorio donde Laura había hecho realidad su sueño de tener un vestidor espléndido, y se puso a llenar la maleta más grande que encontró.

—Iannis, cariño, ¿qué estás haciendo? —preguntó Laura al poco rato, frotándose los ojos medio dormida.

—Me voy a mi casa.

Al instante, Laura estaba completamente despierta.

—¿A Makarionissi? ¿Así, por las buenas, sin mí?

—Sí —respondió Iannis.

—Pero ¿cuándo? ¿Por qué?

Iannis quiso explicárselo, pero no sabía por dónde empezar. Se sentía igual que en cierto momento del invierno anterior, un día que habían subido a esquiar y, tras una hora en la pista infantil, tomó el telesilla para subir hasta la cima. Al mirar hacia abajo le entraron náuseas, de pronto no se acordaba ni de cómo se hacía la cuña, así que se rindió ante la pronunciadísima pendiente, se quitó los esquíes y volvió al telesilla andando, en tanto que Laura ya se había lanzado pista abajo y estaba demasiado lejos como para poder subir de nuevo hasta él. De repente, aquella imagen se le antojó casi perfecta para toda su relación.

—Dentro de tres horas —dijo sin atreverse a levantar la voz y se concentró en la maleta.

Laura descorrió las cortinas con la intención de salir a la terraza a tomar aire fresco, como hacía siempre que se enfadaba, pero no era capaz de exteriorizar el enfado porque su talante pasivo-agresivo se lo impedía. Sin embargo, en su terraza había un ser envuelto en un traje de plástico amarillo. Laura dio un grito de susto. La señora Niederbichsl, con un mono de protección contra riesgos bioquímicos, levantó la vista de los arbolitos de boj. En la mano llevaba un bidón de fumigar.

—¡No abra la puerta! —advirtió a Laura desde el otro lado de la cristalera—. Acabo de echar pesticida a sus macetas de boj, pensé que se levantarían más tarde, porque como ustedes siempre se levantan tarde… Tienen que esperar unas horas antes de salir. Es una medida preventiva. Porque, con una acción a tiempo, luego no hay que reaccionar cuando es demasiado tarde. —Y, con estas palabras, volvió a ocuparse del boj.

—¿Es que os habéis vuelto todos locos? —preguntó Laura desesperada y corrió a la cocina.

—No —musitó Iannis, y por primera vez en su vida pensó que la señora Niederbichsl tenía razón. Mejor una acción a tiempo que reaccionar demasiado tarde.

Canto IX

En el que algunas historias acaban bien
y otras no. Como suele pasar, siempre que
de héroes se trata.

Ironías de una grúa

La noche en que Manolis Aniston perdió su alianza de boda, de entrada no le pareció algo tan terrible. Con la cantidad de buen vino que Aris Theofilakis les había servido a sus amigos y a él en la taberna, a la mañana siguiente no recordaba ni cómo había podido pasarle algo así ni cómo había llegado a casa siquiera. Desde que cerrara la fábrica de cortes de goma espuma Zeus Enterprisis, al este de la isla, la taberna de Aris Theofilakis solía estar hasta la bandera casi todas las noches, pues un tercio de los habitantes de la isla se reunían allí para planear la continuación de las protestas. Sin duda, Manolis sabía que eso no podía seguir así eternamente, pero el ambiente de la taberna era magnífico. El *ouzo* estaba especialmente rico, pues lo hacía la propia madre del tabernero según la receta de su bisabuela, quien a su vez había tomado la receta de su bisabuela. Aquel *ouzo* también atraía a la taberna de Aris a los habitantes de las islas vecinas, e incluso había quienes le atribuían propiedades medicinales.

Por la mañana, Manolis pensó en desmontar el sifón del lavabo, pues siempre que su mujer, Evangelia, perdía una de sus lentes de contacto, la encontraban en el sifón. Sin embargo, al agacharse, Manolis notó cuán funesto había sido mezclar *ouzo* y vino. El mareo y el dolor de cabeza eran tan fuertes que decidió tumbarse con un paño mojado sobre los ojos y esperar por si, entretanto, la alianza aparecía por sí sola.

Manolis ya había perdido en su vida muchas cosas a las que tenía gran aprecio: la cadena del reloj de su tatarabuelo, oriundo de las montañas, allá en la frontera greco-albanesa; su calcetín de la suerte, el del agujero en forma de trébol en el talón; los calzoncillos que llevaba la noche en que perdió la inocencia..., y casi todo el pelo. A excepción de esto último, todo lo demás lo había vuelto a encontrar. La cadena del reloj apareció en el jardín, en una caca del perro del vecino, el calcetín de la suerte lo desenterró en la playa el hijo de un buen amigo y los calzoncillos se los devolvió su primera novia cuando, tras pillarle con su hermana, le tiró desde el balcón todas las cosas que él se había ido olvidando en su casa.

En caso de que la alianza no regresara a él, siempre podía ir a la tienda de dulces y regalos de Andreas Dimas para encargar una nueva, pensó Manolis. Evangelia lo comprendería, de eso estaba seguro, pues su mujer era más comprensiva que toda la isla junta, sobre todo con él. Jamás le había regañado por volver borracho a casa. Los domingos, le dejaba ver la tele en paz, y solo cuando él blasfemaba tan fuerte que podían oírlo los vecinos, una pareja jubilada un tanto picajosa, se enfadaba un poco..., pero nada más que un poco. En su día, Aspasia se lo decía a menudo: «Manolis, lo que tú necesitas es una mujer con mucha paciencia y muy comprensiva». Por lo general no lo decía, sino que lo gritaba, clamando al Cielo con la cabeza hacia atrás, después de que él hubiera vuelto a hacer alguna de las suyas: «¡Ay, María, Madre de Dios, envíale una buena mujer a mi Manolis, por favor!». Así pues, María-Madre-de-Dios terminó por escuchar sus plegarias y, un buen día, le envió a Evangelia. Manolis la quería mucho; la quiso desde el primer momento, desde que María-Madre-de-Dios se la envió directamente a la cola del supermercado norteamericano en la que Manolis intentaba colarse.

—¡Tú te quedas ahí detrás de mí, majo! —le había dicho Evangelia en tono severo. «Yo donde me quedo es contigo», había pensado Manolis.

A Manolis no le preocupaba cómo explicarle a su mujer que la alianza había desaparecido. Se lo diría por las buenas, igual que le había dicho siempre todo y ella lo había comprendido todo. Los amigos de Manolis decían que era porque Evangelia trabajaba como cuidadora de ancianos en la isla grande. Decían que quien era capaz de tratar con gente que llevaba pañales, perdía la dentadura una y otra vez y confundía a cualquier desconocida con su propia hija también podía sobrellevar a Manolis Aniston.

A pesar de todo, antes de que Evangelia volviera del trabajo con el transbordador de las cinco de la tarde, Manolis tomó la precaución de ir al supermercado, comprar una botella de un vino francés que le gustaba mucho y un ramo de flores, y recoger la casa.

Era miércoles y en el transbordador llegaron cinco pasajeros. En primer lugar bajó el matrimonio Tholeti, luego el joven maestro de escuela Militiades Cassavetes y después dos personas más que Manolis no conocía.

—Stathis —le dijo al conductor a voces, cuando lo vio en el puente de mando—, ¿sabes dónde está mi mujer, Evangelia?

Stathis Karapanos limpió un poco de excremento de gaviota de la barandilla y negó con la cabeza.

—De hecho, he esperado un cuarto de hora para zarpar —añadió Sthatis desde el timón—, pero no ha venido. Dale recuerdos a tu familia y dile a ese chiflado de vecino que tienes que se vaya al infierno.

Manolis sacó su teléfono y soltó un taco. Como le había vencido hasta el último aviso para ponerse al corriente de pagos, se había quedado sin servicio.

Sthatis Karapanos volvió a desaparecer en el interior de la cabina y Manolis se quedó solo. Esperó a que llegaran dos transbordadores más, pero Evangelia no vino. Aquel miércoles no vino en ninguno de los transbordadores.

—Evangelia ha tenido un accidente, un accidente muy desafortunado —le contaron Fani y Theofilos Chatzidakis, los vecinos, cuando volvió a casa. Mientras él esperaba en el puerto, el hospital había estado llamando a su casa sin parar, así que se habían preocupado y habían acabado entrando por la ventana de la cocina para contestar. En un primer momento, Manolis no quería dar crédito a lo que le decían, pues eso de que los dos jubilados, a pesar de sus problemas de cadera, hubieran sido capaces de trepar por la ventana de su casa le resultaba tan surrealista que también el resto se le antojaba una broma.

—Se debate entre la vida y la muerte, es un milagro que siga viva —lloraba Fani, y Manolis se desplomó sobre la silla de plástico de la cocina.

—La están operando, los médicos hacen todo lo que pueden —añadió Theofilos con cautela y abrió una botella grande de *ouzo*. Manolis permanecía sentado a la mesa de la cocina sin articular palabra, mirando el vino francés que había comprado. Como alcanzado por un rayo, había perdido el hilo de la conversación, eran demasiadas informaciones al mismo tiempo y ya no sabía si aquello estaba sucediendo de verdad o si no seguía borracho en la cama y todo era una simple pesadilla.

—¿Por qué tendría que pasar por esa obra justo en el momento en que se desplomó la grúa? —murmuraba Fani.

—¡Qué mala suerte, es que no hay derecho! —suspiraba Theofilos, apurando el siguiente vaso de *ouzo*.

—¿Una grúa? —balbuceó Manolis.

—No lo pienses, Manolis. No trates de imaginártelo. —Fani le puso una mano en el brazo.

—Los del hospital han dicho que volverían a llamar en cuanto termine la operación.

—Claro que también puedes irte para el hospital y esperar allí.

—¿Quieres que te acompañemos?

—Te podemos acercar al puerto en coche.

—He perdido mi anillo de boda. —Fue cuanto Manolis alcanzó a decir con un hilo de voz antes de agarrar la botella de *ouzo* para bebérsela entera de cuatro tragos, mientras Fani y Theofilos permanecían con las temblorosas manos entrelazadas.

🖊 🖊 🖊

La innegable ventaja de vivir en Makarionissi era que las cosas que uno perdía, fuera como fuese, seguían en la isla. Con toda probabilidad, Manolis Aniston habría hecho alguna que otra tontería durante aquella noche de borrachera en que perdió la alianza, pero lo que, sin lugar a dudas, no había hecho era abandonar la isla, así que estaba convencidísimo de que muy pronto volvería a encontrarla. Por consiguiente, lo primero que se le ocurrió nada más salir del hospital, en la isla grande, no fue llamar a su familia sino comprar un detector de metales.

La familia no se enteró del fatídico accidente hasta la tarde siguiente, y porque Aspasia se encontró al matrimonio Chatzidakis en la compra.

—Fani, Theofilos, ¿qué tal? Ya he visto que tenéis el oleandro precioso, no me lo podía creer la última vez que pasé por el jardín de Manolis —comentó mientras alargaba la mano hacia un paquete de harina de maíz, en tanto que los Chatzidakis se agarraban al carrito del supermercado. Como Aspasia siguió andando tan tranquila, se miraron estupefactos. Fani posó una mano sobre su hombro.

—Lo siento muchísimo. Espero, de verdad, que salga adelante.

—Bueno, seguro que sí. Es muy dura —dijo Aspasia, pensando que se refería a la alheña que tenía ella en la entrada de su casa y que estaba hecha una pena por haberle puesto demasiado abono. La alheña enmarcaba toda la fachada que daba a la calle, y todos los vecinos con los que se había cruzado ese día le expresaban su pesar ante el trágico destino de aquel arbusto.

—Pero, Aspasia, siempre creí que le tenías mucho cariño.

—Qué le vamos a hacer, si fenece, pues ya la sustituiremos.

—Pero, Apasia, ¡cómo puedes hablar así de tu nuera mientras se debate entre la vida y la muerte!

A Aspasia se le cayó el paquete de harina de las manos y, al dar contra el suelo, explotó. Se levantó una inmensa nube de polvo blanco, tan blanco como su rostro: Manolis no le había dicho nada. Es que no era capaz de verbalizar el dolor, le vino a la mente. Cuanto menos hablaba de una cosa, más le dolía. El nombre de Iannis solo lo había pronunciado tres veces en los últimos años.

§ § §

Rhea, quien, desde que había puesto en venta la pensión de su padre, trabajaba como recepcionista en uno de los hoteles de la ciudad, al este de la isla, fue la última en llegar a casa de Manolis porque previamente tuvo que abrirse paso a través de una manifestación de basureros que habían iniciado un huelga solidaria junto con los funcionarios del Estado y la Asociación de criadores de pollos y de burros.

—Ojalá no haga ninguna tontería —dijo Aspasia, quebrándosele la voz.

—Estará en el hospital —conjeturó Rhea, aunque cuando llamó la enfermera le dijo que hacía horas que el señor Aniston se había marchado. Eleni le arrancó el teléfono de las manos y se puso a gritarle a la enfermera, pero esta se negó a darles información más detallada sobre el estado de salud de Evangelia.

—¡Tenemos que ir a buscarlo!

Otto fue a la taberna de Aris, Eleni se dirigió al hotel, Aspasia iba a quedarse en la casa por si entretanto aparecía por allí. Rhea, que salió a recorrer el vecindario, lo encontró a solo tres calles de allí.

Llevaba un detector de metales sujeto al cuerpo con un cinturón y una especie de tirantes. Muy despacio, iba pasando el plato sobre los matojillos de hierba que brotaban entre las juntas de los adoquines de la acera.

—Manolis —lo llamó Rhea, pero él no reaccionó—. Nos acabamos de enterar, lo siento muchísimo. ¿Qué podemos hacer?

Pero Manolis no articulaba palabra. Solo clavaba la mirada en la pantalla que había entre las asas del detector, inspeccionando minuciosamente hasta el último borde de la acera. Hasta que no acudieron su madre y sus abuelos y formaron a su alrededor un círculo tan cerrado que no le dejaba seguir avanzando con el detector de metales, no se paró un instante ni levantó la vista, y entonces dijo:

—Apartaos. Tengo que encontrar mi anillo.

No había modo de hablar con él. Daba igual lo que intentara su familia, él solo se comunicaba con su detector de metales. Y ese fue el momento en que Otto y Aspasia decidieron contárselo a Iannis. Ya lo habían intentado algunos amigos de la infancia al enterarse de lo ocurrido, pero no le habían localizado. No les había contestado ni a las llamadas ni a los mensajes de texto, Facebook, WhatsApp, Viber o Skype. En aquel momento, Iannis resultaba tan inaccesible como su hermano.

🍂 🍂 🍂

En el puerto de Politouranou, que en realidad estaba un poco alejado del centro de la localidad, a poca distancia del muelle donde anclaba el transbordador de Stathis Karapanos, había un olivo grande y hermoso del que se decía que era tres veces más viejo que Laertes Stamos, el hombre más viejo de la isla. Alrededor del olivo había bancos, y por el día se reunían allí los abuelos de Makarionissi a determinar las opiniones de la comunidad de la isla. Cuantos pasaban por allí saludaban a los ancianos que conversaban bajo el olivo, en aquel momento sobre un único tema: la enajenación mental de Manolis Aniston. Al principio, la isla se había sumado a su pena; ahora, el colectivo meneaba la cabeza. En lugar de ir a visitar a su mujer, que seguía en coma, él pasaba día y noche barriendo las calles con un aparato rarísimo que, según creía, le ayudaría a encontrar su alianza.

Era un jueves de la segunda semana de julio y bajo el olivo se había sentado un pequeño grupo. Andreas Dimas, el propietario de la tienda de dulces y regalos. Mathilda Ouranoukis, una mujer muy entrada en carnes cuyo cabello se había vuelto de color morado por la cantidad de veces que se lo había teñido de negro en su juventud. Enfrente de ella dormitaba el anciano Laertes Stamos, quien, con su complexión enjuta, se veía tan fuera de lugar al lado de la corpulencia de Mathilda como una ciruela pasa obligada a compartir cesta de frutas con una oronda sandía. Laertes Stamos dormía la siesta debajo del olivo a diario, y algunos habitantes de la isla atribuían su longevidad y buena salud a esa costumbre. Por último, compartían el banco del extremo los Petroulis, que llevaban cincuenta y dos años casados y se peleaban unas cinco veces diarias. Esa mañana, el señor Petroulis había confundido su dentadura postiza con la de su mujer. Como tenían dos pastas limpiadoras distintas, el señor Petroulis había utilizado la suya para los dientes de su señora y ahora ella no lo soportaba.

—¡Ay, Gavril, qué asco! —se le quejaba desde hacía dos horas—. Es que me sabe la boca a aliento de gato.

Justo cuando el señor Petroulis iba a abrir la boca para defenderse, oyeron que la bocina del transbordador daba cuatro toques. El matrimonio Petroulis se quedó mudo, Laertes Stamos despertó de golpe y, al instante, cuantos estaban en el paseo marítimo y el puerto supieron que pasaba algo muy inusual, pues Sthatis no solo era un hombre de naturaleza serena sino que también era un capitán de barco muy sereno que, a lo sumo, tocaba la bocina una vez cuando se acercaba a la costa.

No habría llegado el transbordador al puerto cuando ya se habían congregado a ambos lados del muelle tres docenas de personas, y la señora Ouranoukis juraba que había siete veces más gaviotas planeando sobre el agua, cuando se vio cruzar el puente para poner el pie en Makarionissi a un hijo de aquella tierra con quien nadie había contado. Todo el mundo se quedó sin respiración al bajar del barco Iannis Aniston.

—¡No! —se le escapó a Mathilda Ouranoukis.

—¿Ese no es...? —preguntó Andreas Dimas.

—¡Pues claro que es! —dijo Mathilda.

—Desde luego, Gavril, es que no te acuerdas de nada —increpó a voces la señora Petroulis al señor Petroulis—. ¿Por qué no me dijiste que venía Iannis Aniston? ¡Si estuviste hablando con su madre ayer mismo!

El señor Petroulis, a su vez, no se dejó intimidar sino que le devolvió las voces a su señora, pues Aspasia no le había dicho ni palabra de que venía su hijo, y aunque en Makarionissi imperaba la tácita regla de no inmiscuirse en las peleas del matrimonio Petroulis, todos los presentes, refugiados bajo la sombra del olivo, le dieron la razón a él: Aspasia no le había dicho nada a nadie.

Iannis no había cambiado apenas: rizos negros, pómulos marcados…, únicamente la piel se veía más pálida que antes.

—Pues sí que es él —balbuceó Andreas Dimas en tanto que se le acercaba el joven Aniston, arrastrando una maleta con ruedas en la mano izquierda y con una bandolera de cuero mal colgada del hombro derecho, y luego les estrechaba la mano como cuando era un muchacho de doce años.

—¡Laertes, qué bien te veo! ¡Como si acabaras de cumplir los ochenta!

Los ancianos, que solían lanzarse a cotorrear al instante y, en casos de emergencia, incluso llegaban a comentar un tema diez veces al día, estaban mudos de asombro.

—Señora Ouranoukis, qué pelo tan bonito. Y los Petroulis…, ¡si no llegué a felicitarlos por sus bodas de oro! ¿Y cómo va el negocio, Andreas?

Mathilda Ouranoukis no lograba cerrar la boca y Laertes Stamos buscaba las gafas por todos los bolsillos de su chaqueta. Era demasiado presumido para ponérselas en público, pero en esta ocasión quería ver las cosas bien.

—Los más venerables de la isla reunidos bajo el olivo, de toda la vida… Da gusto ver que algunas cosas no cambian nunca —dijo Iannis, y como siguiera sin contestarle nadie, se colgó bien la bandolera y sacó unas gafas de sol del bolsillo de la camisa—. Pues nada, voy a seguir para casa. Pero me alegro mucho de verles. Hasta pronto.

Inclinó la maleta para que rodase y echó a andar hacia las calles interiores del barrio del puerto. El traqueteo de las ruedas sobre el pavimento irregular siguió oyéndose hasta mucho después de desaparecer él de la escena.

🍂 🍂 🍂

Iannis no había comido nada desde la salchicha del puesto del quiosco durante el paseo nocturno alrededor del lago. Durante todo el viaje desde Zúrich hasta Makarionissi, pasando por Roma, había estado demasiado nervioso como para pensar siquiera en la comida. Además, tenía un nudo en el estómago por la forma en que se había despedido de Laura. Después de explicarle que no podía acompañarlo, porque antes tenía que solucionar él solo una serie de cosas, ella había guardado lo imprescindible en un bolsito y se había ido a casa de sus padres. «Entonces yo también quiero estar sola», le había dicho con voz entrecortada, y a Iannis casi se le había partido el corazón. No obstante, la había dejado marchar sin decirle ni una palabra, aunque acordándose de que, en los últimos años, su abuelo Otto le regañaba una y otra vez por ser igual que Eleni. Y, además, era incapaz de pedir perdón. Pero entonces Iannis pensó que, en el fondo, no tenía ningún motivo para pedir perdón. ¿Perdón por qué? Al fin y al cabo, estaba en todo su derecho de ir a ver a su familia. Como también de no contarle todo sobre ella a cualquiera. Aun así..., una tenue vocecilla que le llegaba desde la zona del diafragma deseaba, desde el momento en que se había enterado de la desgracia, que Laura lo supiera todo. Deseaba poder hacer frente a aquella situación con ella.

Arrastrando la maleta y con el estómago rugiéndole de hambre, fue del puerto a la plaza, detrás de la cual estaba la casa de su madre. La panadería había cerrado, algunas familias se habían ido y nadie se había ocupado de aquellas calles desde hacía años. Por todas partes crecía la hierba entre las grietas del pavimento, y los amortiguadores de los coches daban unos botes tremendos al pasar sobre los baches del asfalto. Con todo, lo que más le hizo estremecer fue ver la pensión Afrodita, que en su día había pertenecido a la familia de Rhea. Las ventanas de la planta baja estaban clausuradas con tablones. El jardín donde jugaban al escondite de niños y detrás de cuyos matorrales buscaban tesoros parecía una selva. De la valla del jardín delantero, a la que le faltaban dos tablas, colgaba un cartel descolorido: «Se vende».

Y, entonces, Iannis se encontró de nuevo frente a la casa en que había crecido. ¿Siempre había sido tan pequeña?, se preguntó, y por primera vez le llamó la atención la maraña de cables al aire que colgaba del tejado, de las diversas antenas de los televisores. En Suiza, ya habría acudido algún funcionario a ponerles una multa. Iannis llamó a la puerta con los nudillos. Mientras esperaba, los dedos pequeños de los pies se le tensaron tanto que asomaban disparados por el borde de las chanclas. Pero junto a la vanidad, la soberbia y el orgullo herido, también sentía algo que podía llamar ilusión. Estaba de nuevo en casa.

Abrió la puerta Aspasia.

Y le mudó el color como si se le hubiera aparecido Zeus en persona y dio un salto hacia atrás.

—¿Iannis? —preguntó la madre sin dar crédito a sus ojos y se le acercó con cautela. Él solo la recordaba con brillantes rizos rubios, pero ahora llevaba el pelo recogido en un moño tirante en la nuca. Iannis advirtió sus profundas ojeras y también notó que había estado llorando.

—Sí, soy yo —respondió él, e iba a entrar en la casa pero su madre le rodeó el cuello con los brazos con tanta efusión que se le resbaló la bolsa del hombro. Llevaba el portátil dentro, pero en aquel momento le dio igual que se rompiera; lo único que contaba era sentirse abrazado por su madre, a quien tanto tiempo llevaba sin ver.

Sin embargo, a continuación, una pregunta hizo que madre e hijo se soltaran. Una pregunta muy breve, inocua, una pregunta que tal vez era más una exclamación, la mera expresión de un asombro infinito.

—¿Iannis?

Iannis conocía aquella voz. Aunque no la hubiera oído en muchos años, no había olvidado cómo sonaba. Iannis se despegó de su madre y se volvió.

Rhea llevaba dos bolsas de plástico en cada mano cuando él se dirigió hacia ella, se le cayeron sin querer y las botellas que contenían se rompieron con un estrepitoso ruido de cristales.

Se quedaron mirándose fijamente como dos perros aún indecisos entre mover el rabo o saltarse a la yugular.

Habían pasado tres años. Pero no daba igual. Rhea contenía la respiración. Iannis fue el primero en romper el silencio.

—Bueno, vivo aquí —dijo en tono cortante. Rhea se puso colorada. Acariciando el brazo de su hijo, intervino Aspasia:

—Rhea también vive aquí, Iannis.

Iannis no dijo ni una palabra, sino que subió por las escaleras, abrió bruscamente la puerta de su habitación y se sintió como si, en el intervalo de unos segundos, se hubiera adueñado de su cuerpo una gripe terrible que en cualquier momento inutilizaría sus músculos y haría fallar sus rodillas.

La pared a través de la cual Manolis y él se comunicaban mediante golpecitos ahora estaba abierta mediante un arco. Los pósters habían desaparecido, las paredes estaban pintadas de amarillo y, en un rincón, reconoció el tocador antiguo que Rhea había heredado de su bisabuela y del que ya de niña se sentía muy orgullosa.

—Me podías haber dicho que ya no soy bien recibido en esta casa —dijo Iannis a su madre mientras bajaba la escalera corriendo, se apresuraba a recoger su maleta y su bolsa y se precipitaba a la calle principal. Aspasia salió corriendo detrás de él.

—Pero ¡Iannis! ¡Yo no sabía que venías! Hace tanto que te marchaste... ¿Y adónde iba a ir Rhea?

Iannis paró un taxi, no esperó a que el conductor se bajara para abrir el maletero, sino que metió él mismo la maleta en el asiento de atrás y le dio orden de ponerse en marcha de inmediato. Por el retrovisor pudo ver que su madre corrió detrás del coche durante un rato.

—¿Y adónde le llevo?

Iannis suspiró.

—¿Conoce Cala Malanixi?

—¿Dónde el cantante chalado ese que vive en un autobús asqueroso?

—Exacto —dijo Iannis.

El taxista aceleró. Iannis no pudo evitar echar la mano a la agarradera de la ventanilla cuando el conductor dio un volantazo para apartarse hacia la derecha y tocó el claxon. Iannis se llevó un susto.

—¿Qué ha sido eso?

—Nada, que he tenido que esquivar a Manolis, el que fuera jefe del sindicato de la antigua fábrica de goma espuma.

Iannis se estremeció. Sintió una punzada justo donde está el diafragma.

—El pobre Manolis ha perdido la cabeza. Su mujer está en coma y él se pasa el día recorriendo la isla con un detector de metales buscando su alianza.

🌿 🌿 🌿

El abuelo Otto enloqueció de alegría al ver a Iannis.

Se les hizo de noche charlando en las tumbonas que Otto seguía teniendo delante del autobús y admiraron el fuego de la chimenea eléctrica que el alemán había mandado instalar sobre la arena, dado que el gobierno insular había prohibido hacer hogueras al aire libre durante los meses sin lluvia. En realidad era el único que se atenía a la normativa, pero, claro, también era el único alemán de toda la isla, como decía riendo cada vez que los lugareños meneaban la cabeza por algo relacionado con él. Bebieron cerveza y alguna que otra copita de aguardiente, comieron bombones, y Otto intentó ofrecerle un resumen rápido de todos los acontecimientos que habían marcado los últimos años de Makarionissi. Iannis solo le prestaba atención a medias, las palabras del abuelo se mezclaban con el fuerte murmullo de las olas, que tanto había echado de menos. Iannis se recreó sintiendo la arena entre los dedos de los pies, el olor del aire salado del mar abierto y de los plátanos de paseo al calor del sol.

Faltaba poco para la medianoche cuando, ya más que bien templados abuelo y nieto por los dionisíacos placeres fruto de la ley de pureza de la cerveza bávara, Iannis preguntó:

—Abuelo, ¿por qué no me contaste que Rhea vive con mi madre?

Otto se puso a toser. Iannis estaba borracho, pero no tanto como para no darse cuenta de que era una tos fingida.

—Pero si te lo escribí en el «boletín de noticias».

—No, si al final tendría que haberlos leído —farfulló Iannis y entró en el autobús, donde su abuelo le había preparado el sofá cama. Se echó a dormir vestido. Había olvidado el cansancio que provoca el aire del mar. Y el cansancio que provocan los sentimientos.

Antes de quedarse dormido, pensó en Manolis. Quería hablar con él, acercarse a él. Pero luego decidió que ahora le tocaba a su hermano. Él, Iannis, ya había dado el primer paso. Después de todo, había vuelto. Además, Manolis era quince minutos mayor. Y siempre había sido el más díscolo y el más valiente.

Iannis se despertó pasadas dos horas. En la playa se había levantado un ligero viento que entraba por la puerta abierta del autobús. Iannis tanteó hacia la derecha y hacia la izquierda y, de pronto, tomó conciencia de dónde estaba. Y de que, por primera vez en mucho tiempo, no tenía a su lado a Laura Hönggli. Los goznes de la puerta chirriaban.

Encontró el teléfono al lado de la almohada. Hizo de tripas corazón y lo encendió. Por primera vez desde que saliera de casa en Zúrich.

Esperaba un aluvión de mensajes. Sin embargo, el móvil permaneció mudo. Iannis lo apagó y salió del autobús. Lo volvió a encender y el móvil siguió tan mudo como antes. Activó el servicio de *roaming,* recibió toda suerte de mensajes informativos y *spam,* pero nada de Laura.

Con eso no había contado.

Guardó el iPhone y dirigió la mirada hacia la oscuridad, hacia la dirección del mar que apuntaba a Europa. A Laura le gustaría aquello, pensó, a su chica del lago de Zúrich.

Volvió a sacar el teléfono y escribió un SMS.

Lo siento. Dijiste que no se puede tener futuro si no estás en paz con el pasado. Eso intento. Tú eres mi futuro.

Se disponía a volver a la cama cuando vibró el teléfono. Pasadas las once, Laura solía estar durmiendo.

Al futuro no se le debe tratar como al pasado.

Iannis leyó el mensaje tres veces, tomó impulso con el brazo y lanzó el iPhone al mar, bien lejos.

Al entrar en el autobús de Otto, notó una bofetada de aire caliente y enrarecido. Agarró dos mantas y un almohadón y se fue a dormir a la playa, como en tiempos, cuando Manolis y él aún eran niños.

Por qué las nereidas persiguen
un mar en calma

—Manolis, Iannis ha vuelto a la isla.

Aspasia caminaba junto a su hijo mientras este recorría cada centímetro del jardín delantero de la taberna de Aris con su detector de metales. Ella tenía la esperanza de que la noticia provocara en él algún tipo de reacción, pero Manolis siguió sin decir palabra y absorto en la pantalla.

Aspasia siguió a su lado unos minutos más, en silencio. Una y otra vez buscaba el contacto con su hijo, pero él se resistía a que le tocaran.

Les habían dicho del hospital que el estado de Evangelia no había variado. Tampoco había variado el estado de Manolis.

🍃 🍃 🍃

Cuando Iannis se despertó, vio que en la tumbona había alguien a quien no había contado con ver. Tenía la esperanza de que Manolis quizá pasara por allí *por casualidad,* del mismo modo en que, en tiempos, siempre acababa sentado en su cuarto *por casualidad* cuando quería hablar de algo pero no encontraba las palabras adecuadas y esperaba que Iannis le leyera el pensamiento y le echara un cable. Sin embargo, quien estaba sentada en la tumbona, descalza y con un diario entre las manos, era su abuela.

—¿Has dormido bien? —le preguntó en lugar de recibirlo de otro modo. Iannis sabía por Otto que Eleni seguía tomándole a mal que se hubiera enfadado con ella por alimentar las dudas de Rhea el día de la boda. En los últimos años, Eleni no le había llamado ni una sola vez. Por naturaleza, no se le daba bien mantener el contacto con la gente que tenía lejos. Pero, sobre todo, hasta la fecha seguía convencida de haber actuado bien. Como siempre, creía haber actuado bien, aunque lo hubiera hecho todo mal. Lefti le había contado a Iannis que ya era así cuando ambos aún eran niños y cuidaban las cabras.

—Más o menos. El aire del mar sienta bien —respondió Iannis midiendo sus palabras y volviéndose en busca de Otto para que le ayudase. Sin embargo, la toalla de playa y las chanclas solitarias frente al mar le indicaron que el abuelo no habría de sacarlo del apuro. Ya estaba en el agua, nadando alrededor de la cala como todas las mañanas.

—Y que lo digas, el aire del mar sienta muy bien —dijo Eleni.

Y se hizo el silencio. Solo se oían los chillidos de las gaviotas hambrientas que planeaban alrededor del autobús de Otto con la esperanza de conseguir algún desayuno.

—¿Has venido a decirme algo? —preguntó Iannis pasados unos minutos.

—Bueno, a saludarte.

Iannis intentó respirar sosegadamente. Lefti le había enseñado que, en pleno estallido de la emoción, uno suele hacer justo lo que no debe. Pero Lefti estaba a cientos de kilómetros, así que Iannis dijo:

—Mira, Eleni, yo he venido. Pero lo que pasó no está ni perdonado ni olvidado.

Eleni se levantó de un salto y tiró el periódico al suelo.

—¡Ya está bien, Iannis! ¡Esto es ridículo! ¡Llevas años haciéndote el gran sufridor cuando eres al que mejor le va de todos nosotros! Aspasia trabaja trece horas al día para pagar la hipoteca. Tu abuelo está muy mayor, yo me mato a trabajar en el hotel, que aún se mantiene a duras penas. Rhea hace turnos de doce horas y ni siquiera se puede permitir un piso para ella sola. Y tu hermano no solo está en el paro, sino que tiene a su mujer en coma porque una constructora insolvente no tenía dinero para desmontar su maldita grúa deteriorada. Y tú, ¿qué? Vives a todo tren en Suiza con una novia guapísima y ganas dinero a espuertas mientras que aquí nos dejamos la piel solo para sobrevivir. Y luego vuelves y, en lugar de ocuparte de tu hermano, que está a punto de perder la cabeza del todo, ¿¡aún esperas que primero vengamos todos a pedirte disculpas!?

Iannis se preguntó qué haría Lefti en tal situación. Estaba harto de dramas. Quería estar en paz, pero seguía teniendo su orgullo. Vaciló un instante y luego, todo lo calmado que supo mostrarse, dijo:

—Ya me lo había advertido Lefti. Dijo que ya de niña preferías llevarte un bofetón a pedir disculpas. Ayer me preguntó por teléfono si habías cambiado. Ahora veo bien claro cuál es la respuesta.

Acto seguido, Iannis se dio media vuelta, entró en el autobús y se cambió la camisa y el pantalón arrugados por un bañador. Eleni permanecía de pie sobre la arena, sin moverse. Se recuperó de la impresión después de un rato, cuando Iannis estaba lavándose los dientes.

—¿Lefti?

Iannis escupió la espuma de la pasta de dientes en el lavabo.

—Sí.

—¿Lefti Zifkos?

—Sí.

Iannis no había visto así a su abuela jamás. Se quedó encogida, con la espalda tan redonda como si ella fuera a desaparecer dentro de su propio cuerpo. De pronto, parecía tan frágil que un soplo de viento habría bastado para hacerle perder el equilibrio, como si mencionar el nombre de Lefti la hubiera devuelto a un tiempo en el que aún sabía lo que es llorar.

—¿Sabes una cosa, yaya? Nunca fui a dar la vuelta al mundo. Las fotos eran montajes de Hubert-Spiros, el hijo mayor de Lefti. Lefti me acogió en su casa. Cuida muy bien de su familia. No ha obligado a sus hijos a hacerse cargo de su restaurante, sino que les apoyó para que encontrasen su propio camino. Y a mí también. Lefti siempre estuvo ahí para alentarme.

Iannis intentaba adivinar lo que expresaba el rostro de su abuela, pero en él había un vacío que le daba miedo. Eleni dio media vuelta y se metió en el agua. Iannis se inclinó sobre la pila, se enjuagó la boca y volvió a asomarse por la ventana. Su abuela se había metido en el agua vestida y nadaba como un delfín rabioso hacia Otto, que volvía de rodear la cala, como hacía todas las mañanas.

—¿Tú sabías que estaba con Lefti? —le chilló tan fuerte que se estremecieron hasta los peces del fondo marino.

—¿Cómo dices? —respondió Otto. Venía jadeando, al fin y al cabo había estado tres cuartos de hora sin parar de nadar.

—Iannis estaba donde Lefti. ¿Cómo es que tenía su dirección?

Otto escupió agua.

—Porque me la pidió.

—¿Y tú se la diste?

Iannis vio cómo Otto se apresuraba a cambiar de dirección.

—Eleni, yo creí que se iba a dar la vuelta al mundo —exclamó Otto y se echó a nadar hacia el mar abierto con todas las fuerzas que le quedaban. Ella emprendió la persecución de inmediato.

—¡Mentiroso! —gritó Eleni.

Y Iannis corrió hasta la orilla y se echó al agua también. Nadó lo más deprisa que pudo para alcanzar a su abuela, quien a su vez perseguía al abuelo pero se veía frenada por la ropa.

—¡Cálmate, abuela, Otto no ha tenido nada ver! —dijo Iannis.

—¡Otto ha tenido que ver con todo! —gritó Eleni.

—¡Socorro! —gritó Otto.

Como era el más joven y el más rápido, Iannis alcanzó a Eleni antes de que Eleni alcanzara a Otto. La agarró por una punta de la blusa y la retuvo.

—¡Déjame! ¡Esto es un asunto entre tu abuelo y yo!

—¡No, es un asunto entre tú y yo! —corrigió Iannis, con lo cual Eleni se le echó encima y le hundió la cabeza. Iannis consiguió agarrarle un pie y también la arrastró bajo el agua.

A medio metro del fondo, un banco de peces se quedó petrificado del asombro ante el modo tan sumamente infantil en que abuela y nieto se disponían a solucionar, por fin, aquel doloroso conflicto. Pero ¿qué sabrán los peces de sentimientos? Al parecer, no saben que los sentimientos tienen que liberarse como sea cuando llevan demasiado tiempo enconados en el corazón. Y que eso, a veces, sucede de una forma muy escandalosa y desaforada, como en un estallido de energía, sobre todo si se llega a las manos dentro del agua. Porque el mar no tolera el ardor de los conflictos. En el mar habitan las nereidas, y Galene, la más poderosa de todas ellas, se encarga de que todos los seres que se entregan al mar salgan liberados de su desasosiego, de su irritación y de sus tribulaciones. Porque las nereidas persiguen un mar en calma, ya que de otro modo los marineros no oyen sus voces y entonces no pueden seducirlos y arrastrarlos a las profundidades.

Así pues, Iannis y Eleni dieron rienda suelta a su rabia, amortiguada por la dulce fuerza del mar, hasta que sintieron que bastaba. Que ya era hora de reconciliarse.

Otto sacó toallas del autobús y Eleni se puso su albornoz de lentejuelas doradas, mientras tendían a secar su ropa.

Iannis hizo café para los tres: bien fuerte, con mucho azúcar y con su buen copete de espuma. Bebieron en silencio hasta que, de pronto, Eleni dijo:

—Perdóname por intentar ahogarte, Iannis.

Sin querer, Iannis escupió sobre la arena el café que tenía en la boca.

—¿Acabas de...? —iba a preguntar, pero Eleni le interrumpió retirándole un rizo de la frente y dándole un toquecito con el dedo índice en la punta de la nariz, igual que le hacía cuando era niño.

—Y perdóname por no apoyarte. No sé cuándo sucedió, pero temo haberme vuelto igual que mi abuela. Y eso que me pasé la vida echándole en cara cómo era. Pero en lugar de aprender de los errores, los he repetido. Lo siento. No era mi intención.

Iannis estaba muy callado. Y, entonces, Otto se levantó de un salto:

—Voy por la cámara, este momento hay que inmortalizarlo.

Y entonces fue Eleni quien se levantó de un salto:

—¡Ni hablar! Que luego cuelgas la foto en Internet. ¡Será porque no sabes que luego los americanos lo espían todo!

Y mientras se peleaban sobre cuál era la mejor manera de inmortalizar aquel momento histórico en que, por primera vez, Eleni —de soltera Stefanidis, pero después Zifkos y ahora Aniston— pedía disculpas a alguien, Iannis se recostó en la tumbona para disfrutar de la vista del mar, del agua salada sobre la piel y del canto de las cigarras del bosquecillo que se extendía por detrás de la colina. Había olvidado lo que se siente estando en casa.

Pero entonces sonó el teléfono de Otto.

—¡Abuelo, el móvil! —dijo Iannis y miró la pantalla. Como vio que era una llamada de «Mi hija bonita», respondió.

—Dime, mamá.

—¿Iannis? —Aspasia apenas podía respirar.

—¿Qué ha pasado?

—Manolis. —Fue todo lo que dijo.

🍃 🍃 🍃

En el aparcamiento del hospital ya estaban desplegados todos los vehículos de policía y bomberos de la isla grande cuando llegaron Iannis, Eleni y Otto. Aspasia y Rhea habían cruzado por su cuenta en la barca de Otto. Eleni había llamado al teniente de alcalde de Politouranou, quien a pesar de sus diferencias políticas se había prestado de inmediato a llevarlos desde Makarionissi en su lancha motora, pues el siguiente transbordador no zarpaba hasta tres horas más tarde. Tres horas en las que podían pasar muchas cosas.

El helicóptero de una cadena de televisión daba vueltas por encima del hospital. Ni un solo pájaro se atrevía a cruzar los aires. Hasta el sol había tenido la deferencia de esconderse detrás de unas densas nubes grises. A Aspasia había acudido a atenderla un médico porque estaba en shock. Rhea, sentada a su lado, la abrazaba.

Esa mañana, los médicos habían desahuciado a Evangelia. Habían comunicado a Manolis que por la tarde desconectarían las máquinas que la mantenían con vida. Pero Manolis estaba empeñado en salvarla. Así que se había atrincherado junto a su cama con un arma y amenazaba con que, quien pretendiera hacerle algo a su mujer, tendría que pasar primero por encima de su cadáver.

Pero Manolis luchaba en una batalla que no podía ganar.

La policía había evacuado y sellado la planta alta del hospital, donde estaba Evangelia. En la isla grande, los casos incurables siempre iban a parar a lo más alto, para que luego estuvieran más cerca del cielo. Una antigua costumbre. Aquel día, Evangelia era la única que estaba tan cerca del cielo. Una enfermera afirmaba que acababa de ver a Manolis con una carga de explosivos, en tanto que Eleni se desvivía por convencer a los agentes de que Manolis era una nulidad en química y siempre sacaba la peor nota de la clase.

Iannis se mantenía a la espera al otro lado de la valla que impedía el paso. No dejaban entrar en el hospital a nadie. Los que estaban en el edificio habían recibido orden de no abandonar sus habitaciones hasta no haber comprobado de qué armas disponía Manolis realmente. Una y otra vez, los rotores del helicóptero cortaban el aire y, por primera vez en su vida, Iannis no supo qué hacer. Cuando Rhea lo dejó plantado en el altar, a las pocas horas pergeñó el plan de marcharse de la isla. Cuando explotó el restaurante de Lefti, enseguida se acordó de Egon Kappacher. Cuando se enteró del accidente de Evangelia, vio claro que volvería a la isla. Y, entonces, Iannis recordó una historia que les contaba su abuela cuando eran pequeños. La mayoría de las historias se las había contado varias veces a lo largo de su infancia. Aquella, sin embargo, solo una, porque la odiaban.

Érase una vez, en un país muy lejano y un tiempo más que olvidado, un reino maravilloso donde moraban dos príncipes. Eran hermanos y se querían mucho, pero por un milagro habían nacido los dos a la vez, y el rey no sabía cuál de los dos habría de ser su heredero. Consultó muchos oráculos, pero ninguno le ofrecía una respuesta inequívoca.

Cuando los príncipes se hicieron mayores, al rey se le ocurrió una prueba justa que le revelaría quién era el heredero. Así que subió con sus dos hijos hasta lo alto de la torre más alta y les dijo: «Hijos míos, os quiero a los dos pero solo puede gobernar uno. Aquí tengo dos plumas y voy a soplar para que el viento las lleve por el mundo, y cada uno de vosotros irá en pos de una. Y allí donde la pluma toque el suelo trataréis de hacer algo heroico. Y el autor de la gesta más heroica será rey de estas mis tierras».

Los príncipes obedecieron. Al uno, la pluma lo condujo hasta unas mazmorras donde un pérfido dragón tenía encerrada a una bella princesa. El príncipe, pues, venció al dragón y liberó a la princesa. El segundo fue a parar a un país asolado por el hambre. Construyó un pozo y enseñó a los campesinos a trabajar la tierra de manera que todos volvieran a tener para comer.

Cuando regresaron a la corte de su padre, este no supo qué hacer. Uno de los príncipes había liberado a una princesa, pero el otro había evitado la hambruna. Como el rey no se decidía, los dos príncipes se declararon la guerra. Y al final murieron ambos, con la espada del hermano hundida en el pecho, en lugar de gobernar el reino juntos.

Iannis saltó por encima de la valla.

—¡Deténgase de inmediato! —le gritó un policía al ver que se dirigía hacia la entrada del hospital con paso decidido—. ¡Deténgase o tendremos que reducirle! —continuó el agente, detrás de él, por un megáfono con el volumen demasiado alto.

Las puertas automáticas del hospital se abrieron, Iannis se volvió un instante y dijo:

—Soy el hermano de Manolis, su mellizo, voy a hablar con él y le haré entrar en razón.

—No, está prohibida la entrada —exclamó el policía, agarrándolo del brazo. En vez de intentar soltarse, Iannis señaló al cielo y le explicó con voz sosegada:

—¿De verdad pretenden tomar este hospital por la fuerza? Mi hermano es un hombre que no quiere dejar morir a su mujer. La grúa causante del accidente fatal estaba oxidada y nadie se sintió responsable de mandarla desmontar. Usted sabe que, en cualquier otro país, harían lo imposible por mantener a esa mujer con vida el máximo de tiempo. Menos aquí. Y eso mismo es lo que pensará toda la gente que vea las imágenes que están grabando las cámaras de televisión de ese condenado helicóptero de ahí arriba.

El jefe de la patrulla quitó de las manos el megáfono al celoso agente e indicó a Iannis que avanzara.

*   * * *

—¿Manolis? —llamó a su hermano en cuanto salió del ascensor—. Manolis, soy yo, Iannis.

Aparte del leve chirrido de las suelas de sus zapatos, Iannis no oía ningún ruido.

—¿Iannis? —respondió Manolis unos segundos después. Su voz sonaba muy ronca y entrecortada—. Vete, por favor, no dejaré que se le acerque nadie.

—No quiero acercarme a ella, sino a ti. He recorrido mil quinientos kilómetros para hacerlo. Y, sobre todo, he pasado por encima de mi propio orgullo. Ahora no me puedo volver con las manos vacías.

Iannis oía a Manolis dando zancadas de un lado a otro de la habitación. Parecía que le costaba respirar. Iannis sintió cómo también a él le costaba respirar.

—Lo siento mucho, Manolis. Siento haber tardado tanto en volver y no haberte dicho nunca nada. ¿Sabes? Nunca fui a dar la vuelta al mundo. Estuve trabajando de cocinero en el restaurante del primo de Eleni, en St. Pölten. Tiene pelos en las orejas, pero es uno de los tipos más inteligentes que conozco. Me dijo que, en algún momento, tenía que dejar pasar las cosas. Hacerme cargo de que, a veces, las cosas son como son, aunque sean una mierda. Y que no siempre está en nuestra mano cambiarlo todo. Sobre todo el pasado. Yo lo he dejado pasar, y estoy aquí otra vez. Para lo que necesites.

Durante unos minutos, lo único que oía Iannis eran los pasos de Manolis y los fuertes latidos de su propio corazón.

—Iannis... ¿entras?

Iannis se acercó. Su hermano llevaba puesto el cinturón del detector de metales y un cuchillo de cocina en la mano. Evangelia apenas estaba reconocible. No se sabía dónde terminaba su cuerpo y dónde empezaba la máquina. Tenía toda la cara tapada por el equipo de intubación y por un aparatoso vendaje que solo dejaba a la vista el ojo derecho y parte del pelo.

—Mi mujer, Evangelia. —A Manolis se le quebró la voz.

Iannis se acercó a su hermano con mucha cautela y le puso una mano en el hombro.

—He vuelto.

—No puedo dejarla marchar. Todavía no he encontrado mi alianza.

—La encontraremos entre los dos. Makarionissi es una isla, aquí no se pierde nada —dijo Iannis. Muy delicadamente, le quitó la alianza del dedo a Evangelia y la depositó sobre la temblorosa palma de la mano de Manolis—. Manolis, tienes que dejar pasar las cosas.

Y Manolis cerró el puño y siguió el consejo de su hermano.

Epílogo

En las historias que Yaya María Kouzis, cien años atrás, había oído contar a los comerciantes que frecuentaban la finca de su padre en Asia Menor, así como en las que, con sus graves voces, relataban los conductores de las caravanas de sal que cruzaban la alta montaña y hacían alto en la casa familiar del comerciante que fuera su esposo para tomarse un *tsipouro* y un pedazo de pan con ellos, los protagonistas siempre eran héroes. Héroes que vencían a las bestias, liberaban princesas, conquistaban corazones de ninfas, salvaban ciudades, derrotaban enemigos, resolvían tareas imposibles y surcaban todos los mares del mundo; héroes amados o puestos a prueba por los dioses, favorecidos o malditos por el Destino; héroes que jamás mostraban debilidad alguna, no se rendían jamás y se mantenían fuertes hasta su último aliento.

Sin embargo, había una historia que Yaya María no había oído contar nunca y, por lo tanto, tampoco había podido contar a sus nietos para que, a su vez, la transmitieran a sus nietos: la historia del héroe que asume las circunstancias, comprende sus errores antes de que sea demasiado tarde y muestra debilidad para ayudar a sanar las heridas de otros.

Esta historia tuvo que escribirla por sí misma Eleni Aniston, de soltera Stefanidis y después Zifkos pero después ya no. Y empezó a escribirla el día en que Manolis dejó pasar lo que no quería que pasara, cuando Iannis le enseñó lo que significa dejar pasar las cosas.

Dos días después del entierro de Evangelia, Eleni le pidió a Iannis un número de teléfono. Y no colgó cuando, al otro lado de la línea, respondió un hombre con el que llevaba cuarenta años sin hablar.

—Lefti Haselbacher-Zifkos, ¿dígame?

ø ø ø

Medio año después —corría el mes de diciembre de dos mil catorce—, la familia en pleno esperaba apelotonada en el puerto. En invierno, el transbordador solo cruzaba a Makarionissi dos veces diarias. Iannis y Laura habían llegado cuatro días antes para que ella tuviera ocasión de conocer a todo el mundo con calma antes del gran acontecimiento. Habían llegado al puerto con cuarenta minutos de adelanto. Si por ella hubiera sido, Eleni se habría levantado al amanecer; muy nerviosa, no dejaba de mirar el agua. Otto había permanecido a su lado, sosteniéndole la mano, los primeros veinte minutos, pero como tenía problemas en las rodillas en cuanto la temperatura bajaba de los quince grados, se había sentado en una silla de plástico que había junto al muelle. Laura, Aspasia y Rhea tomaban café en un barecillo del puerto donde también se podían comprar los billetes del transbordador.

—Como esas tres hagan piña, aún te arrepentirás de no haberte quedado en Suiza…, ¿no? —dijo Manolis, y Iannis le respondió con un cachete en la calva. La terapeuta de Manolis, carga condicional que le habían impuesto dos veces a la semana por el incidente del hospital, le había contado que, en la Antigüedad, los hombres se afeitaban el cuerpo en señal de duelo. Aquella misma noche, Manolis había imitado el ritual. Desde entonces, juzgaba la familia, parecía que empezaba a remontar poco a poco.

—¡Mirad! ¡El transbordador! —exclamó Eleni.

Las tres mujeres del bar apuraron sus cafés y tiraron los vasos de cartón a la basura. Otto se puso de pie con ayuda de Manolis y se colocó detrás de Eleni.

—¿Siempre ha sido tan lento este transbordador? —se impacientó ella, pero nadie le contestó. Nunca la habían visto tan nerviosa—. ¿Y qué hacemos si, después de todo, no viene? —musitó.

El barco empezó a realizar las maniobras de atraque. La rampa trasera descendió. Había un único vehículo a bordo: una caravana con matrícula de St. Pölten.

El transbordador echó el ancla, la caravana en la que viajaba una pareja mayor recorrió lentamente el puente de metal para pasar a tierra y se detuvo a los pocos metros.

Por el lado del copiloto bajó Trudi.

—¡Tía Trudi! —la saludaron Iannis y Laura.

Eleni no era capaz de moverse.

Y, finalmente, bajó Lefti.

Caminaba un poco encorvado, llevaba unos pantalones azules, una abrigada chaqueta de punto y unas gafas muy grandes, y las pequeñas matas de pelo blanco como la nieve que le salían de las orejas brillaban a la luz del sol.

—Lefti —susurró Eleni, que seguía como clavada al suelo. Sin apresurarse pero con paso decidido, Lefti caminó hacia su prima. Y cuando estuvo tan cerca que habría podido hacerle la broma de robarle la nariz y enseñársela entre los dedos, como le hacía de niña, Eleni le dijo—: Lefti, lo siento.

Lefti posó la mano sobre sus rizos, que ahora tenían vetas grises pero seguían tan indómitos y disparados en todas direcciones como siempre. Y le dio unos toquecitos en la cabeza, igual que aquel día en que se metieron en la caseta de los perros para esconderse de un mundo que les resultaba extraño. De no haber decidido los dioses que aquel instante habría de pertenecerles únicamente a ellos dos, a Eleni y a Lefti, con objeto de lo cual distrajeron la atención del resto de los presentes hacia un gato tricolor que cazaba mariposas como si en realidad no quisiera atraparlas, la familia habría visto que Eleni —la que durante cuarenta años había sido una valiente Amazona— tenía lágrimas en los ojos. Y de no haber soplado el dios del viento, en aquel instante, con tanta fuerza que las palabras de Eleni y Lefti no alcanzaron a los demás, habrían oído susurrar a Lefti:

—No llores, Eleni. Las heroínas no lloran.

Ω

Para mis héroes y para quien me rompió el corazón

Y muy especialmente para

el comandante Rinaldo

Sandra, copiloto en el carro de guerra

Filippo, que me enseñó Makarionissi

Niki, la única constante inconstante

Vincent, porque un final no feliz también es un final feliz

Sea mi mayor agradecimiento para los héroes que me apoyaron durante el trabajo en esta novela:

A mis maravillosos amigos, que estuvieron a mi lado en todas las crisis, que yo, por supuesto, convertí en catástrofes. Sobre todo a Tamara, la mejor amiga bajo el firmamento, y a los grandiosos Eglaus y Puljarevic.

A mi indómita y ruidosa gran familia.

A los argonautas sobre el escenario y entre bambalinas por esta obra grandiosa y, en cualquier caso, por toda una etapa espectacular.

A los colaboradores y docentes del *Institut für Klassische Philologie* de mi universidad por su gran comprensión y su cercanía y por la cantidad de cosas fantásticas que tengo oportunidad de aprender allí.

Al *Department of German, Russian and East Asian Languages* de la Fundación Max Kade, en especial a Christina Günther y, naturalmente, a Julya Rabinowich, responsable de trama y urdimbre de todo esto.

A Susi y Sepp Schellhorn (Family, Friends, Dogs & Stuff incluidos) por acogerme en su espléndida casa del lago con los brazos más que abiertos y hasta hacer magia con los platos típicos de mi tierra.

ÍNDICE

CANTO I

Prólogo 17
Siempre que alguien vuelve 22
La bestia de un solo ojo 41
El santo de Lefti 54

CANTO II

La verdad de la danza 67
Lefti quisiera no ser Lefti 76
Para erradicar el mildiu 87
Más de una mala señal 101

CANTO III

El «nein» alemán 113
Belleza y erotismo de la lengua alemana 119
Demóstenes contra Antígona 128

CANTO IV

Un día con el efecto de muchos   139

La condenada felicidad   159

Cuando entraron los tanques   170

Lo que la nieve no puede ocultar   173

Los tiempos que corren   185

CANTO V

Tocada por la fortuna   203

Solos pero al menos los dos   215

Trajes de novia en Greektown   224

Eleni redescubre a Eleni   240

Todos dicen «sí»   252

Una obscenidad de automóvil   255

CANTO VI

El ciervo volador   273

Un castillo de arena para la eternidad   279

Camisetas interiores… y cosas peores   290

El reino de las Amazonas   299

CANTO VII

¿Quién es *König* Otto?   315

La finalidad de un agujero en el suelo   320

Toda una vida en una maleta   327

Cuando tres son multitud   341

Cuando dicha y desdicha van de la mano   351

CANTO VIII

Luchando por la zona peatonal   365

Una belleza de postal   385

La plaga de la polilla del boj   397

CANTO IX

Ironías de una grúa   415

Por qué las nereidas persiguen un mar en calma   430

Epílogo   441